La Promise du clan Kincardine

Shana ABÉ

La Promise du clan Kincardine

ROMAN

*Traduit de l'américain
par Lionel Évrard*

Titre original
THE PROMISE OF RAIN

Éditeur original
Bantam Books, a division of Bantam Doubleday Dell Publishing
Group, Inc.

À l'adorable et talentueuse Gwen, qui très géné-reusement me fit partager son voyage en Grande-Bretagne et en Irlande, et qui tout le long du voyage me laissa le siège offrant la meilleure vue. C'est pour la remercier que j'ai écrit cette histoire. Je t'aime, maman.

Ma plus profonde reconnaissance, également, à mon père Ted qui a renoncé à son voyage pour que je puisse prendre sa place. Merci à Adriann de m'avoir aidée pour les noms des personnages, et à Darren pour son dévouement.

Ce livre n'aurait jamais été terminé sans la patience infinie et l'aide de Ruth Kagle et Stephanie Kip. Mille mercis à vous tous.

Prologue

Londres, Angleterre, août 1159

— Folie !

Debout dans le grand salon royal, le courtisan avait prononcé ce mot avec une délectation manifeste.

— On dit qu'elle tient ça de sa mère. Une tare écossaise !

Lady Avalon Farouche n'avait rien manqué de cet échange qui avait cessé à son approche. Aux trois jeunes hommes qui s'inclinèrent devant elle, évitant son regard, elle adressa un sourire appuyé. Délibérément, elle fit halte devant eux, faisant mine de chasser un grain de poussière sur sa robe. Surprise de la voir s'attarder, les trois courtisans se troublèrent, s'adressant des regards inquiets avant de relever les yeux vers elle.

De nouveau, Avalon les gratifia d'un sourire dont elle ne chercha pas à dissimuler la froideur. Elle ne s'accordait jamais ce genre de petit plaisir – cela n'aurait fait que nourrir les rumeurs. Mais ce soir, il était difficile de résister à la tentation.

Si l'un des trois membres du trio lui était inconnu, les deux autres la poursuivaient de leurs assiduités depuis ses débuts à la cour, un an et demi plus tôt. Ils l'avaient courtisée alors que ses fiançailles étaient connues de tous. Dans un premier temps, ils n'avaient fait que se rendre importuns. Mais lorsqu'elle les avait poliment et fermement repoussés, ils s'étaient déchaînés contre elle, unissant leurs forces pour répandre le poison de la calomnie jusqu'à ce qu'il intoxique tout leur entourage.

D'elle, ils avaient fait un portrait au vitriol. Avalon Farouche de Trayleigh était froide, inhumaine. Elle se croyait meilleure que les autres. Elle était inquiétante et portait dans son sang l'héritage écossais et ses rituels barbares. Ce qui prouvait à quel point ils la connaissaient peu.

Les rumeurs n'avaient pas tardé à se propager. Plus elles étaient ridicules et blessantes, plus les gens étaient prêts à y croire, émoustillés par l'odeur de scandale. Mais le fin mot de l'histoire, c'était qu'Avalon n'avait pas sa place à la cour du roi Henry, et elle le savait. Comme tout le monde, d'ailleurs.

À présent, elle fixait l'homme qui l'avait traitée de folle et prenait plaisir à le voir s'empourprer davantage.

— Nicolas Latimer... susurra-t-elle. Comment vous portez-vous, milord ?

— Fort bien, milady !

Un voile de transpiration stagnait entre son nez et sa lèvre supérieure. Lentement, Avalon l'étudia avec attention.

Peur... murmura une voix qu'elle seule pouvait entendre. *Cauchemars...*

— Comme je suis soulagée de l'apprendre !

La voix d'Avalon, douce et égale, ne laissait transparaître aucune de ses pensées.

— On m'a dit tant de choses inquiétantes, milord, au sujet de votre sommeil…

— De mon… sommeil ?

— Oui, de votre sommeil. Nombre de dames de qualité se font du souci pour vous.

Un instant, Avalon laissa son regard dériver sur les deux autres hommes, qui la dévisageaient avidement. Puis elle revint à Latimer. D'un ton compatissant, elle enchaîna :

— Ne dit-on pas que vous avez quelques problèmes avec vos… rêves, milord ?

Le jeune homme était livide.

— Que… que dites-vous ? balbutia-t-il.

Esclave de ses cauchemars… suggéra la voix espiègle qui ne résonnait que dans la tête d'Avalon.

— Vous ne faites donc pas de mauvais rêves, milord ?

— Comment le…

Aussi figé qu'une statue de sel, les yeux brillants d'une lueur de terreur, Latimer ne put finir sa phrase. Avalon entendit sa voix intérieure délivrer un autre verdict tandis qu'elle examinait l'homme qui tremblait presque devant elle. *Ténèbres… Bouche… Goûter… Avidité… Peur…* Et soudain, elle eut pitié de sa victime.

— Ce n'est rien, j'en suis sûre… Je vous souhaite à tous le bonjour.

Médusés, les trois hommes la regardèrent s'éloigner, solitaire au milieu de la pièce bondée. On aurait dit qu'une barrière invisible la séparait de ses semblables.

— Comment peut-elle savoir ? chuchota Latimer dans son dos.

— Sorcellerie ! répliqua l'un de ses amis.

Le troisième, celui qu'elle ne connaissait pas, s'exprima à voix basse, presque avec déférence.

— C'est la plus belle femme que j'aie jamais vue…

En traversant le salon, Avalon répondit mécaniquement aux saluts qui lui étaient adressés. Elle, une sorcière? Sûrement pas! Même si la plupart des membres de cette cour frivole étaient convaincus du contraire. Nul besoin de sorcellerie pour remarquer les cernes profonds qui soulignaient les yeux de Nicolas Latimer. Il ne fallait pas chevaucher un balai pour discerner sur son visage une expression d'hébétude, et dans ses yeux les dantesques visions qui s'y attardaient même en plein jour. Tout le monde pouvait constater cela. Nul besoin d'être adepte du démon.

En fait, Avalon Farouche ne croyait pas à l'existence des sorcières. En guise de sorcellerie, il n'y avait que la peur des hommes incapables de concevoir l'inconcevable, face à de pauvres femmes solitaires et sans protection, victimes de leurs persécutions. Dans ce portrait, Avalon ne se reconnaissait nullement. Tous les jours, on massacrait ces malheureuses en public et elle était sûre de ne jamais devenir l'une d'elles. Avalon n'était ni pauvre ni solitaire, et elle avait sous la main le plus fiable des protecteurs: elle-même.

Pour une dame de haute extraction comme elle, c'était loin d'être la règle. Sa différence ne lui était jamais autant apparue qu'ici, à la cour du roi Henry. À son arrivée à Londres, elle avait d'abord cru que l'ostracisme dont elle était victime était dû à son histoire peu commune, dont les détails étaient sur toutes les lèvres. Et contre cela, il n'y avait aucun remède. Le passé était le passé, elle n'y pouvait rien changer.

Avalon préférait ne pas s'attarder sur le fait que cette particularité – cette différence – devait être en elle depuis toujours. Il lui avait fallu atteindre sa septième année pour comprendre avec horreur qu'elle était une exception. Tout le monde ne voyait pas, n'entendait pas ce qu'elle voyait et entendait. Tout le monde n'entrait pas comme elle en empathie avec les animaux, ni ne se laissait submerger par les émotions qui émanaient d'eux. Il n'y avait qu'elle. Et seulement elle.

Il n'en était pas ainsi tout le temps. Il s'écoulait parfois quelques jours, quelques semaines – et plus rarement des mois bénis – au cours desquels elle ne ressentait rien de plus que le commun des mortels. Alors, cette *acuité* en elle, cette affreuse et redoutable bête rentrait dans son repaire pour y dormir. Le temps que cela durait, elle endossait avec bonheur le rôle d'une femme tout à fait normale. Avalon était friande de ces moments de répit. Hélas, le monstre finissait toujours par se réveiller. L'œil implacable au centre d'elle-même finissait par se rouvrir, pour lui montrer tout ce qu'elle ne désirait pas voir.

Aussitôt qu'elle eut compris en quoi elle était différente, Avalon travailla dur pour y remédier. Parfois, elle parvint presque à se convaincre que ces phénomènes étaient le fruit de son imagination, nourrie par les croyances superstitieuses qui avaient bercé son enfance.

Aux moments les plus sombres, dans ses rêves éveillés, la voix prenait une forme vaporeuse. Celle d'un monstre fabuleux, dont sa nurse lui avait un jour parlé et qui s'était inscrit dans sa mémoire pour ne plus en sortir. Une forme hybride : la tête d'un lion sur le corps d'une chèvre, avec une queue de serpent.

Une chimère vivait en elle. Elle ne crachait de flammes qu'à son intention. Sa voix ne s'adressait qu'à elle, et ce que voyaient ses yeux, à elle seule elle le confiait. Cette chimère était le secret honteux d'Avalon. Elle espérait pouvoir un jour, quand la lumière reviendrait dans son existence, pouvoir la conjurer.

Car les chimères, comme les sorcières, n'existaient pas. Et si Avalon avait une conviction, c'était que tout ce qui lui arrivait devait pouvoir s'expliquer *rationnellement*. Toute autre explication ouvrait la porte au surnaturel, à la magie, aux superstitions. Toute autre explication légitimait ce folklore absurde, qui avait fortifié Hanoch Kincardine dans la conviction que la vie de son *clan** était réglée par une ancienne malédiction, dans laquelle Avalon avait un rôle primordial à jouer.

Avalon Farouche n'était pas l'ultime avatar venu mettre un terme à la légende de la famille Kincardine. Personne ne lui ferait croire cela !

Mais aucun de ces raisonnements ne parvenait à stopper tout à fait les épisodes étranges qui émaillaient sa vie. Et jamais elle n'était parvenue à tuer la chimère en elle. Alors, Avalon avait appris à faire la plupart du temps comme si tout cela n'existait pas.

Hanoch ne s'était pas privé de se gausser de ces efforts.

— Tu fais corps avec la malédiction, *lass** ! lui répétait-il souvent. Tu ne peux pas lui échapper. C'est la seule force que tu possèdes.

---

* Les mots et termes d'origine écossaise ou étrangère en italique et suivis d'un astérisque renvoient au glossaire en fin de volume. (*N.d.T.*)

Avalon avait tout fait pour lui prouver le contraire. Sa force, c'était ailleurs que dans une stupide légende qu'elle la puisait. Elle s'était échinée à prouver au *laird** du clan Kincardine qu'elle n'était ni frêle ni faible, et qu'elle était insensible à ses railleries. Jour après jour, autant qu'elle l'avait pu, elle l'avait combattu, pour les petites ou les plus grandes choses. Jamais elle n'avait accepté ce non-sens qu'il ne cessait de lui rabâcher, à savoir qu'elle était celle qui mettrait un terme à la malédiction pesant sur son clan. Mais, tout au fond d'elle-même, les rires moqueurs de la chimère faisaient écho à ceux de son tourmenteur.

Ce soir-là, à la cour du roi Henry, dans cette salle bondée, c'était d'autres rires qu'Avalon devait ignorer, d'autres railleries auxquelles il lui fallait faire face. Les musiciens, sur leur estrade, entamèrent un madrigal lent et triste. Leurs doigts habiles caressaient les cordes des luths. Le ténor entonna un couplet qui parlait d'amour perdu à jamais. Avalon accepta une coupe d'hydromel qu'une servante lui tendait et la sirota pensivement. Non loin, un groupe de jeunes femmes de son âge formait un cercle. Aux regards en biais qu'elles lui lançaient, elle devina qu'elle était l'objet de leurs moqueries.

Haineuses... susurra en elle la voix chuintante qu'elle détestait. *Envieuses*...

De splendides fresques colorées ornaient les murs du grand salon royal, dans lesquelles se mêlaient sujets sacrés et profanes, fantaisies oniriques et réalisme terre à terre. Dragons et griffons s'entremêlaient au-dessus des têtes de chevaliers en armes, de rois couronnés, de saints auréolés. Avalon gagna un coin isolé et fit mine d'étudier un saint en aube blanche, ligoté à un pieu. Dans son crâne, la voix ne se taisait pas.

Regardez-moi ça…

Le saint affichait une expression de détachement des choses de ce monde, que ne parvenaient pas à troubler les flammes et la fumée qui lui léchaient les pieds.

Regardez-la… On dit qu'elle flirte avec tous les hommes qui croisent sa route… On ne devrait pas tolérer un tel scandale à la cour…

Ni dans le royaume !

Les flammèches d'un jaune orangé, aux pointes aiguës, dévorantes, pénétraient la chair. Un véritable martyre pour le saint, sans doute, mais au moins ne connaîtrait-il jamais cet autre supplice d'être l'indésirable à la cour royale.

D'un regard par-dessus son épaule, Avalon put constater que le cercle de jeunes commères s'était encore élargi. Certaines se contorsionnaient pour avoir sur elle le meilleur point de vue.

Vous savez, j'ai entendu dire qu'elle est folle !

Pas étonnant, après avoir été élevée par ces bêtes puantes d'Écossais !

Avalon préféra s'éloigner, mais l'évidente hostilité de cette coterie la poursuivit. L'espace d'un instant, elle put même se voir grâce aux yeux de la chimère telle que ces femmes la voyaient. Une jeune lady déracinée, un peu perdue, grande et pâle dans un bliaud rose rehaussé de perles. Des cheveux brillants, presque argentés à la lueur des candélabres, retenus par un diadème, mais que ne couvrait aucun voile. Des yeux étranges, perçants, qui semblaient paradoxalement avoir du mal à se fixer sur les choses de ce monde.

Dans un grand miroir poussiéreux accroché derrière les musiciens, Avalon put constater la réalité de ce portrait. Certes, le miroir ternissait ses cheveux, leur conférant une pâle couleur grise. Il assombrissait ses yeux, masquant leur véritable nuance. Mais à n'en pas douter, c'était cette apparence peu orthodoxe qui la vouait aux gémonies depuis ses débuts à la cour.

Vous croyez qu'elle porterait un voile à une réception royale ? Elle s'imagine sans doute au-dessus de ça ! Ce doit être la mode, chez ces barbares d'Écossais.

Peut-être s'enorgueillit-elle de cette chevelure ridicule. C'est tellement vulgaire, ces cheveux blondasses...

D'un blond argenté, avait coutume d'affirmer la nurse d'Avalon. Comme la lumière de la lune.

Encore plus ridicule... Ses cils et ses sourcils ne sont pas assortis : ils sont aussi noirs que du charbon !

Un délicieux contraste, estimait Ona, la nurse.

Je ne sais pas pourquoi elle fait tant la fière. La mode est aux cheveux sombres, tout le monde sait ça ! Et regardez-moi cette carnation : blanche comme un spectre !

Un teint d'albâtre, proclamait Ona. Preuve de haute extraction.

Et ses yeux !

Oui, vraiment, ses yeux...

De quelle couleur sont-ils ? Bien malin qui pourrait le dire !

Non pas le bleu azuréen, non pas le pourpre profond, mais une teinte intermédiaire. Il arrivait au ciel d'aurore de prendre cette nuance juste avant l'aube. Violine, avait décrété Ona.

Avalon, elle, se serait bien passée de ses yeux violets. Pourquoi n'avait-elle pas pu naître avec de communs yeux bleus, ou bruns, ou verts ?

Feignant l'indifférence, elle reprit sa déambulation en sirotant de temps à autre l'hydromel du roi. La question était à présent de savoir quand elle pourrait s'éclipser. Son chaperon était au centre de l'attention d'un groupe d'hommes et de femmes qui riaient très fort. Avalon s'en serait voulu de gâcher sa soirée en l'écourtant. Contrairement à elle, lady Maribel se délectait des plaisirs de Londres et de la cour. Et la brave femme avait fait tout son possible pour qu'il en soit de même pour elle.

C'était dans son petit domaine de Gatting qu'Avalon avait été recueillie à l'âge de quatorze ans. On lui avait donné des cours de maintien, d'étiquette, d'histoire, de français, de latin. Lady Maribel lui avait fait confectionner par la meilleure couturière les tenues les plus élégantes, adaptées à chaque heure du jour. Elle avait bataillé plus de six mois durant pour la débarrasser de son accent écossais. L'impopularité d'Avalon était une bien piètre manière de la récompenser de ses efforts. La jeune femme se sentait coupable de lui infliger un tel fardeau. Lointaine parente, lady Maribel s'était montrée aimable à son égard. Elle aurait mérité, en récompense de ses efforts, d'avoir une pupille admirée pour sa beauté, son élégance et son esprit.

Avalon avait été la première surprise par l'accueil qu'elle avait reçu à la cour du roi Henry. Elle faisait peur à la plupart des hommes, et ceux qui ne la craignaient pas tentaient de la séduire. Les femmes la méprisaient, quand elles ne la jalousaient pas. Durant les premiers mois de son séjour, ces réactions l'avaient intriguée, puis consternée, avant de la mettre dans une colère noire.

— Ils vont s'amadouer, assurait Maribel en guise de consolation. Soyez patiente...

Mais, loin de disparaître, l'hostilité qu'on lui vouait n'avait fait que se renforcer, en dépit de tous ses efforts pour se faire des amis à la cour. À tel point qu'Avalon avait fini par y renoncer, préférant se blinder pour pouvoir évoluer sans trop souffrir dans ce creuset de haine et de médisance. Aux yeux de tous, elle était une étrangère et le resterait.

Les musiciens entamèrent un nouveau morceau, plus enlevé, amenant les convives dans le hall bondé à rire et à parler plus fort. Munie d'une autre coupe d'hydromel, Avalon partit à la recherche d'un refuge où personne ne pourrait l'atteindre. Elle le trouva dans un coin, derrière un candélabre dont les bougies se répandaient en filets de cire blanche sur le sol.

Mais la clique des mégères, à l'autre bout de la pièce, n'en avait pas terminé avec elle, et la chimère ne se privait pas de le lui faire savoir.

J'ai entendu dire que son cousin ne veut pas d'elle chez lui ! Il ne veut pas entendre parler de son retour à Trayleigh, tellement il est embarrassé par ses manières.

Sans doute aurait-il été soulagé qu'elle ne réchappe pas de l'attaque du château de Trayleigh. Cela lui aurait évité de survivre Dieu sait comment pendant sept ans en Écosse, alors que tout le monde la croyait morte.

Tout à fait entre nous... cette brute écossaise à qui on l'a fiancée ne veut pas d'elle non plus. Ce Marcus

Kincardine préfère ne pas rentrer de croisade plutôt que de l'épouser !

Il paraît que ce raid l'a rendue folle, qu'elle ne parvient même plus à se rappeler ce qui s'est passé.

Pensez-vous ! C'est d'avoir vu mourir son père et cette paysanne qui lui servait de nurse qui lui a fait perdre la tête...

Et vous connaissez la dernière ? Lady Maribel aurait l'intention de la marier à quelqu'un d'ici pour lui éviter d'avoir à épouser cette brute de Kincardine. Comment peut-elle imaginer qu'un de nos bons gentilshommes pourrait se satisfaire d'une telle courtisane ? Cela frise le ridicule, l'imposture !

Vous avez mille fois raison : l'imposture !

Baissant la tête, Avalon évita de regarder en direction du tribunal improvisé qui la jugeait. Combien d'autres, dans cette salle, pouvaient entendre ce réquisitoire implacable ? Elle espérait être la seule, par le biais de la chimère. Dans un autre miroir, elle constata qu'elle était toujours l'objet de l'attention du groupe de femmes. Elles avaient été rejointes par quelques hommes, qui sans se mêler à la conversation dressaient l'oreille pour ne rien perdre de leurs chuchotis.

Même son fiancé, ce sauvage de Kincardine, ne pourra supporter une telle sorcière !

Ces fiançailles précoces avaient fait d'Avalon le jouet de quelques hommes assoiffés de pouvoir – barons, lairds et rois – qui s'étaient arrogé le droit de conduire à leur guise sa destinée. Elle avait l'impression d'être fiancée depuis toujours, et ce statut avait modelé son existence bien plus que n'aurait pu le faire aucun décret de la Providence. Il lui était donc tout naturel de souhaiter y échapper.

Avalon n'avait révélé à personne ses plans d'avenir, et elle se garderait bien de le faire. Comme pour un charme magique, elle avait peur d'en compromettre les chances de réussite, ne fût-ce qu'en énonçant à haute voix pour elle-même ce qu'elle avait en tête. Ses intentions étaient plus à l'abri dans le secret de ses pensées.

L'atmosphère devenait étouffante dans la salle. Trop de convives s'y pressaient. Certains s'étourdissaient à danser. D'autres chantaient à tue-tête. Le vin et l'hydromel coulaient à flots, concourant à ce que les langues se délient et à ce que les manières se relâchent. Un couple chahuteur vint bousculer Avalon jusque dans sa retraite. Elle faillit renverser sa coupe sur sa robe, mais l'homme et la femme s'éloignèrent sans s'excuser.

C'en était assez. Décidée à s'éclipser, Avalon tendit sa coupe vide à une servante, se dirigea vers la porte et passa devant les gardes en faction pour gagner l'antichambre. Il y faisait beaucoup plus frais et on ne s'y marchait pas sur les pieds. La plupart des bancs et des chaises étaient vides.

Remontant à la source d'un courant d'air, Avalon alla s'asseoir sur le banc molletonné d'une fenêtre ouverte. Avec bonheur, elle offrit son visage et ses cheveux à la petite brise nocturne. Déjà, la colère qui s'était accumulée en elle tout au long de la soirée commençait à refluer. Avec un soupir de soulagement, elle ferma les yeux et s'adossa au mur.

— Comment l'avez-vous su ?

Dans un sursaut, Avalon rouvrit les yeux. Nicolas Latimer se dressait devant elle. Il s'assit précipitamment sur le banc et lui saisit les poignets, qu'il serra fortement entre ses mains.

— Vous allez me dire comment vous l'avez su ! insista-t-il. Pour ces rêves…

Son visage était si proche du sien qu'Avalon frémit de sentir sur elle son souffle écœurant. Cette partie de l'antichambre était déserte. Elle ne pouvait compter que sur elle-même pour se débarrasser de l'importun.

Avalon se rencogna dans l'embrasure, s'éloignant autant que possible de Latimer. D'un geste sec, elle parvint à se libérer de son emprise.

— Cela crève les yeux ! répondit-elle. Laissez-moi…

Pour lui échapper, elle se dressa vivement. Il fut plus rapide et bondit devant elle afin de lui couper toute retraite. Un peu plus loin, un couple de passage avait assisté à la scène et s'était figé sur place. Avalon ne pouvait provoquer un scandale, par égard pour lady Maribel.

— Vous êtes une sorcière, n'est-ce pas ? murmura Latimer d'une voix emplie de frayeur et de dérision. Vous m'avez jeté un sort ! Vous tentez les honnêtes hommes avec vos cheveux, avec vos yeux, avec vos charmes, pour mieux les torturer ensuite… C'est vous qui me faites sentir ces choses et qui pourrissez mes nuits…

— Ne soyez pas ridicule !

Du coin de l'œil, Avalon vit que le couple avait été rejoint par un autre.

— Vous préféreriez coucher avec le diable plutôt que de coucher avec moi, n'est-ce pas ? reprit Latimer d'un ton vindicatif. À moins que vous ne préfériez cet Écossais si peu pressé de rentrer de croisade… Pourquoi attendre le retour de ce barbare de Kincardine, alors que je suis tout prêt à prendre sa place pour vous faire connaître le plaisir ?

Il se pressa contre elle. Dans ses yeux, Avalon lisait que la violence avait pris le contrôle de son être et qu'il ne se maîtrisait plus.

— Couche avec moi, sorcière ! Tu ne le regretteras pas…

Un autre danger, plus impalpable, menaçait Avalon. Sous son crâne, la voix familière de la chimère chuchota :

Regarde… et vois !

Sans l'avoir voulu, elle se retrouva alors immergée dans les ténèbres de l'esprit de Nicolas Latimer. Un désir bestial voisinait en lui avec une honte intense et la peur d'être découvert. Des images crues le tourmentaient sans répit. Une femme nue sur un lit. Un homme vautré sur elle, nu lui aussi. Ce qu'il lui faisait…

Avec horreur, Avalon réalisa que la femme nue n'était autre qu'elle-même. Et Latimer était le violeur.

La scène commença à s'estomper, cédant la place à une série de sensations confuses et déstabilisantes. Une pièce obscure, dans laquelle flottait une âcre odeur de fumée. Une irrésistible voracité tenaillait le ventre de Latimer. Ses lèvres se refermaient sur un mets d'une texture spongieuse, au goût amer. Ce qu'il était en train de faire l'emplissait de honte et lui embrasait l'esprit. Un besoin tyrannique qui le consumait jour après jour et dévorait ses nuits.

Avec une sensation de vertige, Avalon émergea de ce sombre endroit dans lequel l'esprit de Latimer l'avait entraînée. Indifférent aux témoins qui observaient la scène à distance, il tenta de l'immobiliser de nouveau. Mais elle se laissa guider par son instinct et son entraînement prit le dessus.

La main d'Avalon partit en avant, captura celle de son vis-à-vis et tira vers le bas. De son autre main, elle bloqua son coude et imprima à son avant-bras une légère torsion. Le tout en une fraction de seconde.

Comme si elle répondait à quelque remarque qu'il venait de lui susurrer à l'oreille, Avalon adressa à Latimer un sourire charmant. Les yeux de celui-ci s'écarquillèrent sous l'effet d'une douleur inattendue. Elle maintint sa prise fermement, pas assez pour lui faire vraiment mal, mais suffisamment pour lui faire comprendre qu'il était à sa merci.

— Écoutez-moi bien, conseilla-t-elle d'une voix aussi basse que possible. Ce n'est pas par sorcellerie que j'ai deviné que vos nuits sont sans repos. Si je vous entends encore une fois associer mon nom à ces pratiques, ou si l'on me rapporte que vous l'avez fait, vous pouvez être sûr que vous le regretterez *vraiment*. Ce n'est pas un sort qui vous maintient le bras de telle manière qu'il me suffirait d'un geste pour le briser. C'est l'habileté d'une faible femme de chair et d'os. Mes paroles sont-elles assez claires à vos oreilles, milord?

Furieux autant que paniqué, Nicolas Latimer détourna le regard.

— Oui! lâcha-t-il entre ses dents. Très claires.

— Magnifique! Et en échange de votre bon vouloir, je vais vous faire une faveur. J'ai entendu dire, voyez-vous, que vous appréciez la chair d'un champignon aux vertus des plus inhabituelles… Vous vous y êtes à ce point accoutumé que vous rejoignez secrètement des amis pour le consommer avec eux. C'est ce champignon dont vous ne pouvez vous passer qui vous apporte ces mauvais rêves, Latimer. Arrêtez d'en manger, et les rêves cesseront.

Avalon lui lâcha le bras. Latimer se redressa vivement et se massa le poignet. Puis, sans s'attarder davantage, il tourna les talons, marchant droit vers la petite foule qui s'était assemblée pour les observer. Elle se referma sur lui avec avidité. Murmures et exclamations sourdes s'élevaient, prémices d'un nouveau scandale.

Avalon savait sans l'ombre d'un doute qu'il lui faudrait payer le prix de ce qui venait de se passer. Pourtant, elle ne regrettait rien, même si le ciel devait lui tomber sur la tête.

1

Trayleigh, Angleterre, septembre 1159

Le convoi qui cheminait vers le château de Trayleigh était remarquable à bien des égards. Tout d'abord, l'oriflamme aux couleurs de la famille Farouche – rouge, vert et blanc – aurait difficilement pu passer inaperçue. Ensuite, le nombre de gardes composant l'escorte – une quarantaine, au bas mot – était tout aussi impressionnant que son armement. La troupe, montée sur de fiers destriers, équipée d'épées et de cuirasses étincelantes, ressemblait à quelque bête caparaçonnée sinuant à travers la campagne.

Mais l'élément le plus étonnant de ce convoi restait celle qu'il était chargé de protéger. Entourée d'hommes armés, lady Avalon chevauchait presque en tête. Dès le départ, elle avait renoncé à prendre place dans la voiture couverte qui lui était destinée. La capuche de son manteau rabattue, elle laissait flotter au vent ses cheveux dans lesquels jouait le soleil. Dans le secret de leurs pensées, nombre d'hommes fascinés comparaient cette chevelure d'un blond doré au halo d'un ange. Mais ceux qui avaient eu affaire à elle au début du voyage savaient qu'un ange n'aurait jamais fait preuve d'une telle obstination.

— Regardez, milady... lança le lieutenant qui cheminait en tête. Trayleigh !

Avalon tourna les yeux dans la direction qu'indiquait son index pointé. Dressé contre l'épaulement d'une basse colline, le château des Farouche apparaissait au travers des feuillages déjà rougis par l'automne. Là vivaient à présent Bryce, baron Farouche, son cousin et tuteur.

Douze années auparavant, c'était sur la branche d'un bouleau qu'Avalon avait regardé ce même château, berceau de sa famille, partir en fumée. Elle s'y était perchée après un après-midi de jeux dans les bois et avait assisté, horrifiée, au déroulement du raid. Mais, contrairement à ce qui se racontait à la cour du roi Henry, elle se rappelait le moindre détail.

D'épais nuages de fumée noire s'élevaient de la vieille bâtisse. Ses occupants s'en échappaient par grappes, fuyant les assaillants. Ceux qui ne couraient pas et ne hurlaient pas gisaient déjà au sol, qu'ils arrosaient de leur sang. Avalon avait tressailli en voyant sa nurse, Ona, courir vers elle en criant son nom. Un groupe d'hommes la poursuivait. Éclaboussés de sang, ils brandissaient de redoutables épées et s'étaient peint le visage de manière étrange.

Avalon avait glissé à terre pour prévenir Ona du danger, trop tard. Et si elle n'avait pas assisté à la mort de son père, contrairement à ce que disaient les ragots, le massacre de sa nurse sous ses yeux ne lui avait pas été épargné. Les assassins étaient des Pictes insurgés, hommes sans honneur ni foyers. Aux yeux de la petite fille de sept ans qu'elle était alors, ils ressemblaient à des créatures de légende échappées d'un cauchemar – de grimaçants gobelins peinturlurés de rouge et de bleu, à la bouche écumante de rage et aux yeux fous.

Avalon aurait pu mourir avec Ona, au pied du bouleau, la gorge tranchée comme elle, si l'oncle Hanoch n'avait surgi à point nommé pour la sauver. Au péril de sa vie, il s'était frayé un passage jusqu'à elle au milieu des lances qui se dressaient, des flèches qui volaient et des cadavres. Un à un, il avait tué tous les gobelins qui la cernaient et n'avait cherché, ce faisant, qu'à sauvegarder la future femme de son fils.

Immédiatement après, il l'avait emmenée chez lui, au glacial pays d'Écosse. Dans les bras de son sauveur, Avalon avait vu Trayleigh disparaître peu à peu derrière eux. Elle criait si fort qu'il avait fini par lui fourrer une loque dans la bouche pour la faire taire. Un bout de chiffon qui avait le goût du sang, de la fumée et de la mort...

Cette belle journée d'automne qui la voyait rentrer chez elle n'aurait pu sembler plus éloignée du jour funeste où elle en était partie. Le paysage riant et tranquille inspirait la paix. Et tout comme la jeune femme qu'elle était à présent, le vieux château dans son écrin de verdure semblait s'être remis de ses blessures. Pourtant, tout au fond d'elle-même, Trayleigh demeurait pour elle dans le triste état où elle l'avait découvert, douze ans plus tôt, du haut d'une branche de bouleau.

Les Pictes n'avaient jamais été retrouvés. Après avoir pillé, tué, violé, ils étaient retournés à leur néant, aussi soudainement qu'ils en avaient surgi. On avait expliqué à Avalon qu'ils constituaient l'arrière-garde d'un clan isolé du Nord, réfractaire à toute autorité royale et même hostile à la civilisation. Nul n'aurait pu dire si c'était la malchance ou le destin qui avait placé le château de Trayleigh sur leur route.

Alors qu'ils approchaient de l'édifice, Avalon constata avec surprise qu'il n'était ni aussi grand ni aussi imposant que dans son souvenir. Si ses murs solides se lançaient à l'assaut du ciel, ils étaient loin d'atteindre la demeure des anges, comme son imagination enfantine l'avait cru. Le bouleau qui lui avait servi de refuge avait quant à lui grandi. Elle fut heureuse de constater qu'il était toujours là. L'odeur d'herbe et de chèvrefeuille qui flottait dans l'air lui parut immédiatement familière.

Avisant son sourire radieux, le lieutenant de son cousin remonta la visière de son heaume. Après l'avoir dévisagée un instant, il reporta son attention sur le château :

— Ravissant, n'est-ce pas ?

Avalon acquiesça en silence. Les guetteurs avaient noté leur approche. La herse était en train de se lever. Elle tenta de se rappeler si son père la gardait baissée ainsi en permanence. Sans doute que non.

Geoffrey Farouche, fidèle chevalier qui s'était couvert de gloire au service du roi, était déjà un homme âgé à la naissance d'Avalon. Quand la fièvre avait emporté sa jeune épouse, il avait confié sa fille aux soins d'une nurse, pour ne plus s'en occuper ensuite. Les souvenirs qu'elle gardait de lui étaient des plus vagues. C'était à peine si elle se rappelait ses yeux ou le timbre de sa voix. Elle était incapable de dire s'il s'était montré tendre ou sévère avec elle. Mais il y avait deux choses le concernant qu'elle ne pouvait oublier : ces fiançailles précoces qu'il avait conclues en son nom, et le hasard qui avait fait coïncider la visite de Hanoch destinée à sceller cette alliance avec le raid des Pictes sur Trayleigh.

Les hommes se redressèrent sur leur monture pour se donner aussi fière allure que possible en passant les portes du château. Ils s'arrêtèrent au milieu de la cour pavée, où un palefrenier vint prendre en charge le cheval d'Avalon quand elle eut mis pied à terre.

— Cousine Avalon! s'exclama joyeusement une voix masculine dans son dos.

Avalon fit volte-face et avisa un homme de forte corpulence, richement habillé, qui devait avoir l'âge qu'avait son père à sa mort. Un sourire éclatant à défaut d'être franc barrait son visage poupin, et ses bras étaient grands ouverts. Il la rejoignit et l'attira contre lui, enfonçant les parements d'onyx de son pourpoint dans sa peau.

Dès qu'elle le put, Avalon fit en sorte de se soustraire à l'embrassade en feignant de remettre en place les plis de sa robe.

— Ne me dites pas que vous avez chevauché tout le long de la route!

Son cousin Bryce écarquillait ses yeux gris avec une stupeur ostentatoire. Se tournant vers son lieutenant, il lança d'un air mécontent:

— Et vous l'avez laissée faire, Cadwell?

— J'ai bien peur de lui avoir forcé la main, milord, intervint Avalon précipitamment. Je déteste être enfermée.

Bryce reporta son attention sur elle. Son sourire était toujours là, son visage trahissait le même étonnement, mais elle perçut autre chose au fond de ses yeux. De l'irritation.

— Sentez-vous à l'aise avec moi... lui reprocha-t-il sans se départir de sa jovialité. Vous pouvez m'appeler Bryce, naturellement.

— Comme c'est aimable à vous! répliqua-t-elle. Et vous, vous pouvez m'appeler Avalon. Mais naturellement, c'est déjà ce que vous faites...

Bryce se figea, avant d'éclater d'un rire sonore. Il avait cru qu'elle plaisantait, et il en allait sans doute mieux ainsi. Avalon ne savait pas ce qui lui avait pris. Il lui faudrait désormais surveiller sa langue. Elle n'avait pas besoin de se faire un ennemi de cet homme plus tôt qu'il n'était nécessaire.

— Bienvenue à la maison! s'exclama-t-il. J'espère au moins ne pas vous avoir causé trop d'ennuis en vous demandant de revenir si vite.

— Pas le moins du monde, assura-t-elle.

Et elle n'eut pas à feindre la sincérité.

— Votre chaperon... reprit-il. Comment s'appelle-t-elle, déjà?

— Lady Maribel.

Cela ne faisait guère que cinq ans qu'elle lui avait été confiée, songea Avalon amèrement. Un délai bien trop court, sans doute, pour que celui-là même qui avait ordonné ce placement se souvienne de son nom.

— Voilà! approuva-t-il. Lady Maribel n'était pas trop chagrinée de devoir vous laisser quitter Londres, j'espère?

— Je ne pense pas que cela lui ait causé le moindre désagrément, milord.

En fait, lady Maribel avait quasiment bouclé les malles d'Avalon elle-même, trop heureuse d'éviter un nouveau scandale.

D'un air satisfait, les mains croisées sur son ample estomac, Bryce poursuivit:

— C'est ma chère épouse qui m'a suggéré de vous faire revenir à Trayleigh, mais je suis seul responsable de tant de précipitation. Je crains de ne pas être un homme très patient.

— N'ayez crainte. Ce que vous appelez « précipitation » n'était pas pour me déplaire.

L'injonction lui avait été notifiée la nuit même où elle avait dû se défendre des assauts de Nicolas Latimer. Le messager en livrée s'était présenté au palais royal pour la lui remettre. Avalon était si peu habituée aux couleurs de sa famille qu'il lui avait fallu une minute avant de les reconnaître. Quand il lui avait tendu la missive après s'être assuré de son identité, elle l'avait décachetée pour en prendre connaissance.

Le sens de celle-ci lui avait immédiatement sauté aux yeux. Sur ordre de lord Farouche, elle était attendue le plus rapidement possible au château de Trayleigh. Elle avait failli se mettre à danser de joie dans la salle bondée. Peu lui importait de savoir pour quelle raison son cousin souhaitait si ardemment son retour. Tout ce qui comptait pour elle, c'était d'échapper à la cour du roi Henry.

Pourtant, à bien y réfléchir, il était surprenant de voir celui qui avait hérité du titre de lord Farouche après le raid, voler ainsi à son secours. Les commères du palais avaient eu raison sur un point. Cinq ans plus tôt, son cher cousin n'avait rien eu de plus pressé que de se débarrasser d'elle à son retour d'Écosse. Il n'avait même pas cherché à faire sa connaissance et tout le monde – à commencer par elle-même – avait interprété ce manque d'intérêt comme un désaveu. À l'âge très inconfortable de quatorze ans, après tous les traumatismes qu'elle avait subis,

Avalon avait été promptement conduite jusqu'au domaine de Gatting où lady Maribel l'avait prise sous son aile. Et pour ce qu'elle en savait, sa famille s'était totalement désintéressée d'elle depuis. Mais Bryce avait fini par lui enjoindre de rentrer. Et quelle que soit la raison de ce retour en grâce, enfin – enfin ! – elle était de retour chez elle.

À présent, confrontée à ce cousin inconnu qui avait la mainmise sur son existence, Avalon sentit un certain malaise l'envahir. Elle n'aurait su dire ce qui le provoquait, mais elle ne pouvait l'ignorer. Il était pourtant parfaitement naturel pour lui de la faire revenir, tentait-elle de se convaincre. Après tout, elle faisait toujours partie de la famille et son père avait été lord Farouche avant lui. Peut-être son tuteur avait-il finalement décidé que son éloignement avait assez duré et qu'il était temps de lui faire réintégrer son foyer ?

Brisant le silence gêné qui était retombé entre eux, Bryce partit d'un grand rire.

— Venez, que je vous présente ma femme. Elle était si impatiente de vous voir ! Sans exagérer, elle ne me parle de rien d'autre que de votre arrivée depuis deux semaines.

Sur le seuil d'un hall menant à la grande salle, une femme aux cheveux auburn, habillée d'une robe écarlate, patientait en compagnie d'un petit groupe de femmes – ses dames de compagnie et chambrières, sans doute. Plantant fermement son bras sous celui d'Avalon, Bryce l'entraîna dans cette direction, à si grands pas qu'elle faillit se prendre les pieds dans ses jupons. Après avoir gravi les quelques marches du porche, il la fit passer devant lui, comme s'il voulait présenter à sa femme un trophée.

— Regarde qui est là, Claudia ! lança-t-il avec un entrain forcé. Notre charmante cousine Avalon...

La dénommée Claudia demeura tapie dans l'ombre du hall. La tête penchée vers l'arrière, elle plissa les yeux ainsi qu'elle l'aurait fait pour fixer un objet trop proche. Puis son regard parut se perdre par-dessus l'épaule d'Avalon.

— Bienvenue au château de Trayleigh, dit-elle d'une voix indistincte et rauque. Ou plutôt : bon retour chez vous.

Désarçonnée par son attitude, Avalon dut se forcer à répondre :

— Merci. Merci beaucoup.

Un tel accueil ne dénotait en rien cette grande hâte à la rencontrer dont Bryce lui avait fait part. Celui-ci, peut-être pour masquer le manque d'enthousiasme de son épouse, redoubla de bruyante cordialité.

— Vous devez être fatiguée par votre voyage, chère cousine ! Rentrez donc vous reposer. Comme vous devez être heureuse et soulagée d'être arrivée...

Avalon passa à son côté devant la longue rangée de femmes. Toutes, sauf Claudia, l'observaient avec curiosité.

La grande salle avait bien changé. Comme le château lui-même, elle lui parut moins vaste. Les tables, les bancs, les tapisseries accrochées aux murs avaient été remplacés. La lumière elle-même semblait différente. De tout cela émanait une impression d'étrangeté qu'Avalon ne parvenait pas à préciser. Le sentiment de malaise qu'elle avait ressenti précédemment se fortifia. Dérangée dans son sommeil, la chimère se retourna en elle.

D'un geste de la main, Bryce fit venir à eux une servante à peine plus âgée qu'Avalon.

— On va vous mener à vos appartements, dit-il. Vous y resterez jusqu'à ce soir. Nous serons ravis d'avoir le plaisir de votre compagnie pour le dîner.

Avalon soutint le regard de son cousin, aux cheveux blonds impeccablement coiffés, imposant dans sa tunique rehaussée de pierreries. Le fait qu'il semblait la consigner dans sa chambre jusqu'au repas ne lui avait pas échappé. Cette fois, ce n'était plus une impression. Il se tramait ici quelque jeu de dupe dont les relents empuantissaient l'atmosphère du château.

— Je vous souhaite le bonjour, cousin Bryce… dit-elle en effectuant une profonde révérence.

Il lui offrit un sourire éclatant.

— Le bonjour à vous, Avalon.

Les pièces qui lui avaient été assignées n'étaient pas celles qu'elle avait occupées enfant. Si ses souvenirs étaient exacts, dans cette suite avait logé autrefois une dame de noble extraction, très aimable et qui avait toujours un mot gentil pour elle. Elle dut fouiller dans sa mémoire pour retrouver son nom – lady Luedella. Un instant, elle se demanda ce qui lui était arrivé. Mais si elle aussi avait été victime des Pictes, elle préférait ne pas le savoir.

Son nouveau logement lui convenait tout à fait. La paillasse était propre et il s'y trouvait de nombreuses et chaudes fourrures. La paille sur le sol était fraîche et sentait bon. Dans la cheminée brûlait un petit feu. Elle avait même un tapis, fantaisie persane aux motifs si compliqués qu'elle avait mal au crâne rien qu'à les regarder. Tout était parfait, et même assez luxueux, ce qui donnait une idée de la bonne santé du domaine. Alors, pourquoi ne pouvait-elle se défaire de l'impression d'être tombée dans un piège ?

Elle marcha jusqu'à la fenêtre et se pencha dans l'espoir d'apercevoir le bouleau qui lui avait sauvé la vie. Seules les extrémités de ses branches étaient visibles. Elle était néanmoins heureuse d'avoir sous les yeux un peu de sa ramure.

Personne n'avait jamais parlé à Avalon du raid qui avait fait basculer sa vie. C'était à croire que l'on cherchait à en effacer jusqu'au souvenir. Y avait-il encore, au château ou dans les environs, quelqu'un qui avait connu ce temps béni où sa vie lui appartenait ? Elle l'espérait.

Quelques coups furent frappés à sa porte. Une jeune servante entra, manifestement intimidée. Après avoir effectué une rapide révérence, elle ouvrit grand le vantail pour qu'un groupe d'hommes puisse déposer dans la chambre les nombreuses malles de la jeune femme.

Tandis qu'ils les disposaient contre le mur et repartait en chercher d'autres, Avalon s'adressa à la servante :

— Dis-moi…

La jeune fille tressaillit, comme une souris surprise par un chat. Avalon tenta de la rassurer d'un sourire.

— J'ai juste besoin d'un renseignement, expliqua-t-elle. Saurais-tu par hasard ce qu'est devenue celle qui occupait cette suite autrefois ?

De plus en plus embarrassée, la jeune servante rougit et baissa les yeux en secouant négativement la tête.

— Dans ce cas, insista Avalon, connais-tu quelqu'un qui le saurait ?

35

La jeune fille sursauta de plus belle. Elle lança à Avalon un regard apeuré, avant de reporter son attention sur les serviteurs qui continuaient d'entrer et sortir. Avalon poussa un soupir résigné :

— Alors, tu pourrais peut-être juste me dire ton nom ?

— Elfrieda, milady... répondit-elle dans un murmure.

Un homme entra, la dernière malle sur l'épaule. Il la déposa avec les autres et sortit en inclinant le buste. Avalon alla fermer la porte derrière lui et reprit son interrogatoire en s'y adossant.

— Quel âge as-tu, Elfrieda ?

— Quatorze ans, milady.

— Quatorze ! Tant que ça... Tu as l'air si jeune qu'on pourrait te prendre pour ma fille.

Elfrieda sourit, déjà plus à l'aise.

— Certainement pas, milady ! protesta-t-elle. Vous avez l'air plus jeune que ma sœur, qui est pourtant plus âgée que vous.

— Vraiment ? répliqua Avalon avec un petit rire ravi. Tu me rassures...

Elle alla s'asseoir sur le couvercle d'une malle.

— Dis-moi, Elfrieda... tu ne connais vraiment personne qui pourrait me dire ce qu'est devenue lady Luedella ? C'est elle qui vivait ici quand j'étais petite fille. Je t'en serais très reconnaissante.

Avalon n'aurait su dire pourquoi elle était soudain si déterminée à obtenir cette information. Par une sorte de pressentiment, il lui semblait simplement que cela pouvait se révéler d'une grande importance. Fouillant dans les plis de sa robe, elle produisit la petite bourse en cuir attachée par une chaîne à sa ceinture. Elle en tira deux pièces d'or, qu'elle présenta à Elfrieda dans le creux de sa paume.

— Vraiment *très* reconnaissante, ajouta-t-elle.

La jeune fille lui lança un regard de bête apeurée avant de fixer les deux pièces d'un œil émerveillé. Dans l'esprit d'Avalon, la chimère se chargea de relayer ses pensées.

Assez de nourriture pour des semaines ! De la semence pour les récoltes. Peut-être une vache pour maman, du lait pour le bébé…

— Prends-les ! ordonna Avalon en fourrant l'argent dans le creux de sa main. Je te les donne. Sans contrepartie.

Soudain, elle se faisait horreur. Qu'est-ce qui lui avait pris de jouer ainsi avec cette gamine ?

Elfrieda se répandit en courbettes et en remerciements avant de sortir. Avalon regagna son poste, à la fenêtre, sans rien voir de ce qui s'offrait à ses yeux.

Le cousin Bryce s'esclaffa longuement pour saluer une réplique d'Avalon pourtant pas spécialement drôle. Depuis le début du dîner, il ne cessait de manifester bruyamment son enthousiasme, émaillant ses rires de considérations sur la beauté, l'esprit et l'intelligence de sa « charmante cousine », ce que celle-ci trouvait à la fois agaçant et ridicule. S'il s'imaginait qu'elle était dupe d'une telle comédie, songea Avalon avec colère, sans doute la prenait-il pour une idiote. Elle s'arrangeait pourtant pour faire les commentaires appropriés et sourire aimablement, à cette table dressée sur l'estrade d'honneur qui avait été autrefois réservée à son père et à ses commensaux.

Nobles et soldats mêlés mangeaient aux autres tables réparties dans la grande salle, dînant presque en silence. Le maître des lieux, multipliant les anecdotes, réclamant sans cesse l'opinion de sa cousine, était au centre de toutes les attentions. Il réservait à Avalon les meilleurs morceaux de chaque plat, s'extasiait de la voir manger de si bon appétit, la complimentait de ses exquises manières, et remplissait en permanence son gobelet – tant et si bien qu'Avalon finit par ne plus y toucher.

En l'écoutant pérorer d'une oreille distraite, la jeune femme songeait avec incrédulité qu'il était presque en train de la courtiser. Naturellement, c'était impossible. Bryce avait beau se montrer empressé, il restait son cousin – même éloigné –, et de plus il était marié.

Lady Claudia, elle, n'avalait presque rien. Adossée à son siège, elle se contentait de siroter son vin tout en observant alternativement son mari et leur invitée. Avalon avait fait quelques tentatives pour la mêler à la conversation, mais chaque fois elle s'était contentée de la dévisager en silence sans lui répondre. Bryce intervenait alors pour détourner l'attention d'Avalon en lui proposant une nouvelle tranche de venaison.

Elle se perdait en conjectures sur le sens de tout cela. Il ne lui avait jamais été donné d'assister à un aussi étrange repas, même en Écosse, où ceux-ci étaient habituellement houleux et agités. Et à la table de lady Maribel à Gatting, où il fallait montrer son appartenance au grand monde jusque dans la manière de manger, personne ne se serait avisé de monopoliser ainsi la parole.

Au moment des repas, du temps de son père, la grande salle avait toujours été emplie d'une rumeur joyeuse. Du moins, c'était ainsi qu'elle apparaissait à ses yeux de petite fille qui devait se contenter, tapie en haut de l'escalier, d'observer ces agapes de loin. Les temps avaient manifestement changé. Trayleigh n'était plus le foyer dont elle gardait le souvenir et la nostalgie. Il y avait une tension dans l'air, une atmosphère de dissimulation et de tromperie, que trahissaient les regards nerveux des nobles et les visages fermés des soldats occupés à mâcher.

Lady Claudia, aussi attentive et silencieuse qu'avinée, affichait à présent un mince sourire et une expression de profond ennui. Autant que possible, Avalon s'efforçait d'éviter de la regarder. Dès que le dernier plat de l'interminable repas eut été avalé, il lui fallut se retenir pour ne pas bondir sur ses pieds.

— Je vous remercie de votre hospitalité, cousin... dit-elle en repoussant son siège avec aussi peu de précipitation que possible.

Bryce, lui, fut plus prompt à se lever.

— Quoi ? protesta-t-il. Vous songez à vous retirer si tôt, chère Avalon ?

Un silence de mort planait sur la grande salle.

Sans oser se lever, Avalon répondit :

— Mais... naturellement. Ce fut une longue journée.

Bryce alla se placer derrière la chaise de sa femme et posa une de ses mains épaisses sur son épaule. Avalon crut la voir frémir.

— Claudia mourait d'envie de vous entendre jouer quelque chose après le dîner, reprit-il. N'est-ce pas, chère ?

Les lèvres et les dents de la maîtresse de maison étaient encore rouges de vin. Après s'être rapidement pourléchée, elle eut un sourire indolent :

— C'est vrai.

Décidant que cette farce n'avait que trop duré, Avalon se leva.

— Je suis au regret de devoir vous décevoir, dit-elle fermement. Je ne joue d'aucun instrument.

Désormais, les deux mains de Bryce enserraient avec fermeté les épaules de lady Claudia.

— Où avais-je la tête… minauda-t-il avec une grimace. Comment pourriez-vous jouer d'un instrument, après avoir grandi comme…

Plus amusée qu'en colère, Avalon l'interrompit.

— La musique n'est pas inconnue en Écosse, milord. Je dis simplement que je n'ai aucun don en ce domaine.

— Dans ce cas, c'est Claudia qui va jouer pour nous. N'est-ce pas, très chère ?

L'intéressée acquiesça d'un hochement de tête. Elle paraissait faire de gros efforts pour ne pas éclater de rire.

Se résignant à grand-peine à son sort, Avalon n'eut d'autre choix que d'aller s'installer près de la cheminée avec Claudia, qui ne se départait pas de son étrange sourire. Tout de suite, elle constata que celle-ci jouait fort bien du psaltérion. L'excès de vin semblait n'avoir aucun effet sur sa dextérité. Tout en marquant le rythme avec le pied, elle chanta de sa voix rauque un air entraînant.

Les femmes s'étaient rassemblées autour du foyer pour l'écouter. Rapidement, les reliefs du repas avaient été emportés par une escouade de servantes. Les hommes, eux, s'étaient éclipsés. Même Bryce, après s'être assuré que sa « chère cousine » était bien installée près du feu, finit par se retirer, non sans intimer l'ordre à sa femme, de sa voix trop bruyante et joyeuse, de ne surtout pas cesser de jouer.

Et Claudia ne cessa pas. Après le départ de Bryce, elle changea de registre, entonnant une ballade française plus lente, plus sombre, plus mélancolique. Sensibles à cette ambiance, les femmes autour d'elle s'étaient alanguies. Claudia ne s'interrompait, entre les morceaux, que pour boire quelques gorgées de vin.

Assise dans son fauteuil, le menton posé sur sa main, Avalon contemplait le feu. Plutôt que d'avoir à écouter ce récital de notes plaintives et de thèmes tragiques, elle aurait préféré retrouver la quiétude de sa chambre. Dans l'âtre que personne n'alimentait plus, les flammes commençaient à mourir, laissant des braises fumantes qui bientôt se répandraient en cendres.

Claudia venait de jouer les dernières notes d'une autre pièce. Avalon en profita pour se lever.

— Vous jouez merveilleusement bien, la complimenta-t-elle en faisant un pas de côté pour s'écarter du groupe. Je n'en suis que plus désolée de devoir me retirer. Je ne sais pas comment je parviens encore à garder les yeux ouverts !

Claudia, à sa grande surprise, ne fit aucune tentative pour la retenir. Elle se contenta de plaquer un accord en regardant Avalon s'éloigner. Le feu mourant se reflétait dans ses prunelles.

Pressée de prendre congé mais soucieuse de sauvegarder les apparences, Avalon ajouta :

— Merci encore pour cette délicieuse soirée. Et bonne nuit à vous !

— Cousine ? lança une voix derrière elle.

Pivotant sur ses talons, Avalon vit Bryce émerger de la pénombre d'une arcade. Depuis combien de temps s'y trouvait-il, à les observer ? Il y avait un homme à son côté. Tous deux s'avancèrent pour la rejoindre. Tête basse, les lèvres serrées,

Claudia continuait de pincer les cordes de son instrument.

— Lady Avalon, dit Bryce quand il fut près d'elle, j'ai le plaisir de vous présenter votre cousin Warner, mon frère. Veuillez excuser son apparence, il arrive à l'instant même du Continent.

Warner avança d'un pas, prit la main d'Avalon dans la sienne et se courba pour y porter ses lèvres. Il était aussi grand et costaud que son frère, mais moins gros. Comme lui, il avait les yeux gris et d'épais cheveux blonds. Avalon estima qu'il devait avoir au moins vingt ans de plus qu'elle. Une couche de poussière blanche le couvrait de la tête aux pieds, soulignant les rides d'expression marquant le coin de sa bouche et de ses yeux.

— Cousine… murmura-t-il contre le dos de sa main.

Alors, Avalon comprit avec un frisson ce qui se tramait ici et qui depuis son arrivée lui laissait une impression de malaise. Ce n'est pas pour son propre compte que Bryce me courtise ! songea-t-elle avec horreur. C'est pour celui de son frère…

Cette révélation lui coupa le souffle. Entre ceux de Warner, ses doigts devinrent glacés. Bryce la surveillait attentivement, guettant la moindre de ses réactions.

L'espace d'un instant, elle en vint presque à admirer son audace. Cet homme avait en tête de briser des fiançailles conclues par contrat, depuis des années, entre deux familles puissantes. Il était prêt à braver la colère de deux rois et celle du clan Kincardine, dont les conséquences n'étaient pas à prendre à la légère. Mais en faisant en sorte de garder Avalon dans la famille, il garderait également ses terres et sa fortune, qui n'étaient pas négligeables non plus.

Réprimant un rire nerveux, elle récupéra vivement sa main et s'inclina devant Warner.

— C'est un plaisir pour moi... assura-t-il en inspectant ouvertement son visage, sa gorge, sa poitrine.

Avalon ne put s'empêcher de reculer d'un pas.

— Je regrette de ne pouvoir m'attarder plus longtemps, dit-elle. J'ai fait un long voyage aujourd'hui. Même s'il ne fut pas aussi long que le vôtre, cousin Warner.

Pour faire bonne mesure, elle se força à lui sourire et il fixa ses lèvres. Pour la première fois de la soirée, Claudia fit une fausse note sur son instrument.

— Je suis rompue de fatigue, moi aussi! décréta-t-elle.

Se levant d'un bond, elle confia le psaltérion à une de ses suivantes et vint se joindre à eux.

— Je vais raccompagner lady Avalon à sa chambre avant d'aller me coucher, dit-elle. Bonne nuit.

Bryce scruta attentivement le visage de sa femme, puis celui d'Avalon, avant de s'incliner.

— Dans ce cas, bonne nuit, très chères.

— Il me tarde de vous revoir demain... assura Warner, s'adressant à Avalon.

Sans lui répondre, elle hocha vaguement la tête et prit le bras que lady Claudia lui présentait. Elles s'éloignèrent en direction de l'escalier, et Avalon sentit le regard du frère de Bryce peser sur elle.

Bien que se rappelant parfaitement le chemin de sa chambre, elle se laissa conduire en silence par Claudia. Celle-ci marchait d'un pas lent et mesuré, qu'expliquait sans doute l'excès d'alcool. Avalon fit en sorte de calquer son pas sur le sien tout en réfléchissant aux implications de ce qu'elle venait de comprendre. Épouser Warner serait une folie qui contrecarrerait ses propres plans d'avenir. Selon qu'il interviendrait rapidement ou non, ce mariage serait pour elle soit un désastre soit un inconvénient.

— Demain soir, dit lady Claudia sans la regarder, nous célébrerons ici un grand événement.

Au bord de la nausée, Avalon feignit l'étonnement.

— Ah oui ?

Pour lire ainsi ses pensées les plus intimes, Claudia disposait-elle de sa propre chimère ? Son visage demeura impassible quand elle tourna la tête vers Avalon :

— Vous ne devinez pas lequel ?

Avalon vit ses pires craintes se confirmer. C'était donc un désastre qui l'attendait.

— Si, milady... répondit-elle. Je crois deviner lequel.

— Cela ne m'étonne pas de vous.

Jusqu'à ce qu'elles aient laissé derrière elle un garde en faction devant une porte, Claudia resta silencieuse.

— Avez-vous remarqué, reprit-elle enfin, comme les hommes se conduisent étrangement parfois ?

— *Aye**! répliqua Avalon de tout cœur.

— Prenez n'importe quel homme. Mon mari, par exemple. Votre propre cousin. Il a beau avoir un château bien à lui, des terres qui s'étendent dans toutes les directions, des serfs à sa merci, des chevaliers qui lui obéissent au doigt et à l'œil, tout cela ne suffit plus à le satisfaire quand se présente l'opportunité d'obtenir davantage encore.

44

Avalon se garda bien de répondre.

— Un homme est un abîme insondable, enchaîna Claudia d'une voix songeuse. Nous autres femmes ne pouvons deviner les désirs qui brûlent dans sa tête et dans son cœur. Peut-être en est-il mieux ainsi. Peut-être vaut-il mieux ne pas savoir ce qui peut pousser un homme à se conduire de manière déraisonnable. En faisant courir les plus grands risques à sa maison, par exemple.

Elles avaient atteint la porte de l'ancien appartement de Luedella. Claudia lâcha le bras d'Avalon et lui fit face pour conclure :

— Peut-être vaut-il mieux ne pas savoir ce qui incite un homme à défier deux rois et une puissante famille afin d'obtenir davantage que ce qu'il a déjà.

— Peut-être, admit Avalon.

Les traits de Claudia se durcirent, accentués par la lueur d'une torche accrochée au mur. Elle lui posa la main sur l'avant-bras :

— J'ai appris que votre fiancé est rentré de croisade, lady Avalon. Je sais de source sûre que Marcus Kincardine est de retour chez lui.

Avalon s'efforça d'absorber le choc de cette révélation sans ciller.

— Vous devez me croire, insista Claudia avec un sourire amer. Il paraît qu'il s'est mis en route pour venir réclamer sa Promise. Sans doute est-ce pour cette raison que Warner est rentré si vite du Continent et que mon mari vous a fait venir précipitamment de Londres. Je pense que vous avez tous les éléments en main pour deviner quel événement nous célébrerons demain soir. Warner ne pourra se payer le luxe d'y mettre les formes. J'imagine que, comme mon propre époux, il doit être homme à...

À la recherche de ses mots, elle hésita un instant avant de conclure :

— … à foncer – voire à forcer pour obtenir ce qu'il veut.

Avalon était incapable de la moindre parole. La surprise et la panique lui engourdissaient le cœur et l'esprit.

Comme si cela ne suffisait pas, Claudia jugea utile de préciser :

— Savez-vous ce que ce Kincardine a fait durant ses années d'absence, cousine Avalon ? Savez-vous comment on le surnomme, votre fiancé, cet homme que mon mari s'imagine pouvoir spolier de ses droits ?

Lentement, Avalon secoua la tête.

— On l'appelle le Pourfendeur d'infidèles ! Un tueur ! Il n'a rien fait d'autre depuis qu'il a quitté sa terre : tuer, tuer, encore et toujours. Je suppose que cela ne fera pas grande différence pour lui d'ajouter à son tableau de chasse ceux qui prétendent le priver de son épouse.

Claudia se détourna précipitamment, comme dépassée par l'horreur de son propre constat. Puis elle fit volte-face et dévisagea longuement Avalon. Dans la lueur de la torche, son visage un instant bouleversé avait recouvré son impassibilité.

— Vous êtes une très belle femme, cousine… dit-elle enfin. Aussi belle que je vous imaginais. C'est de votre mère que vous tenez cela. Marcus Kincardine devrait vous trouver à son goût. Bonne nuit. Faites de beaux rêves.

Avalon pénétra dans sa chambre et marcha sans s'en rendre compte jusqu'au lit. Il lui fallait réfléchir – non, il lui fallait *agir* au plus vite. Les plans qu'elle échafaudait depuis si longtemps s'effondraient devant elle tels des châteaux de cartes. Heureusement, il lui restait son trésor – cet or et ces diamants qu'elle avait dissimulés dans les doublures de ses manteaux. Mais à quoi allait-il lui servir, dorénavant ? En une journée, comment pourrait-elle dénicher un couvent qui voudrait bien d'elle ?

Depuis toujours, Avalon réfléchissait au meilleur moyen d'échapper à la vie qu'on voulait lui imposer. Pour rien au monde elle ne remettrait les pieds en Écosse. En étant si farouchement déterminé à ce qu'elle épouse son fils le moment venu, c'était Hanoch Kincardine qui l'avait dégoûtée de ce pays à jamais. Dès le plus jeune âge, cette détermination était apparue à Avalon comme une obsession maladive, à la limite de la folie. Après l'avoir sauvée des Pictes, Hanoch l'avait tenue à l'écart sous bonne garde dans un village isolé des Highlands. Il avait fallu les proclamations conjointes des rois d'Angleterre et d'Écosse pour qu'il accepte de la remettre à son tuteur légal, et encore avait-il fallu lui donner l'assurance qu'elle serait rendue le moment venu à son clan pour devenir la femme de son fils.

Avalon n'avait jamais rencontré Marcus Kincardine. À l'âge de sept ans, lorsqu'elle était arrivée en Écosse, il était déjà devenu l'écuyer d'un chevalier dévot qui l'avait mené jusqu'en Terre sainte, où ils étaient restés depuis. Avalon n'y trouvait rien à redire, au contraire. Dans son esprit, Marcus ne pouvait être que le digne fils de son père, aussi farouche, sombre et cruel que lui. Rien au monde n'aurait pu la convaincre d'accepter de l'épouser un jour. Il pouvait aller au diable, et Warner avec lui.

Ce dont Avalon avait besoin, c'était d'un couvent assez indépendant et puissant pour résister aux vagues qu'allait soulever de tous côtés sa défection. Pour cette raison, elle l'aurait voulu le plus proche possible de Rome, mais il n'en était dorénavant plus question. Elle avait entendu parler d'un ordre au Luxembourg qui lui avait paru idéal. En deuxième solution, elle avait pensé à la France – en tout cas, surtout pas à l'Angleterre. Ces choix ne lui étaient plus permis, à présent qu'il ne lui restait que quelques heures.

Comme elle regrettait d'être revenue à Trayleigh! Cela faisait des mois qu'elle aurait dû rejoindre l'asile d'un couvent. Mais la vie à Gatting avait été si agréable, et lady Maribel si gentille avec elle... Et, en toute honnêteté, elle devait reconnaître que l'existence monastique n'offrait aucun attrait à ses yeux – sauf celui de pouvoir la soustraire à ses obligations.

C'était sans doute la nostalgie qu'exerçait sur elle le souvenir de son ancien foyer qui l'avait retenue de mettre plus tôt ses plans à exécution. Secrètement, elle avait toujours espéré qu'on l'y rappellerait un jour. Au fil du temps, Trayleigh était devenu à ses yeux un petit paradis perdu. Aussi n'avait-elle pu résister à l'ultime occasion qui lui était offerte d'en avoir un dernier aperçu, avant de se retirer au couvent pour le reste de ses jours.

Les jambes tremblantes, Avalon se laissa glisser sur le lit. Une terrible faiblesse l'envahissait à l'idée que son rêve était sur le point de disparaître, tel un mirage dans le désert. Si elle ne réagissait pas, une fois de plus, son destin serait remis entre les mains d'un homme qui ferait d'elle ce qu'il voudrait.

Un faible grattement contre sa porte vint la tirer de son accablement. Il était si ténu qu'elle crut d'abord avoir rêvé. Mais le grattement reprit bientôt, avec la même discrétion. Avalon prit une ample inspiration, puis se leva pour aller ouvrir. Elfrieda, toujours aussi timide, se tenait sur le seuil. Elle la fit entrer et la jeune fille en manteau, la capuche rabattue sur le crâne, plongea dans une révérence.

— Milady... dit-elle d'une toute petite voix. J'ai pensé qu'il valait mieux vous prévenir... La lady dont vous me parliez. Je sais ce qu'elle est devenue.

Avalon ne comprit pas tout de suite à quoi elle faisait allusion. Cette conversation lui semblait remonter à des années, tant il s'était passé de choses depuis. Mais, même dans l'état d'esprit qui était le sien, ce qu'était devenue Luedella continuait de revêtir à ses yeux une particulière importance. Elle ne pouvait se défaire du pressentiment que retrouver sa trace conduirait à quelque révélation.

La chimère, brusquement réveillée, vint confirmer en elle cette étrange impression. *Trouve-la !*

— Où est-elle ? demanda Avalon.

Elfrieda se tordit les mains avant de se décider à parler.

— Elle est morte, milady.

Avalon fut attristée de l'apprendre, même si cela n'avait rien pour la surprendre. Lorsqu'elle était enfant, la noble dame était déjà si vieille... Il aurait fallu un miracle pour qu'elle soit encore de ce monde.

Elfrieda, qui avait épié sa réaction, précisa bien vite :

— Mais vous pourriez parler à dame Herndon.

— Dame Herndon? répéta Avalon. Qui est-ce?

— C'est elle qui a pris soin de lady Luedella quand ils l'ont fait partir d'ici. Je veux dire...

La jeune fille lança un regard inquiet autour d'elle, avant de rectifier:

— Quand elle est partie d'ici.

Le cœur serré, Avalon sentit se fortifier en elle la certitude qu'il y avait là un mystère à éclaircir. L'impatience de la chimère le lui confirma. *Trouve-la!*

— Où habite cette dame Herndon? s'enquit-elle.

— Au village, milady... répondit Elfrieda. C'est la grand-mère de l'aubergiste.

2

Les gardes postés à l'entrée du château de Tray-leigh hochèrent la tête à l'intention des deux servantes qui en sortaient, en compagnie d'un groupe de villageois regagnant leur logis pour la nuit.

Elfrieda, sans son manteau, frissonnait comme feuille au vent. Avalon soupçonnait que c'était davantage sous l'effet de la frayeur que de la fraîcheur nocturne.

La jeune fille avait bravé sa peur pour lui proposer de l'accompagner au village afin d'y parler à dame Herndon, avant même qu'Avalon ne lui donne trois nouvelles pièces d'or. Elle semblait avoir gagné sa confiance en lui offrant les deux premières. C'était une expérience si nouvelle pour elle qu'Avalon ne savait trop qu'en penser.

Le grossier manteau qu'elle lui avait prêté était brun et rêche. Il lui râpait la peau des joues et des mains, mais pour rien au monde elle n'aurait relevé la capuche. Tête basse comme les autres serfs, elle marchait d'un pas lent, harassé, empreint de soumission.

Le manteau dissimulait ses propres vêtements. Elle avait choisi la tenue la plus simple qu'elle avait pu trouver dans ses malles, mais celle-ci

51

trahissait néanmoins son origine. Un voile bleu nuit masquait ses cheveux blonds, du front aux épaules. C'était Elfrieda qui avait eu cette idée, de même que de le faire tenir en place grâce à une ceinture de lin, tous les serre-tête d'Avalon étant en or ou en argent. Elles avaient toutes deux bon espoir de passer aux yeux des gardes pour deux servantes rentrant chez elles.

Ceux-ci, retournant à leur conversation, ne prêtèrent effectivement aucune attention à elles. Manifestement, le soudain afflux de visiteurs de marque au château les mettait de mauvaise humeur.

— L'écurie n'est pas assez confortable pour ces beaux seigneurs! maugréa l'un en crachant par terre. Ils sont trop bien pour ça. Ils auront la grande salle rien que pour eux!

— Bien sûr, approuva l'autre d'un air morose. L'écurie, c'est bon pour nous.

Les gardes continuèrent de se plaindre de leur sort, allant jusqu'à comparer l'odeur que dégageaient les invités à celle des chevaux qu'ils allaient devoir endurer cette nuit-là. Cela fit sourire Avalon sous sa capuche, mais ce qu'elle venait d'apprendre n'était pas une bonne nouvelle. Bryce, en accueillant tant de nobles invités, rendrait difficilement contestable ce qu'il avait en tête pour le lendemain soir – ou plus exactement pour le soir même, puisqu'il était plus de minuit.

Avalon et Elfrieda arrivèrent sans encombre au village, assemblage hétéroclite de masures de bois et torchis au pied du château. On y trouvait deux tavernes en plus de l'auberge. Celle-ci ne comportait que quatre chambres. Avalon se rappelait y être allée dans son enfance. Ona aimait s'y arrêter chaque fois qu'elles quittaient le château. C'était une halte réputée dans tout le pays pour la bière qui y coulait à flots et pour la qualité de ses tourtes aux viandes.

La grande salle du rez-de-chaussée était bondée quand elle y pénétra à la suite d'Elfrieda. L'assemblée, constituée en grande majorité d'hommes, était fort occupée à boire et à manger dans un brouhaha de conversations, de cris et de rires. Avalon entendit la jeune servante inspirer profondément à côté d'elle. Puis elle lui prit la main avant de s'engager résolument entre les tables. Rien ne put briser leur élan, ni les sifflets appréciateurs, ni les quolibets graveleux, ni le barbu blond comme les blés qui pinça au passage les fesses de la jeune fille.

Elles arrivèrent néanmoins à l'escalier étroit menant à l'étage avec un certain soulagement. Elles s'y engagèrent sans attendre, mais il leur fallut à mi-hauteur se plaquer contre le mur pour libérer le passage à un lord à la morgue hautaine qui descendait. Étant donné ce qu'elle avait surpris de la conversation des gardes du château, Avalon imaginait sans peine que toutes les chambres de l'établissement étaient occupées.

De la salle de l'auberge montaient les odeurs mêlées de viande, de bière et de sueur. Le bruit était presque insoutenable. Enfin, elles parvinrent en haut des marches puis au bout d'un couloir, où Elfrieda cogna du doigt contre une porte épaisse. Sans attendre de réponse, elle l'ouvrit et entra, entraînant toujours Avalon par la main.

La pièce n'était qu'un sombre réduit tout en longueur. Sans doute, songea Avalon, avait-on cloisonné l'espace disponible à l'étage pour adjoindre une cinquième chambre aux quatre existantes. Un jeune homme se tenait près de la porte. Elfrieda courut se blottir contre lui avec un soupir de joie et de soulagement. Il la serra fort contre lui, baissant la tête pour lui murmurer quelque chose à l'oreille.

Mal à l'aise, Avalon détourna le regard. Elfrieda avait fait preuve de dévouement et de courage en l'amenant ici. Elle ne méritait certes pas d'être l'objet de la jalousie que la vision des deux tourtereaux éveillait en elle.

Devant le maigre feu de tourbe qui brûlait dans l'âtre, une femme frêle était assise sur une chaise. Drapée dans de multiples châles, les jambes couvertes de fourrures mitées, elle semblait infiniment vieille et fragile. Mais l'arrivée d'Avalon dans la pièce semblait avoir ramené un peu de vie dans cette carcasse usée par les ans. Les mains tremblantes jointes dans son giron, les yeux brillant d'une curiosité non déguisée, celle qui devait être dame Herndon la fixait avec attention.

Avalon attendit que la chimère se manifeste pour lui dire ce qu'elle attendait d'elle, mais l'imprévisible bestiole semblait ne l'avoir menée ici que pour mieux sombrer dans le sommeil. Se résignant à improviser, elle alla se camper devant la vieille femme et repoussa sa capuche et son voile.

Les yeux de dame Herndon s'écarquillèrent. Un sourire radieux et curieusement enfantin s'épanouit sur ses lèvres desséchées.

— Mais c'est lady Gwynth ! s'exclama-t-elle. Je vous avais presque oubliée, milady. Est-ce pour que je ne vous oublie pas que vous venez me voir ?

S'accroupissant devant elle, Avalon secoua la tête.

— Je suis lady Avalon, corrigea-t-elle d'une voix douce. Gwynth était le nom de ma mère.

Le sourire de la vieillarde s'effaça aussi vite qu'il était apparu. Son regard trahissait la confusion.

— Avalon? murmura-t-elle. Mais… la petite Avalon est morte.

Avalon posa délicatement une de ses mains sur celles de dame Herndon, agitées d'un tremblement qui ne cessait jamais.

— Je suis vivante, puisque je vous parle.

— La petite Avalon est morte! s'entêta dame Herndon. Elle n'a pas survécu au raid. Et la gentille lady Gwynth était morte bien avant elle. Alors qui êtes-vous, vous qui leur ressemblez à toutes les deux?

Le jeune homme, délaissant Elfrieda, les rejoignit près du feu. Il n'était pas particulièrement séduisant, mais il avait de beaux yeux bruns au regard franc et il semblait avoir la tête sur les épaules.

— Gram'? dit-il en posant la main sur l'épaule de la vieille femme. C'est bien lady Avalon. Tu te rappelles? Je t'ai dit tout à l'heure qu'elle passerait te voir.

— Tu en es sûr?

Les yeux plissés, dame Herndon s'adossa à son siège pour mieux dévisager Avalon. Se plaçant au côté de son amoureux, Elfrieda tenta de lui prêter main-forte.

— Lady Avalon voudrait savoir ce qui est arrivé à votre amie. Vous vous souvenez de lady Luedella? Elle est venue vivre ici avec vous. Lady Avalon voudrait que vous lui parliez d'elle.

Dame Herndon émit un claquement de langue agacé et reporta son attention sur le feu. À l'évocation de lady Luedella, ses yeux s'étaient immédiatement embués.

— Je ne suis pas gâteuse, maugréa-t-elle. Je me rappelle parfaitement ma chère lady Luedella. Mais à quoi bon en parler ? Elle est morte, elle aussi.

— *Aye*, Gram'... intervint son petit-fils. Lady Luedella est morte. Mais tu ne veux pas faire un petit effort ?

En l'absence de réponse, il haussa les épaules avec un soupir de découragement.

Avalon comprit qu'il lui appartenait d'effectuer une nouvelle tentative.

— Tout ce que vous pourrez me dire me sera utile, assura-t-elle en serrant ses mains entre ses doigts.

Mais ne pas savoir elle-même ce qu'elle cherchait ne l'aidait pas à poser les bonnes questions.

— Par exemple, poursuivit-elle en faisant un gros effort pour préciser sa pensée, vous pourriez me dire pour quelle raison elle a quitté le château.

— Oh, oui! répondit-elle sans quitter les flammes des yeux. Comment pourrais-je avoir oublié? Ma pauvre lady Luedella... Et notre vaillant seigneur, Geoffrey, qui n'était plus là.

La tourbe avait du mal à flamber. La fumée qui s'en élevait la fit tousser longuement. Son petit-fils alla tisonner la tourbe pour la faire repartir. Dame Herndon reprit difficilement son souffle:

— Elle a tout perdu. Elle n'était pas la seule, me direz-vous. Au moins ne l'ont-ils pas tuée. J'ignore pourquoi. Je crois qu'elle ne le savait pas non plus. Et pourtant, il la haïssait. Il ne se gênait pas pour se moquer d'elle. Et même, il la frappait! Je l'ai vu.

— Qui la frappait ? demanda Avalon.

— Le seigneur. Le baron. Je ne sais pas pourquoi. Peut-être simplement parce qu'elle avait le tort de lui rappeler ce qu'il avait fait.

Avalon avait peur de comprendre.

— Vous voulez dire... que mon père frappait Luedella ?

Dame Herndon sursauta et lui lança un regard indigné.

— Bien sûr que non ! Jamais Geoffrey n'aurait fait une chose pareille.

— Alors il doit s'agir de Bryce, conclut Avalon.

— Oui, admit-elle en hochant la tête. Il s'agit bien de Bryce.

Elfrieda émit un son étranglé, presque un gémissement, et se précipita vers la porte. Son soupirant la rejoignit et l'enlaça.

— Vous disiez qu'elle lui rappelait ce qu'il avait fait, insista Avalon. Mais qu'a-t-il fait ?

Dame Herndon pinça les lèvres un instant, comme pour se forcer au silence. Dans ses yeux, Avalon devina sa réponse avant même qu'elle ne la lui livre.

— C'est lui qui a fait venir les Pictes.

Assommée par cette révélation, Avalon se sentit perdre l'équilibre et partir en arrière. L'instant d'après, elle n'était plus accroupie mais assise, les mains posées sur le plancher derrière elle. Elfrieda, alarmée, vint lui entourer les épaules de son bras.

Un grand silence était retombé dans la pièce, troublé seulement par la rumeur affaiblie de la salle d'auberge perçant à travers le plancher. Avalon dut s'y reprendre à deux fois pour demander :

— Vous... vous en êtes certaine ?

— Certaine ! répliqua dame Herndon en se raidissant sur sa chaise. Luedella le savait, et c'est elle qui me l'a dit. Et je suppose que si le baron ne l'a pas tuée, c'est pour ne pas attirer les soupçons sur lui. Alors il l'a bannie. J'étais sa suivante, elle est venue vivre ici, avec moi.

Il n'y avait aucune preuve. Avalon le comprenait sans avoir besoin de le demander. Il lui suffisait d'observer la réaction embarrassée d'Elfrieda et du petit-fils de dame Herndon, qui l'aidaient à présent à se remettre sur pied.

En ce qui la concernait, elle n'avait plus aucun doute. Bryce était celui qui avait amené les Pictes à Trayleigh. Il avait tout à y gagner. La mort de Geoffrey avait fait de lui le nouveau lord Farouche. Et quand il s'était avéré que la fille de l'ancien baron n'était pas morte, il s'était bien gardé de la faire revenir chez elle. Après tout, Avalon avait hérité d'une part non négligeable de la fortune de son père. Bryce avait le titre, le château et ses terres, mais Avalon conservait trois grands domaines et leurs manoirs, un legs important venu de sa mère, et une quote-part de la richesse de Trayleigh. Il avait dû lui rendre tout cela lorsqu'elle avait ressuscité d'entre les morts, à la surprise générale. Et s'il ne s'en était pas plaint, le bannissement dont elle avait été victime était une forme de punition.

Dame Herndon était retournée à ses souvenirs. Elle seule aurait pu dire ce qu'elle voyait dans les flammes du feu. Elle ne réagit pas quand Avalon se pencha sur elle et déposa un baiser sur sa joue.

— Merci d'avoir pris soin de Luedella, dit-elle.

Alors seulement, elle avisa l'unique larme qui glissait le long du visage parcheminé de la vieille dame. Et en se redressant, ce fut à peine si elle l'entendit murmurer :

— C'était une femme admirable.

Elfrieda ouvrit la porte, jeta un coup d'œil prudent à l'extérieur, et laissa Avalon la précéder dans le couloir. Tandis que les deux amoureux échangeaient baisers et chuchotements avant de se quitter, celle-ci préféra faire mine d'étudier les murs noircis. Enfin, les adieux prirent fin. Laissant son soupirant retourner auprès de dame Herndon, la servante la rejoignit.

Sur la pointe des pieds, Elfrieda entreprit de remettre en place sa capuche. Sans pouvoir s'en empêcher, Avalon laissa son regard s'attarder sur les lèvres gonflées et rougies de la jeune fille, ce dont celle-ci s'aperçut. Interrompant son geste, elle lui dit, sur la défensive :

— Nous serons mariés aux prochaines moissons.

— Je vous souhaite beaucoup de bonheur, répondit Avalon avec la plus grande sincérité.

Le bruit s'élevant de la salle d'auberge semblait encore avoir augmenté de volume. Combiné aux remugles de plus en plus forts portés par un courant d'air chaud, ce vacarme lui donnait la nausée. Ce fut d'un pas chancelant qu'elle s'engagea dans l'escalier. Elle voulut appeler Elfrieda devant elle, mais la jeune fille semblait avoir disparu dans le colimaçon de l'escalier. La tête lui tournait. Inquiète, la chimère s'était réveillée en elle et ses convulsions n'étaient pas de nature à l'aider à se reprendre. Pour ne pas tomber, il lui fallut prendre appui sur le mur. C'est alors qu'elle entra en collision avec quelque chose. Plus exactement, réalisa-t-elle en reprenant ses esprits, avec quelqu'un.

Un homme se tenait face à elle, qui lui bloquait le passage et la séparait d'Elfrieda. Il avait beau se trouver deux marches plus bas, il la dominait encore d'une demi-tête. Dans la pénombre de l'escalier, ses traits lui demeuraient masqués. Sous son bras gauche, Elfrieda tentait de se faufiler pour revenir vers elle, le visage tordu par la peur. L'homme nota la manœuvre et retint la jeune fille sans effort. Puis, posément, il redressa la tête et scruta attentivement le visage d'Avalon. Avec un temps de retard, elle laissa retomber ses épaules et courba l'échine dans l'attitude d'humilité requise.

— Je vous demande pardon, milord…

De son mieux, Avalon avait cherché à imiter l'accent et les intonations d'Elfrieda. L'homme ne bougea pas d'un pouce. Fermement campé devant elle, il ne paraissait pas décidé à s'effacer pour la laisser passer. Les yeux rivés au sabre impressionnant pendu à son côté, Avalon patienta un instant. Puis, pour mettre un terme à cette situation embarrassante, elle se coula contre le mur afin de lui céder le passage. Mais, plutôt que de reprendre son ascension, l'inconnu glissa un doigt sous son menton et le redressa. À ce contact, Avalon sentit une bouffée de chaleur l'envahir. Elle se retint de sursauter et eut un rapide aperçu de son visage, avant de détourner les yeux précipitamment. Un visage qui respirait la force, la puissance.

— Qui es-tu, belle enfant ? demanda-t-il.

La voix de l'homme était profonde, pleine d'assurance. À la pureté de son accent, Avalon devina qu'il devait s'agir d'un des hôtes de marque de son cousin. Elle se mordit la lèvre pour résister à l'envie de lui échapper. D'une légère pression du doigt sous son menton, il éveillait au plus profond de son corps des sensations qu'elle n'avait jamais ressenties.

Cela n'avait aucun sens. Avalon n'avait pas la moindre idée de ce qui produisait cet effet sur elle, mais elle ne pouvait prendre le risque d'être démasquée dans cette auberge en compagnie d'Elfrieda. Si Bryce découvrait ce qu'elle était venue faire ici et ce qu'elle y avait appris, il les tuerait pour effacer toute trace de son forfait.

— Personne, milord, répondit-elle. Rien qu'une humble servante.

— Personne ?

Sans qu'elle ait rien vu venir, il releva sa capuche. Avalon entendit Elfrieda étouffer un petit cri d'effroi.

Elle porta la main à ses cheveux, priant pour que le voile qui les couvrait soit resté en place – ce qui était heureusement le cas. Elle s'empressa de baisser de nouveau la tête.

Tout ce qu'elle avait pu distinguer malgré la pénombre du mystérieux inconnu s'était gravé dans sa mémoire : des cheveux noirs, noués dans le dos ; des lèvres bien modelées mais dépourvues de tout sourire ; des yeux aussi pâles qu'un paysage gelé.

— Personne, répéta-t-il tout bas, presque pour lui-même. Je ne pense pas que ce soit vrai.

Il s'exprimait toujours avec la même distinction, mais Avalon avait perçu autre chose dans sa voix. Quelque chose d'indomptable et d'inquiétant. Elle fit une tentative pour le contourner, mais il l'en empêcha en tendant le bras.

— Quel est ton nom ? insista-t-il.

Étonnamment, aucun nom de substitution ne se présenta à l'esprit d'Avalon. Clignant des paupières, elle se contenta de baisser la tête un peu plus, les yeux fixés sur la large poitrine du gentilhomme.

— Rosalind ! couina Elfrieda. Nous devons y aller ou nous allons être en retard...

L'étranger coula un regard indifférent en direction de la jeune fille, avant de revenir à Avalon. Renonçant à jouer les humbles et les timides, elle soutint son regard sans ciller. Ses yeux couleur d'hiver étaient plissés, comme pour mieux la jauger.

— Rosalind... dit-il tout bas, faisant rouler ce nom sur sa langue comme pour en goûter le suc.

Ne sachant quoi répondre, Avalon lui fit une brève révérence. Comment échapper à cette étrange rencontre, à cet homme et au halo de mystère qui l'entourait, à cette chaleur indésirable que son doigt avait laissée sur son menton ?

— S'il vous plaît, milord... plaida Elfrieda. Laissez passer ma sœur. Nous devons rentrer à la maison retrouver notre père, ou nous serons punies !

L'homme secoua négativement la tête – juste une fois. La lumière qui parvenait du rez-de-chaussée joua un instant dans l'ébène de ses cheveux.

— Rosalind.

Cette fois, il s'était exprimé d'une voix sarcastique, qui révélait le peu de crédit qu'il accordait à leur subterfuge. Au grand agacement d'Avalon, qui y trouva le courage et l'énergie de se tirer de ce guêpier. Souplement, elle se baissa et parvint à passer sous son bras appuyé au mur. Elfrieda la précédant de peu, elles dévalèrent le reste des marches comme si le diable était à leurs trousses.

Le mystérieux gentleman ne se donna pas la peine de les suivre. En retraversant la salle en direction de la sortie, Avalon se demanda pourquoi.

La nuit n'apporta aucun apaisement à Avalon. Et lorsque le jour la tira du sommeil, elle rabattit en grognant la couverture sur sa tête, ne désirant rien d'autre que dormir encore et encore pour échapper aux difficultés de son existence.

Mais le soleil qui pénétrait à flots dans la chambre fut le plus fort, et elle finit par se redresser. Juste en face d'elle, alignées contre le mur, se trouvaient ses malles. Chacune était remplie du linge le plus coûteux et le plus raffiné – péché mignon de Maribel plus que d'elle-même. Elle n'en regrettait pas moins de devoir abandonner derrière elle le fruit du labeur de dizaines de couturières.

Elle pourrait peut-être payer quelqu'un pour que les malles soient réexpédiées à Gatting, une fois que les choses se seraient calmées. Elfrieda et son fiancé accepteraient-ils de s'en charger ?

Comme s'il lui avait suffi de l'évoquer mentalement pour la faire venir, la porte s'ouvrit doucement et la servante pénétra dans la pièce, porteuse d'un plateau chargé de nourriture. En voyant qu'Avalon était réveillée, elle dit avec un sourire crispé :

— Je vous souhaite le bonjour, milady.

Sitôt après, elle fondit en larmes.

Avalon se hâta de la rejoindre au milieu de la pièce, où Elfrieda restait figée, de grosses larmes roulant sur ses joues. La débarrassant de sa charge, elle la conduisit jusqu'au lit, sur lequel elle la fit s'asseoir. Puis elle alla refermer la porte.

Le petit déjeuner qu'Elfrieda lui apportait – miel, pain, bière et porridge – avait l'air délicieux. Après s'être assise à côté de la jeune fille, Avalon posa le plateau sur ses genoux et lui offrit la moitié du quignon de pain. Elfrieda l'accepta, sans pour autant cesser de pleurer.

Avalon versa un peu de miel dans le bol de porridge, trempa le pain dans ce mélange et le porta à sa bouche. C'était effectivement bon. Réalisant qu'elle était affamée, elle commença à manger de bon appétit.

Elfrieda, à côté d'elle, avait cessé de pleurer mais elle restait aussi nerveuse qu'à son arrivée. Avalon se doutait de ce qui se passait : la servante s'imaginait qu'elle n'avait aucune idée de ce que Bryce avait en tête et ne savait pas comment lui en parler. Avalon la laissa essuyer ses larmes, puis lui tendit la pinte de bière.

— Milady, il y a quelque chose que je dois vous dire, déclara-t-elle enfin d'une voix étranglée.

— Je suis déjà au courant, assura Avalon. Bois encore.

Elfrieda s'exécuta, tout en l'observant par-dessus le rebord de la pinte.

— Tu es une jeune fille bonne, aimable et courageuse, reprit Avalon entre deux bouchées. Et j'ai quelque chose pour toi, que j'aimerais que tu gardes en souvenir de moi.

Dès qu'elle eut terminé son bol de porridge, Avalon alla ouvrir une de ses malles. Elle en tira un manteau de laine vert foncé, doublé de satin, qu'elle tendit à Elfrieda.

— Ce soir, expliqua-t-elle, fais en sorte de quitter le château avant le début de la cérémonie. Tu n'auras qu'à porter ce manteau sous le tien.

Elfrieda ne faisant pas mine de s'en saisir, Avalon le déposa en travers de ses genoux. Le lourd vêtement glissa jusqu'à recouvrir ses jambes.

— Je... je ne peux pas ! balbutia-t-elle en admirant le manteau sans oser y toucher. Il est bien trop beau...

— Bien sûr que si, tu peux. Je serai vexée si tu ne le prends pas.

— Non, milady. Je ne peux pas...

Elle fit mine de se lever. Avalon la repoussa d'une main pour la forcer à se rasseoir et s'assit à côté d'elle.

— Regarde, dit-elle.

Soulevant le bord du manteau, elle le porta aux yeux d'Elfrieda. Mais celle-ci avait beau regarder, elle ne voyait rien. Alors, Avalon lui prit la main et lui fit tâter du bout des doigts les formes renflées des pièces d'or cousues dans l'ourlet.

— Doux Jésus ! s'exclama la jeune fille en la fixant de ses yeux écarquillés par la surprise.

— C'est mon cadeau de mariage, expliqua Avalon en lui souriant. Achète une vache. Achète tout un troupeau. Tout ce que je souhaite, c'est que tu n'aies plus besoin de venir travailler ici.

Des plans qu'Avalon ourdissait pour échapper au destin qui lui était imposé, il ne restait que l'essentiel : fuir !

Cela faisait des années qu'elle réfléchissait secrètement au meilleur moyen de construire son avenir. Pour donner le change, elle avait fait semblant d'accepter tous les décrets, tous les édits la concernant. Elle s'était comportée comme on s'attendait qu'elle le fasse. Elle n'avait jamais dit ce qu'elle pensait de ce qui lui arrivait; ni de ses fiançailles précoces, ni de son enlèvement, ni de son retour forcé en Angleterre.

Hanoch était sans doute le seul à ne pas avoir été dupe de son attitude. C'était peut-être ce qui l'avait poussé à la garder près de lui, à la cacher au reste du monde, à tenter de la modeler dès le plus jeune âge pour faire d'elle l'héroïne de légende dont son clan avait besoin.

Au début, se rappelait-elle, elle n'avait pu s'empêcher de pleurer, tant lui était insupportable la perte d'Ona, de son père, de Trayleigh. Elle pleurait même quand on lui disait de se taire. Elle pleurait quand on l'enfermait dans ce cellier où il faisait si noir lorsqu'elle refusait d'obéir. Mais la première fois qu'on l'avait battue, ses larmes avaient cessé de couler.

On ne l'avait pas battue pour rien. Hanoch ne faisait rien au hasard. À sa manière rude et implacable, il avait cherché à lui apprendre une chose : savoir se défendre et rendre les coups. Elle avait vite appris à le haïr. Dans le secret de ses pensées, elle imaginait les pires châtiments pour lui. Dans ses rêves, elle convoquait les barbares qui ressemblaient à des gobelins. Ils lui faisaient subir le sort atroce qu'ils avaient fait subir à Ona et réduisaient en cendres toutes ses possessions.

Désormais, elle ne haïssait plus Hanoch. Sa méchanceté n'avait d'égale que sa sauvagerie, mais il lui avait permis d'échapper à la mort. Et comme tous les membres de son clan, il était victime de ses superstitions. Hanoch n'était qu'un fil dans la trame confuse de la destinée d'Avalon, de même que Geoffrey Farouche, le cousin Bryce, son frère Warner ou Marcus Kincardine. C'était à tous ces hommes et leurs prétentions à diriger sa vie qu'Avalon s'apprêtait à échapper. Et en réduisant à néant les plans de son cousin, elle ne ferait que lui rendre la monnaie de sa pièce. Ne venait-il pas, en complotant ce mariage avec son frère, d'annihiler tous les siens, si longuement et si patiemment mûris?

Très bientôt, la longue attente prendrait fin. Avalon avait passé la majeure partie de l'après-midi dans sa chambre, évitant tout contact avec ses cousins et rassemblant les affaires qu'elle comptait emporter avec elle quelques heures plus tard. Il ne lui avait pas été difficile de dissimuler ses trésors dans les coutures et replis de ses vêtements. Trois de ses bliauds étaient à présent truffés de pierres précieuses. Une cape était lestée des pièces d'or glissées dans ses ourlets. Le tout provenait de l'héritage de sa mère, dont Bryce n'avait pu la priver une fois qu'elle avait trouvé refuge à Gatting.

Le plus difficile serait d'endurer la célébration ridicule à laquelle elle allait devoir se prêter. Une fois de plus, il lui faudrait dissimuler ses sentiments pour feindre de se conformer à ce qu'attendaient d'elle Bryce et son frère. On proclamerait à la face du monde ses fiançailles avec Warner. On porterait un toast à leur bonheur, et toutes les nobles dames, tous les beaux messieurs la verraient sourire et consentir à cette farce. Personne ne devait se douter que dès le lendemain elle se serait envolée.

Avalon n'aurait sans doute pas le temps d'aller bien loin, mais peu lui importait dorénavant. Tout ce dont elle avait besoin, avec un peu de chance, c'était d'atteindre le premier couvent qui se présenterait. Elle offrirait à la congrégation l'intégralité de ses trésors avant de tomber dans une extase religieuse, si nécessaire. Elle invoquerait une inspiration divine pour expliquer sa soudaine vocation. Warner serait dans l'impossibilité d'épouser une fiancée du Christ...

Et un jour, un jour lointain, elle quitterait ce couvent pour retourner à Trayleigh afin de réclamer justice et de venger la mort de son père, d'Ona et de Luedella. Cela, elle se le promettait.

En fin d'après-midi, Elfrieda s'était présentée pour l'aider à s'habiller. Avalon lui avait annoncé qu'elle se passerait de ses services, avant de l'obliger à prendre le manteau vert en lui recommandant de quitter tout de suite le château. Elle préférait, pour une raison qui lui échappait, que la jeune fille ne soit pas témoin de la comédie qu'elle allait être obligée de jouer.

— Que Dieu te protège ! avait-elle conclu.

Les larmes aux yeux, Elfrieda avait serré le manteau contre elle et s'était empressée de sortir.

Après son départ, Avalon choisit de revêtir son bliaud le plus beau, un splendide vêtement tout en brocart et velours dans des teintes de bleu, de vert profond et de pourpre. Sur un corsage au décolleté avantageux, elle passa ensuite un long collier d'améthystes dont les volutes contournées cascadaient jusqu'à ses jupons.

Avec un sourire caustique, elle songea en gagnant l'escalier que Warner apprécierait. Et lorsqu'elle apparut en haut des marches et le vit se précipiter pour l'accueillir, elle sut qu'elle ne s'était pas trompée. Il s'inclina devant elle, juste assez pour avoir une vue plongeante sur la naissance de ses seins généreusement révélée par le décolleté. Pourtant, elle n'aurait su dire ce qui l'intéressait le plus : sa poitrine ou le bijou qui l'ornait ?

— Magnifique ! s'extasia Bryce. Elle est vraiment magnifique... N'est-ce pas, ma chère ?

La question s'adressait à Claudia, dont le visage arborait son habituel sourire énigmatique.

— C'est vrai, reconnut-elle d'une voix neutre. Tout à fait magnifique.

Ceux qui s'étaient rassemblés dans la grande salle n'avaient d'yeux que pour Avalon. Tout en examinant la future mariée, sans doute évaluaient-ils le prix de sa robe, l'éclat de ses gemmes, la sincérité de son sourire. Avalon était heureuse que son séjour à Londres, même s'il lui avait tant coûté, l'ait préparée à cela.

Quelqu'un lui tendit une timbale dorée, emplie d'un vin épicé qui dégageait une trop forte odeur de clou de girofle. Bryce avait déjà disparu dans la foule, riant très fort, parlant plus fort encore, passant de l'un à l'autre des convives. Warner, lui, avait suivi Avalon et ne la lâchait plus d'une semelle. Il la présenta à des grappes de gens avides de faire sa connaissance. Elle s'efforça de jouer son rôle, mais il lui était pénible de sentir leur curiosité non déguisée. À l'admiration des uns se mêlaient l'ironie et les sarcasmes des autres. Et les spéculations de tous montaient dans la grande salle en un vacarme de plus en plus assourdissant à mesure que le soleil embrasait l'horizon.

Lady Claudia ne faisait aucun effort pour remplir son rôle de maîtresse de maison. Assise dans un coin avec deux autres femmes, elle tenait compagnie à une carafe de vin. De temps à autre,

Avalon sentait son regard peser sur elle. Et quand leurs yeux se croisaient, il ne lui était pas difficile de percevoir la peur et la colère qui l'habitaient.

Avalon but une autre gorgée du vin trop épicé et tenta de ne pas se laisser aveugler par la pitié que lui inspirait cette femme. Certes, il n'était sans doute pas facile d'être mariée à un homme tel que Bryce – assassin de surcroît – mais elle ne pouvait prétendre se ranger du côté des victimes.

Ces considérations ne suffisaient pas à dédouaner Avalon de la culpabilité que lui inspirait l'attitude de Claudia. Celle-ci devait lui en vouloir de se prêter si docilement aux diktats de son époux, mais à quelle réaction s'était-elle attendue de sa part ? S'était-elle imaginé qu'elle allait se révolter, s'insurger contre les plans des deux frères à la face de leurs prestigieux invités ? Avalon devait garder la tête froide. Se braquer contre Bryce n'aurait abouti à rien d'autre qu'à compliquer sa fuite. On l'aurait enfermée dans sa chambre pour la punir de son esclandre. Ou, pire encore, on l'y aurait laissée en compagnie de Warner, qui n'aurait sans doute pas hésité à la contraindre au mariage à sa façon.

À l'instant même, l'impudent personnage avait le culot de la tenir par la taille… Son bras se faisait léger, certes, mais le geste n'en était pas moins une claire revendication de propriété. Serrant les dents, Avalon s'efforça d'ignorer le dégoût que ce contact lui inspirait.

— Vous êtes la plus belle femme de cette assemblée, dit-il en se penchant à son oreille.

— Comme c'est aimable à vous ! parvint-elle à répondre avec un sourire forcé.

Puis, profitant de l'approche d'un lord qui souhaitait la saluer, elle se détourna vivement, se débarrassant par la même occasion du bras de Warner. Mais l'instant d'après, comme si de rien n'était, il revint la prendre par la taille pour se mêler à la conversation.

En s'efforçant de supporter son sort, Avalon ne pouvait s'empêcher de guetter l'arrivée du gentilhomme croisé dans l'escalier de l'auberge. Le risque existait qu'il puisse la reconnaître et compromettre ses plans, mais il lui tardait néanmoins de le voir apparaître. Penser à lui ramenait à sa mémoire l'étrangeté de leur rencontre. Il lui semblait sentir encore sous son menton le contact délicieusement troublant de son doigt.

La rumeur qui courait de bouche en bouche enflait sans fin. Les regards entendus que suscitaient Avalon et Warner sur leur passage se faisaient de moins en moins discrets. Les échos de ce commérage incessant se répercutaient entre les murs de pierre, sous les voûtes du plafond, et revenaient aux oreilles d'Avalon démultipliés, accentuant la migraine qui lui vrillait le crâne.

La timbale de la jeune femme était vide à présent. Son contenu formait une boule brûlante et corrosive au fond de son estomac. Il lui tardait de manger quelque chose, mais les convives semblaient plus pressés de boire encore et encore que de se restaurer.

— Un peu plus de vin ? s'enquit Warner.

Avalon vit là l'opportunité qu'elle guettait.

— Volontiers… répliqua-t-elle avec un sourire timide. Mais uniquement si c'est vous qui allez me le chercher, milord.

Warner écarquilla les yeux. Son regard se troubla. Avec un battement de paupières, Avalon baissa les siens, comme si l'audace de sa proposition la rattrapait soudain. Elle regrettait de ne pouvoir, à l'image de certaines dames de la cour, rougir à volonté.

— J'en serai honoré, dit-il enfin.

Après s'être incliné pour lui baiser la main, il disparut dans la foule, à la recherche d'un serviteur.

Sachant qu'il ne serait pas long, Avalon franchit les quelques pas qui la séparaient d'une porte donnant sur un large couloir. Elle s'efforça de le faire le plus tranquillement du monde. Et si quelques-uns virent qu'elle s'absentait, personne ne fit rien pour l'arrêter.

De toute façon, cela n'avait aucune importance. Elle serait de retour bientôt, mais il lui fallait prendre un peu l'air, échapper pour quelques minutes à l'ambiance étouffante de la grande salle. Elle avait besoin de sentir le vent caresser son visage et ses cheveux, et elle connaissait l'endroit idéal pour cela. Son père avait jalousement entretenu un jardin à l'intérieur du mur d'enceinte. Ona avait expliqué à Avalon que c'était sa mère qui en avait dirigé la plantation. Ce n'était guère plus qu'un carré d'herbe planté d'arbres et de buissons mais, à ses yeux de petite fille, c'était un petit coin de paradis dans lequel elle avait passé des heures à rêver.

— ... est arrivé. Je l'ai installé dans la chapelle, milord. Il y attend vos ordres et votre bon plaisir.

En captant au passage ces quelques mots étouffés par l'épaisseur d'une porte, Avalon se figea. D'un regard, elle s'assura que le couloir était désert et se rapprocha pour tendre l'oreille.

— Parfait ! se réjouit une grosse voix d'homme à l'intérieur.

Indubitablement la voix de Bryce, qui reprit :

— Dis-lui que nous serons là d'ici une heure. Qu'il se tienne prêt pour la célébration.

Le silence se fit. Imaginant que l'interlocuteur de son cousin allait sortir après avoir salué son maître, Avalon recula précipitamment, cherchant du regard un endroit où se cacher. De nouveau, la voix de Bryce s'éleva.

— Dis-lui également que la mariée pourrait faire preuve... de mauvaise volonté. Dis-lui de s'y attendre et de ne pas s'en formaliser.

— C'est déjà fait, milord.

— Très bien. Avec tout l'argent que je lui donne, il peut bien supporter une petite scène d'hystérie.

— Il prétend y être habitué.

Le cœur battant, Avalon se mit à courir. Elle n'avait plus d'autre envie à présent que de s'éloigner de cette porte le plus vite possible. Entre ses mains, elle retenait ses lourds jupons afin qu'ils n'entravent pas sa course. Elle s'efforça de retrouver dans le labyrinthe de corridors un chemin qu'elle ne se rappelait que partiellement, tout en ressassant ses torts.

Quelle idiote elle était! Comment avait-elle pu ne pas saisir les véritables intentions de Bryce? C'était dès ce soir qu'il comptait la marier à son frère, même s'il lui fallait pour cela la traîner de force jusqu'à l'autel devant tous ses invités! Ainsi ne prendrait-il aucun risque. Le seul fait d'imaginer les grosses lèvres de Warner et ses mains rudes sur sa peau suffisait à lui donner la nausée.

Heureusement, le jardin était toujours là. En débouchant dans ses allées, Avalon cessa de courir et se laissa pénétrer par la paix vespérale qui en émanait. Les arbres étaient bien plus grands que dans son souvenir, l'herbe trop haute et les buissons envahissants, mais c'était toujours un petit coin de paradis. N'avait-elle retrouvé ce paradis perdu que pour tomber aussitôt en enfer?

Pressant ses tempes entre ses mains, elle s'efforça de trouver une solution, une façon d'échapper au piège qui se refermait inexorablement sur elle. Elle pourrait peut-être regagner sa chambre, prétextant une migraine qui n'avait rien d'imaginaire. Il lui suffirait de récupérer ses affaires pour foncer ensuite jusqu'à l'écurie, tenter d'y subtiliser un cheval et de...

Mais comment pourrait-elle faire tout cela sans attirer l'attention, alors que le château grouillait de monde?

Peut-être pouvait-elle plutôt tomber subitement malade, au point de ne plus pouvoir tenir sur ses pieds, et garder la chambre jusqu'à ce que le prêtre se fatigue de...

Elle pouvait également se dresser publiquement contre ce mariage, ainsi que Claudia l'espérait, refuser d'épouser Warner, accuser Bryce d'avoir comploté la mort de son père et...

Au désespoir, Avalon secoua la tête. Tout cela n'était que divagations. Après tout, peut-être Nicolas Latimer avait-il eu raison de la traiter de folle.

Au-dessus d'elle, dans les frondaisons, un bruit attira son attention. Alarmée, elle leva la tête, mais ne vit rien. L'espace d'un instant, elle avait eu la sensation d'être épiée. Sans doute était-ce le fruit de son imagination.

Sur le chemin de petits cailloux blancs, Avalon ralentit l'allure jusqu'à s'arrêter tout à fait. Une alouette se mit à chanter. Le ciel se parait de pourpre et de bleu, comme pour s'accorder aux couleurs de sa robe. Bientôt, il ferait nuit.

L'alouette fit entendre de nouveau son chant.

Un curieux sentiment de paix envahit peu à peu Avalon, qui reprit sa déambulation dans le jardin. Elle se rappelait un banc de marbre, pas très loin de l'endroit où elle se trouvait, tapi sous une tonnelle de chèvrefeuille comme au sein d'une grotte odoriférante de feuilles et de fleurs. Elle mourait d'envie de revoir cet endroit, d'y trouver refuge, et de laisser l'odeur suave qui y régnait chasser sa migraine. Ensuite, peut-être aurait-elle les idées plus claires.

Une fois encore, le bruit qui l'avait alertée précédemment se fit entendre, mais cette fois directement sur sa gauche. Tournant la tête, Avalon découvrit l'inconnu croisé la veille dans l'escalier de l'auberge, tapi sous un cerisier.

À peine surprise, elle le fixa sans un mot, comme s'il n'y avait rien de plus normal que de trouver un homme embusqué dans un jardin à la tombée de la nuit. Dans la semi-pénombre du crépuscule, elle vit que son apparence avait changé. Ses longs cheveux dénoués tombaient à présent jusqu'à ses épaules. La fine chemise qu'il portait la veille avait été remplacée par une autre plus commune. Un *tartan** aux bandes noires, dorées, rouges et pourpres complétait son habillement. Avalon connaissait ce tartan. Et pour cause… Elle l'avait elle-même porté durant les sept plus terribles années de sa vie.

L'homme soutenait tranquillement son regard. Tous deux restaient figés sur place. Confusément, Avalon comprit que dès cet instant, à cause de cette curieuse rencontre, son existence allait changer du tout au tout. En avait-il conscience, lui aussi ?

Le regard de Marcus Kincardine – car il ne pouvait s'agir que de lui – se fit farouche, puis triomphant.

— Rosalind… dit-il.

Comme la veille, il s'était exprimé sans la moindre trace d'accent écossais. Avalon comprit alors pourquoi. Marcus Kincardine avait quitté son pays dès le plus jeune âge et n'y était pas retourné depuis. Il était naturel qu'il ait adopté la manière de parler du chevalier dont il avait été l'écuyer.

Avalon songea qu'elle ne pourrait rien faire pour lui échapper. Elle recula néanmoins d'un pas, dressant une main devant elle en un dérisoire geste de défense. Marcus se dressa lentement et fit un pas pour la rejoindre, la dominant de toute sa masse. Dans l'obscurité, son sourire révélait des dents éclatantes de blancheur. Sa voix s'éleva de nouveau, sûre d'elle.

— Ou devrais-je plutôt dire lady Avalon ?

C'est alors que le piège acheva de se refermer sur elle.

3

Les ravisseurs d'Avalon la firent sortir du château dans un sac de toile, ficelée et bâillonnée, enfouie sous un tas de foin humide que convoyait une charrette.

Avec le fils de Hanoch, qui s'était personnellement chargé de la ligoter et de lui mettre un bâillon, ils étaient au moins huit. Elle avait résisté autant que possible, mais contre un si grand nombre d'assaillants, elle n'avait pu faire grand-chose.

En un rien de temps, ils l'avaient terrassée et maintenue au sol sans faire le moindre bruit. Ensuite, Marcus s'était dressé au-dessus d'elle, tamponnant avec un mouchoir le sang qui s'écoulait de sa lèvre fendue.

— Si je comprends bien, Hanoch s'est personnellement occupé de vous former… avait-il lâché d'un ton amusé.

Contre la peau d'Avalon, la toile de sac était nettement plus rugueuse que ne l'avait été la capuche du manteau d'Elfrieda. Une odeur de pomme pourrie et de poussière lui donnait la nausée, lui amenant les larmes aux yeux. Pour prévenir tout risque qu'elle se redresse, quelqu'un était assis sur le tas de foin, presque au-dessus d'elle. Elle sut qu'il s'agissait de Marcus quand il se pencha pour murmurer :

— Vous êtes bien avisée de vous tenir tranquille, Rosalind.

Autour d'eux retentissaient des voix qui lui firent comprendre qu'ils étaient en train de passer les portes du château, entourés de serfs retournant au village pour la nuit. Les gardes ressassaient toujours leur rancune à l'égard des convives de leur maître. Trop occupés à se plaindre de la mauvaise nuit qu'ils avaient passée à l'écurie, ils laissèrent sortir la charrette sans y jeter un coup d'œil.

Les roues commencèrent à cahoter sur les pierres du chemin. Les voix s'éteignirent une à une alors qu'ils traversaient le village. Ensuite, il n'y eut plus que le chant des grillons.

Avalon fit une tentative pour se redresser, testant la résistance de la corde qui liait ses poignets. Marcus se pencha pour lui immobiliser les mains sous le sac.

— Restez tranquille ! ordonna-t-il sans prendre la peine cette fois de baisser la voix. Nous ne sommes pas arrivés.

À travers la toile de jute grossièrement tissée, le foin s'insinuait, irritant la peau d'Avalon. Le bâillon au moins était propre, mais sa bouche et sa gorge étaient desséchées. Elle aurait donné n'importe quoi pour un peu d'eau.

Cette idée imposa à son esprit l'image d'un Warner stupéfait et dépité, debout au milieu de la grande salle du château de Trayleigh, un gobe-let plein dans chaque main. Vaille que vaille, Avalon réprima le fou rire qui montait en elle et qu'elle ne pouvait se permettre, bâillonnée comme elle l'était. Elle avait voulu s'échapper coûte que coûte, et par tous les dieux du ciel, elle avait été exaucée !

La charrette roula pendant ce qui lui parut durer une éternité. Malgré les démangeaisons qu'il occasionnait, le foin était assez confortable et amortissait les cahots. Le pire était le manque d'air et l'impression de n'être qu'un paquet. Les mains de Marcus emprisonnaient toujours les siennes, lui faisant comprendre qu'il était vain de se rebeller.

Enfin, la charrette s'arrêta. Avalon entendit autour d'elle des ordres brefs, des réponses chuchotées. Marcus se leva, écarta le tas de foin. Aussitôt après, il la souleva entre ses bras sans effort et la posa sur ses pieds à terre. Prise de vertige, Avalon chancela et faillit tomber. Il la soutint fermement par les épaules et demanda :

— Ils sont là ?

— Oui ! répondit une voix qu'elle n'avait pas encore entendue. Par ici, milord.

Marcus la souleva de terre. Elle se sentit déposée dans les bras d'un autre, et sitôt après rendue à lui dès qu'il fut monté à cheval.

— Vous avez réussi à la récupérer plus vite que prévu ? s'enquit une troisième voix.

Marcus entoura la taille d'Avalon pour la plaquer contre lui. Comme elle ne se laissait pas faire, il la serra plus fort et elle dut s'avouer vaincue.

— Nous avons changé nos plans, répondit-il. La dame a bien voulu nous faciliter la tâche en sortant seule prendre l'air dans un jardin. Nous n'avons même pas eu à entrer et à nous battre.

— Tu es sûr qu'il s'agit bien d'elle ? insista le même homme, manifestement dubitatif.

— Sûr et certain ! s'exclama Marcus sans la moindre hésitation. Hier, elle portait un voile pour masquer ses cheveux, mais ce soir j'ai bien reconnu les attributs de la Promise.

Ils parlaient en anglais. Le fils de Hanoch devait être aussi étranger à sa langue natale qu'elle l'était elle-même. Ce qui l'arrangeait. Elle pouvait comprendre le gaélique, mais au prix d'un gros effort.

Au lieu de les lui lier dans le dos, son ravisseur avait attaché ses mains devant. Une sérieuse imprudence de sa part... La corde, autour de son poignet gauche, était en train de se desserrer. Pas énormément, mais suffisamment pour lui permettre, en forçant un peu, de libérer sa main.

Le cheval bondit en avant. Le corps d'Avalon alla buter contre celui de Marcus. Pour éviter tout risque de chute, il la serra plus fort contre lui et lança sa monture au galop.

L'oreille aux aguets, Avalon tenta de déterminer le nombre de cavaliers qui les accompagnaient. À n'en pas douter, le premier groupe de huit hommes avait rejoint quelques comparses à un point de rendez-vous dans la campagne. Mais il lui était difficile, au bruit des sabots, de déterminer combien ils étaient. Sans doute pas plus d'une trentaine, finit-elle par conclure. Car s'ils comptaient la faire sortir du pays, une troupe plus importante aurait été trop repérable et ne se serait pas déplacée suffisamment vite. Elle ne pouvait espérer vaincre trente Highlanders décidés, mais il lui restait un espoir de leur échapper par la ruse.

Ses efforts avaient fini par porter leurs fruits. Du sang coulait le long de son poignet écorché, mais au moins sa main gauche était libre à présent. Elle la garda jointe avec l'autre, attendant son heure.

Ils chevauchèrent ainsi des heures durant, accélérant et ralentissant l'allure alternativement. Avalon vit progressivement une lumière grise filtrer à travers la toile grossière du sac. Tout son corps était perclus de douleurs. Sous l'effet de la poussière et du vent, ses poumons étaient en feu. Sa position en travers de la selle n'arrangeait rien et des courbatures lui poignardaient le bas du dos. Elle aurait volontiers dormi un peu, si elle l'avait pu, mais les soubresauts de la course rendaient tout sommeil impossible.

Son seul espoir de voir cesser ce calvaire résidait dans la fatigue des chevaux. Ils étaient épuisés, elle le sentait. Les Highlanders allaient être forcés de faire halte bientôt.

Effectivement, le groupe de cavaliers commença à ralentir. Dès qu'ils furent à l'arrêt, Avalon entendit le murmure d'un ruisseau courant sur des rochers à quelque distance. Personne ne prononça une parole, mais un chant d'alouette s'éleva, semblable à celui qu'elle avait entendu dans le jardin du château avant son enlèvement. Au bout de quelques secondes, comme en écho, le même chant s'éleva dans la direction du ruisseau.

— Par là ! s'exclama une voix.

Ils se remirent en route. Le bruit du ruisseau se fit de seconde en seconde plus présent. Ils s'arrêtèrent dans un endroit tapissé de feuilles mortes, qui craquaient sous les pas des chevaux. Marcus fit passer Avalon dans les bras d'un comparse déjà au sol, et mit pied à terre à son tour avec un grognement sourd.

Une fois de plus, il dut la retenir pour l'empêcher de tomber quand il l'eut remise sur pied. Avalon tressaillit en sentant le métal froid d'une lame passer entre ses chevilles. La corde qui les entravait fut sectionnée. Enfin, le sac fut retiré.

La jeune femme battit des paupières pour chasser la poussière qui lui encrassait les yeux. Elle prit soin de garder les mains jointes pour ne pas se trahir. Marcus se tenait devant elle, le visage impassible. Il entreprit de défaire les nœuds qui maintenaient le bâillon en place.

Avalon déglutit péniblement sans parvenir à chasser la sécheresse qui formait une boule dans sa gorge. Du bout de la langue, elle tenta d'humecter ses lèvres. Dans les yeux de Marcus, qui l'avait vue faire, elle vit flamber une lueur qui disparut bien vite. Et pour la première fois, elle se sentit en danger.

Ils se tenaient au centre d'un cercle d'hommes, la plupart habillés de tartans. Avalon put alors constater qu'ils étaient moins de trente. Leurs regards insistants posés sur elle n'en demeuraient pas moins intimidants. Elle s'efforça de les supporter sans faiblir.

Des chevaux de rechange s'abreuvaient au bord du ruisseau, réalisa-t-elle. Ce qui signifiait que la chevauchée allait reprendre, qu'elle pourrait durer toute la journée si nécessaire.

— Lady Avalon, laissez-moi vous présenter votre nouvelle famille, dit enfin Marcus en se tournant vers ses hommes.

Arquant un sourcil, Avalon laissa courir sur le petit groupe un regard indifférent pour signifier qu'elle n'était pas intéressée.

— Il me semble que vous faites erreur, répliqua-t-elle le plus tranquillement du monde.

Des rires s'élevèrent de la troupe des Highlanders. Marcus ne se joignit pas à eux, se contentant de laisser courir sur elle son regard d'un bleu glacier.

— Pas le moins du monde, répondit-il. Avalon Farouche possède les attributs de la Promise du clan Kincardine.

D'un geste de la main, il désigna à ses hommes les cheveux et le visage de la jeune femme, avant de conclure :

— Vous êtes indiscutablement lady Avalon. Et je suis votre futur mari.

— Je sais qui je suis. Mais vous faites erreur quant à la nature de notre relation. Je ne suis fiancée qu'au Christ.

Un grand silence se fit dans la clairière. Marcus y mit un terme en éclatant d'un rire sonore.

— Vous mentez.

Avalon planta ses ongles dans la chair de ses paumes. La lumière du jour naissant lui permit pour la première fois de distinguer pleinement son visage. C'était peu de dire qu'il ne ressemblait en rien à Hanoch. Grand, élancé, élégant, Marcus Kincardine était à son père ce qu'Adonis était au Minotaure.

En pleine lumière, ses yeux, bordés d'épais cils noirs, devenaient du bleu le plus pâle. Son menton volontaire était creusé d'une fossette. Il avait des lèvres charnues et sensuelles, et son nez racé était parfaitement droit. Ne l'ayant jamais vu, elle ne pouvait le reconnaître. Mais elle aurait été mieux préparée à la rencontre si on lui avait dit, autrefois en Écosse, qu'elle était destinée à épouser un homme beau comme un dieu.

Marcus l'examinait lui aussi attentivement. L'ombre de son si particulier sourire s'attardait sur ses lèvres. Pourtant, il n'y avait aucune chaleur en lui, aucune bienveillance. Juste une froide et entière détermination. Après tout, songea-t-elle en réprimant un frisson, peut-être n'était-il pas si différent de son père.

— Je ne mens pas, affirma-t-elle en soutenant son regard sans ciller. Je suis une nonne. C'est à Gatting que j'ai prononcé mes vœux.

— Voyez-vous ça…

Sa réponse ne trahissait aucune intention particulière. Avalon ne savait comment l'interpréter. Elle fut donc prise au dépourvu quand il la prit dans ses bras et la serra contre lui, glissant une main dans ses cheveux en désordre pour qu'elle ne puisse se soustraire au baiser qu'il lui infligea.

Son corps était massif et dur contre le sien, mais ses lèvres étaient douces et habiles. Elles s'emparèrent des siennes sans lui laisser le temps de reprendre son souffle, avec force et passion, comme pour la punir. Avec plus d'intensité encore qu'à l'auberge, cette brusque intimité électrisa Avalon, la laissant tout à la fois effrayée et en proie à une exaltation de tous les sens.

La main de Marcus se fit moins impérative dans ses cheveux, davantage un guide qu'une contrainte. La pression de ses lèvres diminua également. Le baiser se fit plus tendre, plus langoureux – et plus déstabilisant encore. Avalon était douloureusement consciente du corps de Marcus contre le sien, de leurs torses, de leurs jambes qui s'épousaient, de ses mains… Tout le reste – les hommes qui les observaient, les circonstances de son enlèvement, l'incertitude de l'avenir – n'avait plus aucune importance.

Marcus posa sa main en coupe contre sa joue. Il ne la retenait plus prisonnière, ne lui imposait plus rien. C'était d'elle-même qu'elle se prêtait à cette étreinte. Contre les siennes, elle sentit les

lèvres de Marcus se retrousser en un sourire victorieux. Et lorsqu'il mit fin au baiser, elle dut lutter pour ne pas chercher à le prolonger.

— Aucune nonne n'embrasse comme cela,
dit-il.

Avalon lui rendit son sourire, pressant contre
son cou la pointe de la dague qu'elle lui avait sub-
tilisée pendant qu'il l'embrassait. Avant de se risquer à parler, elle s'efforça de reprendre son
souffle. Heureusement, c'était d'une main ferme
qu'elle le menaçait. La vue de son propre sang
séché sur son poignet meurtri par la corde acheva
de la dégriser.

— Prenez mes terres, déclara-t-elle d'une voix
ferme.

Marcus restait parfaitement immobile, de
même que les hommes autour d'eux. Du moins
l'espérait-elle. Elle n'osait pas le vérifier. L'attitude de Marcus ne lui disait rien qui vaille. Elle
jouait son va-tout et ne pouvait se permettre la
moindre distraction.

— Soyez raisonnable, reprit-elle en le fixant au
fond des yeux. Je vous offre tout ce que vous pouvez désirer. Je vous donnerai tout : mes terres,
mes richesses. En échange, je vous demande simplement de me laisser partir.

Le regard de Marcus se fit plus glacial encore.

— Tout ce que je peux désirer ? répéta-t-il.

— Allons, décidez-vous ! s'impatienta-t-elle.
Toute la fortune des Farouche peut être à vous,
sans aucun des inconvénients que ma présence
à vos côtés occasionnerait. Pourquoi hésiter ?

Soudain, Avalon réalisa que Marcus n'était
pas le moins du monde impressionné par son
chantage et qu'elle ne lui faisait pas peur.
Impassible, il faisait preuve à son égard de la

même patience ennuyée qu'il aurait accordée à un cheval rétif.

— Et la malédiction ? demanda-t-il enfin. Que faites-vous de la malédiction qui pèse sur mon clan ?

— La malédiction ! lança-t-elle avec un rire méprisant. Vous ne croyez toute de même pas à de telles bêtises ?

— Peu importe ce que je crois. C'est ce que croient les miens qui compte.

— Certainement pas !

— Bien sûr que si !

Sur ses lèvres, le sourire victorieux était de retour.

— À vous de vous montrer raisonnable, Avalon… poursuivit-il. Vous avez tous les attributs de la Promise du clan Kincardine, tels que les décrit la légende du Bel Amour. Les miens ne s'estimeront pas satisfaits tant que vous n'aurez pas réintégré nos rangs.

À bout de patience, Avalon perdit son sang-froid.

— Cette légende n'est rien d'autre qu'un conte pour enfants ! Vous n'allez tout de même pas vous laisser dicter vos actes par une histoire vieille de cent ans ? Il n'y a pas de malédiction. Tout cela n'est que superstition !

Marcus réagit avec une rapidité confondante. Sans lui laisser le temps de réaliser ce qui se passait, il frappa le poignet d'Avalon du tranchant de la main. La dague alla se perdre dans le tapis de feuilles mortes.

— Ce n'est rien qu'une stupide histoire ! s'entêta-t-elle en se tournant vers les Highlanders. Une stupide histoire…

Mais on aurait pu croire, au ton de sa voix, qu'elle cherchait plus à s'en persuader qu'à les convaincre.

Marcus lui empoigna l'avant-bras et lança simplement à ses hommes :

— Allons-y !

Il était une fois, il y a cent années de cela...

La légende commençait toujours ainsi. Marcus avait cessé depuis longtemps de se demander pour quelle raison ce laps de temps ne changeait jamais, alors qu'on lui contait cette histoire depuis trente ans déjà.

... un laird et sa dame, la plus gracieuse créature à avoir jamais vécu dans le pays. Ses cheveux étaient aussi pâles que le clair de lune, et ses yeux avaient la couleur des fleurs de bruyère les plus rares. Pourtant, ses sourcils semblaient de jais.

Lady Avalon était à présent tranquillement assise en selle devant lui. Seules ses mains avaient été de nouveau liées, avec une bande de tissu arrachée à une couverture. Marcus n'aurait su dire si ses yeux avaient réellement « la couleur des fleurs de bruyère les plus rares ». Ce n'était pas vers lui que se tournaient ces yeux-là, mais vers l'horizon, obstinément, comme s'ils distinguaient quelque chose qu'elle seule pouvait voir.

Le laird aimait follement sa belle dame, qui lui rendait son amour. Tous deux faisaient régner la justice et la prospérité sur leur clan. C'était un temps d'abondance pour tous, un temps de longs étés et d'hivers cléments. Les montagnes chantaient encore leurs chants d'allégresse nocturne. Cerfs et biches étaient gras et nombreux. Chaque jour était un joyau né de l'amour de Dieu, et le clan Kincardine était le plus béni de tous.

Un faë* maléfique s'en vint un jour troubler cette paix divine. Depuis longtemps, il surveillait la dame et en avait conçu quelque envie. Il la voulait pour lui-même. Il jalousait ce rayon de lune, cette bruyère sauvage, ce jais très pur. Pour la conquérir, il usa de magie, la couvrit d'or et lui fit miroiter maintes promesses. Mais la belle ne fut pas dupe. Son cœur pur et sincère était entièrement acquis à son seigneur.

Marcus était douloureusement conscient de toutes les parties du corps d'Avalon contre le sien. Dans le creux de la selle, ses courbes les plus féminines épousaient son bas-ventre. Sous son bras, qu'il avait passé autour de sa taille, il sentait la chaleur de son petit ventre plat. De ses cheveux s'élevait une odeur de pomme et de fleurs. Et sur la langue, Marcus gardait encore le goût d'épices qu'il avait cueilli sur ses lèvres.

Il ne pouvait s'empêcher de se demander si elle était naïve au point d'être tombée amoureuse de son cousin. Elle avait paru accepter ces épousailles hâtives sans protester, sachant pourtant quel discrédit retomberait sur elle et la guerre qui pouvait s'ensuivre. Mais il était vrai qu'elle était une femme, et qu'il n'avait qu'une idée très vague de ce qui se passait dans la tête des femmes...

Un jour, notre bonne dame s'en alla glaner la laine prise dans les ronces. Elle était si aimable que les branches des ronciers s'écartaient devant elle pour lui permettre de travailler sans se blesser. Le faë maléfique l'avait suivie. Las de ne pas arriver à ses fins avec elle, il perdit patience et lui prit son honneur dans un vallon encaissé. Il lui brisa le cœur et l'abandonna mourante, pleurant toutes les larmes de son cœur, appelant désespérément à l'aide son seigneur. Le laird, en la découvrant morte dans l'herbe, sut immédiatement ce qui s'était passé. Si grand était son amour pour elle, et si poignante la peine de l'avoir perdue, qu'il abjura aussitôt sa foi et fit appel au diable pour venger le tort irréparable causé à sa dame.

Le ciel nuageux de ce jour sombre et pluvieux favorisait leurs desseins. C'était un temps idéal pour cheminer dans la pénombre des sous-bois sans se faire repérer.

Marcus avait remarqué qu'Avalon faisait tout son possible pour ne pas céder au sommeil. Sa tête s'inclinait lentement vers l'avant, avant de reprendre dans un sursaut sa position première.

En songeant à cette dague avec laquelle elle avait réussi à le menacer devant ses hommes, il dut reconnaître qu'elle ne manquait pas de cran. Elle avait dit qu'elle lui offrirait tout ce qu'il désirait s'il la laissait partir, mais c'était précisément en lui donnant satisfaction qu'il perdrait ce qu'il en était arrivé à désirer le plus. Et Marcus n'était pas homme à prendre à la légère ses inclinations.

Le menton d'Avalon avait une fois encore plongé vers sa poitrine, et cette fois il y resta. Relevant doucement son bras, Marcus fit en sorte de la ramener vers lui afin que sa tête repose sur son épaule. Dans la pénombre qui les cernait, l'or pâle de sa chevelure constituait la seule tache claire.

Dans un déluge de flammes, de fumées et de soufre, le diable apparut dans le vallon. Il jeta aux pieds du laird le coupable faë, prisonnier de chaînes de feu.

— Qu'attends-tu de moi, mortel ? demanda le prince des Ténèbres.

— La vengeance ! cria le laird, qui tenait toujours son Bel Amour dans ses bras.

Le diable lui donna immédiatement satisfaction. De ses propres mains, il réduisit le faë, hurlant ses cris de douleur et ses imprécations, à une chose brune et calcinée qu'il jeta sur le flanc de la montagne, dans lequel elle s'incrusta et où elle se trouve encore.

— À présent, dit le diable, voyons ce que tu me dois.

Ce fut alors, et alors seulement, que le laird réalisa ce qu'il avait fait.

À présent qu'Avalon était endormie, qu'elle ne pouvait plus lui manifester cette hostilité qu'il avait fait naître en elle, il était plus facile pour Marcus d'imaginer ce qui aurait pu être s'ils s'étaient rencontrés en d'autres circonstances. Ce pouvait être sa propre version d'un beau conte de fées… Lui dans le rôle du laird, elle dans celui de la dame fidèle et forte, intelligente et d'une beauté irréelle. Dans la version qu'il imaginait, tout se terminait bien.

— Il se trouve que j'ai bien trop d'âmes en mon pouvoir pour l'instant, dit le diable. La tienne ne ferait que m'encombrer. Il me faut donc exiger autre chose. Ce sont tes enfants que je vais éloigner de toi, et les enfants de tes enfants, et les enfants des enfants de ceux-ci encore. Ils seront exilés loin de toi, et avec eux s'enfuiront tous tes beaux jours. Ton clan s'épuisera sans eux. Tes terres cesseront de produire, et tes bêtes périront.

Le laird tenta de protester, mais qu'aurait-il pu faire ? On ne négocie pas avec le diable. Il avait sollicité ses faveurs, et c'était son peuple qui aurait à en payer le prix.

Contre lui, Avalon était aussi légère qu'une plume. Il ne faisait aucun doute pour Marcus qu'il pourrait chevaucher ainsi tout le jour avec elle endormie dans ses bras. Il aurait même souhaité que cet instant s'éternise, tant elle était douce et relaxée entre ses bras, ses cheveux cascadant dans son dos jusqu'à lui caresser la cuisse.

Le laird pleura et implora pitié, mais le diable ne voulut rien entendre. Il ne cessa de rire que lorsqu'un œil s'ouvrit dans le ciel, et qu'un rayon en tomba pour venir se poser sur la bonne dame trépassée. Peut-être fut-elle enlevée au ciel dès cette minute, car c'était l'Œil de Dieu, dont les malheurs du laird avaient attiré la compassion.

Sachant ce que cela signifiait, le diable grimaça de fureur. Dieu s'était manifesté dans sa gloire et écoutait, il savait donc ce qu'il avait à dire. Mais il le fit d'une voix pleine de morgue et de mépris, crachant sa vindicte au laird agenouillé devant lui.

— Cette malédiction durera cent pleines années, jusqu'à ce qu'une femme qui sera la vivante image de ta dame accepte d'épouser le nouveau laird. Jusqu'à ce jour, les tiens ne pourront connaître la prospérité.

Et parce qu'il était le diable, il ajouta une dernière chose avant d'être avalé tout entier par la terre :

— La Promise du clan Kincardine sera une vierge guerrière, qui pourra sonder à volonté les âmes et les cœurs, et qui haïra jusqu'à ton nom.

Ils s'arrêtèrent pour dresser leur campement dans un bois si épais qu'ils durent défricher le terrain pour s'y installer. L'abondance des troncs et de la végétation offrait une protection idéale. Après avoir envoyé des éclaireurs pour inspecter le périmètre, Marcus avait installé Avalon au beau milieu du camp, afin qu'elle puisse être vue de tous.

Un ruisseau coulait sur le côté, auprès duquel Marcus avait conduit Avalon après lui avoir délié les mains. Il l'avait regardée étancher à pleines mains dans ces eaux froides une soif qui paraissait inextinguible. Il l'avait vue également nettoyer dans le courant le sang séché qui lui maculait le poignet gauche.

La vue de ces traînées sombres sur la peau crémeuse avait provoqué en lui un malaise qu'il s'était efforcé de dissiper. Avalon n'était pas réellement blessée. La corde n'avait fait que lui écorcher la peau. Il avait lui-même enduré bien pire chaque jour au cours des douze années écoulées.

À un moment, le regard d'Avalon avait rencontré le sien. Sous le feu de ces yeux accusateurs, d'une beauté irréelle, Marcus avait failli baisser la tête. Il ne se rappelait pas avoir jamais vu de fleurs de bruyère d'une teinte identique à la couleur de ses yeux. Sans doute de telles fleurs n'existaient-elles que dans les légendes…

Lorsqu'ils s'étaient croisés par hasard dans l'escalier de cette sordide auberge, il avait eu la surprise d'entendre au fond de son crâne une voix lui commander de ne pas laisser filer cette fille qui avait failli le renverser. Elle était vêtue comme une paysanne, s'exprimait comme une paysanne, mais il lui avait suffi de regarder son visage – la peau laiteuse, l'arc parfait des sourcils de jais, ces yeux si étranges – pour saisir qu'il n'en était rien. Et pour sentir ses sens s'enflammer…

La violence de sa réaction l'avait déstabilisé. Le désir avait déferlé en lui telle une marée puissante. Le désir de faire cette femme sienne, qui qu'elle soit, et de ne plus la relâcher tant que cette faim n'aurait pas été apaisée. Jamais il n'avait rien ressenti de tel, que ce soit à Jérusalem, au Caire ou en Espagne. Jamais il ne s'était à ce point laissé toucher par une femme.

Elle aussi avait perçu quelque chose. Il l'avait deviné. Mais Marcus avait laissé sa mission reprendre le dessus. C'était une autre, pour des raisons qui n'avaient rien à voir avec l'ivresse des sens, qu'il devait enlever et épouser. Une autre qui risquait de faire à jamais le malheur de son clan par un mariage mal avisé. Alors, il s'était résigné à laisser filer la paysanne au visage de reine – Rosalind – sans chercher à la rattraper. Ce nom lui-même n'avait pas sonné juste à ses oreilles. Mais il avait autre chose à faire que de mener une enquête auprès des villageois pour la retrouver.

C'était pourtant ce qu'il avait fait. Et naturellement, il avait vite découvert que personne au village ne connaissait une fille répondant à la description qu'il avait donnée. Il y avait bien une Rosalind, mais elle était rousse, trop vieille et mère de cinq enfants. Alors, l'espoir avait refait son nid dans le cœur de Marcus. L'espoir que son devoir pourrait peut-être se concilier avec les élans de son cœur. Un espoir qui s'était vérifié dès le lendemain, dans le jardin du château, où il avait enlevé Avalon.

Ce fut Balthazar qui, en le rejoignant, vint tirer Marcus de ses pensées. Adossé à un arbre à quelque distance de sa future femme, il ne parvenait pas à la quitter des yeux. Elle avait accepté la cape que quelqu'un lui avait tendue et s'y était enroulée pour dormir sur le tapis de feuilles mortes. Toute idée de résistance semblait l'avoir abandonnée. Les yeux clos, ses cheveux masquant à demi son visage, elle paraissait dormir.

— Te voilà parvenu à tes fins, constata Balthazar.

Dans la pénombre, les tatouages de son visage disparaissaient sur le fond sombre de sa peau, de telle manière qu'on distinguait à peine leurs arabesques exotiques.

Marcus ne répondit pas. Il n'était pas parvenu à ses fins, et son ami le savait. C'était faire preuve d'un sens de l'humour bien particulier que de prétendre le contraire. Une autre de ces particularités auxquelles les Highlanders qu'il côtoyait désormais avaient du mal à s'habituer. Ils avaient accepté le Maure dans leurs rangs parce qu'il était arrivé en compagnie du nouveau laird à qui ils devaient obéissance, même s'ils ne l'avaient jamais connu. Mais Balthazar, avec ses tatouages, ses anneaux d'or aux oreilles et ses djellabas colorées, parvenait difficilement à se fondre dans le décor.

Aux yeux de Marcus, pourtant, son apparence semblait aussi naturelle que l'omniprésence du sable dans le désert. Ce qu'il aurait été bien en peine d'expliquer à ses hommes. Il avait vécu dans ces deux mondes – les contrées verdoyantes des montagnes d'Écosse et les étendues désertiques de la Terre sainte. Il ne se sentait faire partie ni tout à fait de l'une, ni tout à fait de l'autre. Il se tenait à la frontière mouvante qui séparait ces deux pôles opposés, en équilibre précaire. Et comment aurait-il pu les concilier aux yeux de son clan, alors qu'il ne parvenait pas à les unir en lui-même ?

— Elle se tient tranquille, reprit Balthazar.

Lui aussi observait Avalon. Sa remarque sous-entendait que ce n'était pas bon signe, et Marcus ne pouvait qu'être d'accord avec lui.

Hew, le lieutenant de Marcus, les rejoignit et tendit un quignon de pain à chacun d'eux.

— A-t-elle mangé ? demanda-t-il en désignant Avalon du regard.

— Oui, répondit Marcus en se renfrognant.

Faire avaler quelque chose à Avalon n'avait pas été une mince affaire. Elle n'avait pas voulu toucher au pain qu'il lui avait offert. Elle s'était détournée, les lèvres pincées, quand il lui avait tendu une galette d'avoine. Il avait fallu toute l'habileté et la diplomatie de Balthazar pour qu'elle consente enfin à croquer une pomme.

Marcus s'était contenté d'observer la scène à distance, penché sur sa selle dont il avait fait mine d'entretenir le cuir. Après avoir essuyé un deuxième refus de la part d'Avalon, il avait dû prendre ses distances avec elle. Sans prononcer un mot, elle piétinait allégrement son prestige sous ses jolis pieds. Il lui suffisait de tourner le dos au laird en un geste de défiance et de rejet manifeste pour que sa réputation soit compromise aux yeux de ses hommes. Tous avaient été témoins de la rebuffade. Marcus savait qu'il était encore en période d'observation et qu'il serait jugé sur ses actes. Il lui avait fallu choisir entre battre en retraite ou la forcer à manger. Et il savait qu'il ne la forcerait jamais. Ces méthodes avaient été celles de son père. Elles n'étaient pas les siennes.

Heureusement, la légende affirmait que la Promise serait prédisposée à détester le laird. En fait, la conduite d'Avalon, loin de combattre ce qu'elle appelait la superstition, ne faisait que la renforcer.

Il n'en restait pas moins, conclut Marcus pour lui-même, qu'il n'était qu'au début de ses peines et aurait avec elle plus d'une bataille à mener. Bien plus que ce à quoi il s'était attendu. En guise de bataille, cela risquait même d'être la guerre...

4

Pendant dix-sept années de son existence, Marcus avait rêvé du tartan de sa famille. Pour le jeune homme qu'il avait été, ce plaid avait représenté le sel et le but de la vie.

Il l'avait porté fièrement jusqu'à Jérusalem, aux côtés de sir Trygve. Il avait soigneusement réparé les accrocs et les trous apparus en chemin. Il avait nettoyé le sang – le sien, mêlé à celui de l'ennemi – aussi souvent qu'il l'avait pu. Cet épais tissu de laine avait duré incroyablement longtemps. Il l'avait supporté vaillamment, même s'il faisait si chaud en Terre sainte que la chair aurait pu fondre sur les os. En dépit de tout, il ne s'en était pas séparé parce qu'il était le symbole de son clan, le seul souvenir qui lui restait de son foyer, et son unique espoir.

Ce plaid, il l'avait usé jusqu'à la trame, jusqu'à ce que ses plis soient raides de crasse, de sang et de poussière du désert. Et chaque nuit, enroulé dedans, il avait rêvé au jour béni où il pourrait regagner l'Écosse. Il ne s'en était pas séparé jusqu'à son arrivée à Damas. Jusqu'à cette nuit où il avait été arraché à son corps et jeté au feu, en même temps que ses rêves d'enfance.

Ensuite, il avait récupéré la cotte de mailles et l'écu de sir Trygve, dont il avait fait son uniforme. Mais de temps à autre, les rêves avaient continué à le poursuivre, s'insinuant dans les failles de ses défenses pour instiller en lui de vaines songeries, d'impossibles désirs – neige, fumée de feu de bois s'élevant dans l'air glacé, vertes vallées, innocence...

Quand il était finalement retourné chez lui, il lui avait fallu faire preuve d'une force de caractère hors du commun pour se résoudre à porter de nouveau le plaid des Kincardine. Il n'y avait que Balthazar pour comprendre pourquoi cela lui était si pénible. Lui seul avait été près de lui, à Damas, lorsqu'il avait dû renoncer à tous ses espoirs.

Mais, même si Marcus avait accepté de revêtir la tenue traditionnelle du clan, il n'était pas pour autant décidé à faire table rase du passé. À son côté, il avait gardé son sabre espagnol, signe manifeste de sa différence profonde. Il était heureux que les siens aient admiré cette arme et en aient apprécié la beauté. Mais il l'aurait portée même s'ils l'avaient détestée. Autant que d'éventuels ennemis, elle le protégeait des séductions trop doucereuses du vert paradis d'Écosse. Il avait besoin de garder sous la main quelque chose qui puisse l'aider à ne pas oublier les épreuves endurées en de lointaines terres étrangères.

Cela ne l'empêchait pas d'apprécier à sa juste valeur le tartan neuf et solide qu'il portait. Après avoir traversé tant de dangers, le sentir à même sa peau constituait à ses yeux une sorte de petit miracle quotidiennement renouvelé. Sous ses bandes or, rouges et pourpres quadrillant le fond noir, il se sentait plus à l'abri que derrière la plus solide cuirasse. Il avait autant besoin de ce lien solide qui le rattachait à son héritage que de la lame espagnole symbolisant sa capacité à survivre envers et contre tout.

C'était dans ce même tartan qu'il se tenait devant lady Avalon, en ce petit matin lumineux où le soleil, perçant à travers les frondaisons, accrochait des reflets à sa soyeuse chevelure ivoirine. Même dans sa tenue luxueuse à présent réduite en lambeaux, elle restait magnifique. Et elle le fut davantage encore lorsqu'elle jeta à ses pieds le tartan plié qu'il venait de lui tendre.

— Je me suis juré de ne plus jamais le porter !

Elle avait lancé cela d'un ton de défi qui contrastait avec son apparente fragilité. Marcus savait qu'il ne devait pas s'y fier. Comme lui, elle était le pur produit de Hanoch.

— Hélas pour vous, répliqua-t-il en se penchant pour le ramasser, il va falloir vous y résoudre.

Il fit un pas vers elle, mais elle ne bougea pas d'un pouce. Les poings serrés, elle semblait prête à tout. Des feuilles mortes s'accrochaient à son bliaud mais le collier d'améthystes, inaltérable, brillait dans le soleil de tous ses feux.

— Alors, dit-elle en soutenant son regard sans ciller, vous allez devoir m'y forcer.

Dans l'esprit de Marcus s'imposa une image d'elle, nue, un sourire tentateur au bord des lèvres. Par tous les cieux ! Il était plus que prêt pour elle, pour sentir son incroyable chevelure se refermer autour de lui, pour la goûter de nouveau à pleine bouche. Il imaginait sans peine ce baiser, qui serait cette fois plus doux et d'autant plus délectable. Ce baiser qui ne serait plus une leçon infligée mais un plaisir partagé.

Reprenant les rênes de ses pensées, Marcus parvint à chasser la troublante vision. Les yeux d'Avalon s'étaient brusquement écarquillés. Tout son corps s'était raidi. Elle *savait,* réalisa-t-il soudain. Elle savait à quoi il avait songé.

Qu'ils puissent ainsi partager leurs plus intimes pensées était inattendu. L'histoire n'en faisait pas mention, mais Marcus ne doutait pas que cela fût possible. En même temps que le lait maternel, il avait bu dès le berceau tous les détails de la légende du Bel Amour. Sa mère la lui avait chantonnée encore et encore, en le berçant, le préparant à la destinée qui serait la sienne. Après sa mort, alors que Marcus avait dix ans, les femmes du clan à qui on l'avait confié avaient pris le relais. Elles lui avaient rabâché la légende jusqu'à la nausée, pour lui faire intégrer le rôle qu'il aurait à y jouer à l'âge d'homme.

Marcus ne mettait pas en doute la réalité du sort jeté à son clan. Il ne remettait pas non plus en cause le fait que la Promise puisse sonder les âmes et les cœurs. Il savait qu'un tel pouvoir était possible, car il en recélait une parcelle en lui. C'était un don qui lui avait été accordé – il ne voulait pas y voir autre chose.

Après lui avoir sèchement pris le plaid des doigts, Avalon alla se cacher derrière la couverture qu'il avait tendue entre deux buissons pour lui assurer un peu d'intimité. En ombre chinoise, il vit sa silhouette s'y inscrire. Les contours étaient vagues, mais son imagination suffisait à y pallier. Il distinguait le profil parfait, le bras idéal qui se tendait dans son dos, la ligne de la cuisse sans défaut – tout ce qui faisait d'elle la femme la plus étonnante qu'il eût connue.

Enfin, Avalon repoussa la couverture et se montra à tous vêtue du tartan. Heureusement, les femmes du clan qui avaient préparé le plaid n'avaient pas oublié d'y joindre la broche d'argent qui le maintenait fermé et la tunique noire qui se portait dessous. Marcus, lui, n'aurait jamais pensé à de tels détails.

En retournant à son petit déjeuner inachevé, lady Avalon lui lança un regard qui le laissa perplexe. Il avait lu de la colère, certes, au fond de ses yeux, mais quoi d'autre encore ? Quelque chose de plus indéfinissable. De la peur ? Non, cela ne lui ressemblait pas. Plus probablement de la prudence. Ce qui n'était pas pour lui déplaire. Elle l'avait jusqu'alors suffisamment défié.

Les hommes la regardèrent manger en silence. Tous avaient noté l'assurance avec laquelle elle avait arrangé les plis du plaid autour de son corps. Par-dessus sa tête penchée, ils échangèrent des regards satisfaits. Elle n'avait cédé à Marcus que pour mieux lui échapper, mais cela, lui seul le savait.

Assise sur une pierre plate, Avalon mâchait une galette d'avoine d'un air morose.

Ce plaid horriblement familier qu'elle s'était pourtant juré de ne plus porter, ceignait de nouveau son corps. À l'âge de quatorze ans, la nuit où elle avait passé la frontière séparant l'Écosse de l'Angleterre, elle avait cru s'en débarrasser à jamais. Elle avait jeté de ses propres mains le tartan dans la cheminée de l'auberge où ils avaient fait halte pour la nuit. Personne ne l'en avait empêchée – ni les émissaires du roi, ni les soldats de l'escorte, ni l'aubergiste. Tous avaient regardé avec elle le plaid s'embraser.

Et aujourd'hui, comme dans un mauvais rêve, le carré de toile l'habillait comme il le faisait pour toutes les femmes du clan. Mais ce qui la chagrinait davantage encore, c'était d'avoir retrouvé sans même y penser les automatismes acquis durant l'enfance pour arranger au mieux les plis du vêtement. Plus rien ne la distinguait à présent des hommes qui l'entouraient. Elle était consternée de constater avec quelle facilité les Kincardine l'avaient réintégrée en leur sein.

Avait-elle eu raison de sacrifier son vœu à la prudence ? Cela valait-il la peine de se parjurer pour se protéger du flot de sensualité dans lequel Marcus l'avait entraînée ? Il n'y avait pas à se tromper sur ce qui s'était passé. Après avoir jeté à ses pieds le plaid plié, elle avait dit quelque chose – elle ne se rappelait plus quoi – qui avait suscité en lui un bouillonnant désir.

Avalon, prise de panique, avait dû capituler. Le vertige qui s'était emparé d'elle avait été aussi irrésistible et soudain que celui qu'elle avait ressenti dans l'escalier de l'auberge de Trayleigh. Le pire était de ne pas savoir pour quelle raison lui seul parvenait à éveiller ses sens de cette manière. À Londres, elle avait croisé des tas d'hommes aussi séduisants, et aucun ne lui avait fait cet effet-là. Marcus Kincardine, en somme, se révélait bien différent de ce à quoi elle s'était attendue.

Pour l'heure, il était occupé à parler à ses hommes. Tous faisaient mine de ne pas s'occuper d'elle, et elle leur rendait la pareille. Avalon savait cependant qu'ils devaient être aussi conscients de sa présence qu'elle l'était de la leur. Marcus lui tournait le dos et s'adressait à un homme qu'elle avait vaguement l'impression de reconnaître. Sans doute un des anciens fidèles de Hanoch.

Le magicien – Balthazar – se tenait à l'écart des autres. Croisant son regard, il inclina la tête à son intention. La chimère avait livré son verdict aussitôt qu'Avalon l'avait vu: *Magicien!* Qu'un être de légende puisse en identifier un autre au premier regard était à la réflexion assez logique, et Avalon n'avait aucune raison de ne pas la croire. Cet homme, assurément, ne ressemblait pas au commun des mortels. Une plénitude étrange baignait tout son être.

Avalon savait que, de toute la troupe, lui seul l'avait acceptée pour ce qu'elle était, sans arrière-pensée. Elle mourait d'envie de discuter avec lui, de découvrir ses secrets, mais elle ne devait pas oublier qu'il était l'allié – et sans doute l'ami – de son pire ennemi.

Ils chevauchèrent sans relâche durant deux longues journées. Avalon sentit avant tout le monde qu'elle était de retour en Écosse. Elle le devina à la qualité de l'air et de la lumière, qui avait changé. À le voir se redresser sur sa selle, radieux, et inhaler à pleins poumons, elle comprit que Marcus l'avait perçu également. Mais, contrairement à lui, Avalon n'était pas de retour chez elle. Elle n'avait plus de foyer – ni en Écosse, ni à Gatting, ni à Londres, et encore moins à Trayleigh.

Seule la chimère semblait heureuse de son sort. Avalon la sentait se dresser en elle, aux aguets, plus forte que jamais. Elle était née dans

ce pays, de la conjonction du farouche tempéra-
ment des Highlanders et de l'instinct de survie
d'Avalon. Quand elle était petite fille, avant d'être
emmenée de force par Hanoch, la mythique bête
n'avait été qu'une voix en elle, un guide, un
regard différent. Il avait fallu l'implacable bruta-
lité du père de Marcus pour la faire surgir des
boues de son inconscient.

Cette nuit-là, ils campèrent dans une plaine
qu'éclairait un ciel brillant d'étoiles, et sous un
vent déjà porteur des frimas de l'hiver et annon-
ciateur de pluie. Dans une tente de fortune, avec
pour seule couverture son tartan, Avalon frissonna longuement sur le sol, les bras serrés
autour d'elle. Elle fut longue à trouver le sommeil, et elle eut l'impression de tomber aussitôt
dans un monde de rêves qui tous la ramenaient
au passé. Elle se débattit dans ce maelström de
souvenirs jusqu'à retrouver le seul qui importait
vraiment.

Oncle Hanoch avait été tellement furieux
contre elle... Comment avait-elle pu refouler de
sa mémoire ce qui s'était passé ce jour-là, dans
la cour de terre battue du cottage?

— Regarde-la! lança Hanoch avec dégoût. Une
femelle sans force ni volonté!

Avalon se redressa lentement. S'asseyant sur le
sol de terre battue, elle résista au besoin de fermer les yeux pour empêcher le monde de tour-
noyer autour d'elle.

L'homme qui accompagnait Hanoch – l'instructeur d'Avalon – secoua la tête d'un air
dépité.

— Tu t'es laissé distraire... lui reprocha-t-il. Je
t'avais dit de rester concentrée!

Avalon se força à se remettre sur pied devant les deux hommes, mais sans prendre la peine de placer correctement son tartan.

— Recommence! aboya l'oncle.

L'instructeur ne lui laissa pas le temps de récupérer ses esprits. Il fit une feinte vers la droite, incitant Avalon à se rejeter de l'autre côté, les mains tendues devant elle, dans l'attente de l'attaque qui allait suivre.

La poussière qui s'élevait autour d'eux lui faisait monter les larmes aux yeux et lui brouillait la vue. Elle se doutait que l'instructeur allait tenter de la faucher d'un croc-en-jambe, mais comment allait-elle le voir venir? Elle commit l'erreur d'essuyer ses yeux d'un revers de main.

À terre! hurla le monstre dans sa tête. *Roulade!*

D'instinct, Avalon suivit les instructions de la chimère, évitant l'assaut de l'instructeur. Après avoir roulé sur le sol, elle se redressa promptement sur ses jambes derrière lui.

La chimère ne lui laissa rien ignorer de la satisfaction de l'oncle, même s'il ne le montrait pas. Bras croisés sur la poitrine, il contemplait la scène, impassible. Ses lèvres formaient une mince lézarde à peine visible. Cet homme, que tout le monde à part elle considérait avec respect comme le laird du clan, ne lui témoignait jamais rien d'autre que son mécontentement et le mépris qu'elle lui inspirait.

Déjà, l'instructeur revenait à l'assaut. *Gauche!* cria la chimère. Mais cette fois, Avalon réagit trop tard pour éviter la gifle monumentale qui l'envoya bouler sur le sol dans un nuage de poussière.

— Bah! grogna le laird avec dédain. Une vierge guerrière, vraiment?

Avalon, la tête basse, les yeux clos, l'écouta passer sa rage sur l'instructeur.

— Elle ne sera jamais au point pour être la Promise ! éructa-t-il. Elle nous fait honte !

— Donnez-lui un peu de temps, Hanoch. Elle est encore jeune.

— Du temps !

Devant le cottage, dans la cour de terre battue, la voix du laird retentissait comme le tonnerre.

— Du temps ! Elle a déjà eu trois ans pour se préparer ! Combien de temps lui faudra-t-il encore ?

— Apprendre à se battre n'est pas si simple, Hanoch. Vous le savez. Elle n'est encore qu'une enfant.

Avalon releva la tête à ces mots et regarda depuis le sol les deux hommes échanger leurs arguments. Des mèches de ses cheveux avaient échappé à sa coiffe et serpentaient sur ses épaules.

— Elle ne sera pas éternellement une enfant, MacLochlan ! répliqua sèchement l'oncle Hanoch. Très bientôt, elle sera en âge d'épouser mon fils, et tu sais aussi bien que moi qu'elle doit remplir les conditions fixées par la légende pour que la malédiction soit levée. Je t'ai fait confiance pour la former à son rôle de Promise, et je me retrouve avec *ça* ?

Avalon osa soutenir le regard de reproche que lui lança l'instructeur, ce qu'elle ne s'était pas permis depuis longtemps.

— Elle va faire des progrès.

Elle n'eut pas besoin des talents de la chimère pour percevoir le doute dans sa voix.

Le laird s'avança jusqu'à l'endroit où elle se trouvait, toujours à genoux. Les lèvres plus pincées que jamais en une expression de pur mépris, il baissa les yeux sur elle :

— Avalon Farouche, tu es une honte pour ton clan.

Se redressant d'un bond, Avalon laissa libre cours à la colère qui bouillonnait en elle depuis trois ans.

— Je ne fais pas partie de votre clan !

Hanoch arqua les sourcils et la foudroya du regard. Sa barbe rousse tremblait d'indignation.

— Qu'as-tu osé dire ? demanda-t-il d'une voix blanche.

Au centre d'elle-même, Avalon vit la bête monstrueuse qu'elle abritait se rouler sur le sol, le ventre offert, en une attitude de parfaite soumission.

Fureur ! geignait-elle. *Terrible fureur ! Erreur funeste… Retire ça ! Retire ça tout de suite !*

La ferme ! hurla Avalon en son for intérieur. Cela faisait trop longtemps qu'elle attendait cet instant. Et l'aurait-elle voulu, il était trop tard pour reculer.

— Je ne fais pas partie de votre clan.

Elle avait répété cela avec autant de dignité que possible, comme son père aurait pu le faire, se disait-elle, s'il avait été encore vivant. La chimère laissa échapper une longue plainte affolée que seule Avalon entendit. Le visage d'oncle Hanoch devint livide, conférant à son poil et à ses cheveux roux un éclat presque surnaturel sous le plein soleil de l'après-midi. S'approchant à pas lents, il la domina de toute sa masse.

— Votre malédiction n'est qu'un conte stupide !

Elle s'étonnait elle-même d'avoir proféré ces paroles. Sans doute, réalisa-t-elle, venait-elle de signer son arrêt de mort. Les yeux fous de Hanoch roulaient dans leurs orbites. Ses mains énormes se serraient et se desserraient contre ses flancs. D'un seul coup de poing, il pouvait la tuer. Avalon, pourtant, n'avait pas peur. Peut-être la douleur ne serait-elle pas si terrible, après tout. Ensuite, elle connaîtrait enfin la paix, elle pourrait quitter ce terrible endroit et retrouver son père, sa mère, et Ona.

— Stupide! cria-t-elle de nouveau. Totalement stupide! Seuls les enfants croient aux légendes et aux malédictions.

C'était Ona qui lui avait dit cela. Il y avait bien, bien longtemps, quand elle avait encore une nourrice, un château pour maison, et des tas de gens attentionnés pour prendre soin d'elle et de sa sécurité. Elle n'avait plus rien maintenant. Rien qu'un petit cottage, et un instructeur strict et sévère pour exiger d'elle ce dont elle était incapable.

Celui-ci venait prudemment de s'interposer entre elle et Hanoch.

— Tiens ta langue, *lass*! conseilla-t-il.

— Non, je ne me tairai pas!

Ces deux hommes terrifiants avaient beau la dominer de toute leur hauteur, ils n'impressionnaient plus Avalon. Ce qu'ils attendaient d'elle était injuste et incompréhensible. Elle se doutait que contre eux elle ne pourrait avoir gain de cause, mais pour une fois qu'elle pouvait leur livrer le fond de sa pensée, elle n'allait pas s'en priver.

— C'est juste une histoire inventée! insista-t-elle. Cela n'est jamais arrivé… Il n'est pas question que je fasse semblant d'y croire! Et il n'est pas question que j'épouse votre fils ou qui que ce soit d'autre, surtout à cause d'une légende sans queue ni tête!

Les mots qu'elle retenait depuis si longtemps avaient sur sa langue une saveur explosive.

— Je ne l'épouserai jamais. Jamais ! Aujourd'hui, j'en fais le serment. Jamais je n'épouserai votre fils !

Avalon reprit difficilement son souffle dans un silence de plomb. L'écho de ses dernières paroles semblait encore flotter dans l'air. Elle se sentit soudain vidée de toute énergie, défaite et au désespoir. Plus que jamais l'assaillait la certitude qu'elle n'avait rien à faire ici. La peine en elle était si aiguë, si pure que la chimère, roulée en boule sur le sol, se mit à pleurer les larmes qu'elle ne pouvait verser.

— Je veux rentrer chez moi, dit-elle d'un ton suppliant. S'il vous plaît... laissez-moi rentrer chez moi.

Le silence s'éternisa, comme si les oiseaux et le ruisseau eux-mêmes s'étaient figés dans l'attente de ce qui allait suivre. Enfin, Hanoch laissa longuement échapper son souffle par les narines, comme aurait pu le faire un taureau s'apprêtant à charger.

— Et voilà, dit-il d'une voix dangereusement calme. Voilà ce que j'obtiens pour récompense.

D'un geste du bras, il écarta l'instructeur de son passage. Celui-ci se laissa faire et se fondit dans le décor, laissant Avalon aux prises avec le laird, blanc de rage.

— N'as-tu pas honte, après tout ce que j'ai fait pour toi ? reprit-il. Je t'ai sauvée des griffes des Pictes, qui voulaient t'assassiner. Je t'ai recueillie ici, dans mon clan, parmi mes gens, par devoir envers ton père et pour faire respecter sa volonté que tu épouses mon fils. Et tout ce que tu trouves à faire pour me remercier, Avalon Farouche, c'est de geindre et de récriminer... Tu oses insulter ceux-là mêmes qui t'ont prise en pitié et te font vivre ? Tu oses te moquer de la raison pour laquelle tu es encore de ce monde ?

— Les malédictions n'existent pas ! s'entêta-t-elle d'une toute petite voix. Les légendes ne sont pas vraies.

Elle était trop terrifiée à présent pour en dire plus. Et trop anéantie pour écarter de ses yeux les cheveux qui dressaient un dérisoire voile blond entre elle et son tourmenteur.

— Ah oui ? rugit-il en posant lourdement ses mains sur ses épaules. Elles ne sont pas vraies ?

Avalon ne tenta même pas de lui échapper. Elle savait que cela ne l'aurait pas menée bien loin. L'oncle avait posté des gardes tout autour du cottage.

— Pas vraies ? répéta-t-il en la soulevant du sol sans effort comme une poupée de chiffon. Je vais te montrer ce qui est vrai, jeune fille ! Tu vas goûter à la réalité d'une journée et d'une nuit au cachot ! Qu'en dis-tu ?

Les pieds battant l'air en vain, Avalon ouvrit la bouche mais aucun son n'en sortit. De toute façon, Hanoch ne l'aurait pas écoutée. Il était décidé à la ramener dans ce sombre trou, et rien de ce qu'elle pourrait dire ne l'en empêcherait.

Elle ne tenta de se débattre que lorsqu'il lui fit traverser en trombe la cuisine du cottage. En avisant le visage du laird convulsé de fureur, la cuisinière s'empressa de quitter la pièce, affolée. D'une seule main, il la maintint en l'air tandis que de l'autre il ouvrait la porte du cellier.

— Là-dedans, grogna-t-il, tu auras tout le temps de penser à ce qui est vrai ou pas, ingrate enfant !

Il la jeta sans ménagement dans l'étroit et sombre réduit. Avalon alla rebondir sur le mur du fond, contre lequel elle glissa à terre, une main plaquée sur sa bouche pour ne pas crier. L'oncle demeura un moment dans l'encadrement de la porte, à la regarder, les lèvres de nouveau réduites à ce rictus implacable qu'elle avait appris à détester.

— Tu épouseras mon fils ! lança-t-il d'un ton sans réplique. Tout ce que tu peux croire ou penser m'indiffère. Mais *cela*, c'est une réalité à laquelle tu n'échapperas pas ! Et je te conseille de ne plus l'oublier...

Hanoch recula d'un pas, commença à repousser la porte, invitant les ténèbres à entrer.

— Tu resteras là-dedans jusqu'à demain matin, dit-il. Tu en sortiras quand tu seras prête à faire des excuses pour avoir insulté le clan. Pas avant.

Le vantail de chêne se referma dans un claquement sec, suivi du raclement du lourd verrou de fer. Plongée dans les ténèbres, Avalon alla se blottir dans son coin habituel. Fermant les yeux, elle pressa la main contre sa bouche avec plus de force encore, afin de retenir ses sanglots. Pour s'étourdir et oublier sa frayeur, elle ne cessait de se répéter : Je ne l'épouserai jamais ! Je ne l'épouserai jamais ! Je ne l'épouserai jamais !

La longue et monotone chevauchée reprit le lendemain dès l'aube. Marcus serrait toujours Avalon en selle contre lui. Elle se cantonnait dans un silence stoïque et regardait le paysage changer peu à peu autour d'eux. Au fur et à mesure que passaient les heures, les sommets se firent plus élevés. Les forêts qui couvraient leurs pentes devinrent plus épaisses. D'abord isolés, les pins et les résineux furent de moins en moins rares.

Marcus ne fit aucune tentative pour établir le contact. Il savait qu'Avalon avait mal dormi la nuit précédente, et voulait lui laisser l'occasion de s'assoupir si toutefois elle y parvenait. Allongé non loin d'elle, sous l'abri de fortune qu'il avait confectionné à l'aide d'un vieux plaid, il l'avait vue s'agiter et geindre longuement dans son sommeil. Sachant que son intervention serait mal venue, il s'était bien gardé d'aller la réconforter. Mais il n'en était pas moins désolé pour elle. Il était bien placé pour savoir dans quel état vous laisse un cauchemar au réveil.

Alors qu'ils cheminaient sous le couvert humide d'une interminable forêt, Avalon le surprit en prenant la parole.

— Votre père doit être heureux de votre retour.

Ainsi, songea-t-il, elle n'était pas au courant. Mais après tout, comment aurait-elle pu l'être ?

— Il est mort il y a onze mois de cela.

Marcus laissa cette nouvelle faire son chemin en elle avant d'ajouter :

— On m'a dit que ses dernières paroles ont été pour vous.

Un rire caustique s'éleva devant lui.

— Laissez-moi deviner… railla-t-elle. Quelque chose du genre : « N'oubliez pas d'aller enlever la Promise ! »

— Quelque chose comme ça, en effet.

En fait, selon ce qu'on lui avait rapporté, ce n'était pas du tout ainsi que les choses s'étaient passées. Hanoch avait dû garder le lit soudainement et il était entré en agonie tout aussi vite. Une fièvre l'avait emporté avant même que l'on ait pu s'enquérir d'un guérisseur. C'était l'un des plus anciens fidèles du laird qui avait envoyé à Marcus une lettre, lui annonçant la mort de son père et lui enjoignant de renoncer à sa croisade pour venir remplir son devoir auprès de son clan.

Et la nuit de son retour, c'était le même vieil homme qui lui avait raconté toute l'histoire autour d'une fiole de whisky et d'un plat de *haggis**. Selon lui, juste avant de mourir, Hanoch avait parlé à lady Avalon comme si elle s'était trouvée dans la pièce. Dans son délire, il lui avait dit qu'elle avait tout pour devenir la Promise, qu'elle avait appris tout ce qu'elle avait besoin de savoir, et qu'il était fier de ce qu'elle était devenue. Il n'avait pas été jusqu'à reconnaître qu'il était désolé de ce qui lui était arrivé et de la façon dont il l'avait traitée, mais selon le vieillard, c'était en regrettant ses fautes qu'il était mort.

— Je pense qu'il avait de l'affection pour vous.

Marcus avait laissé libre cours à ses pensées. Contre lui, il sentit sa future femme se raidir.

— Une bien étrange affection ! lâcha-t-elle sèchement. Qui pousse à frapper celle qui en est l'objet…

Marcus ignorait si Hanoch avait été pris de remords sur la fin de sa vie, mais il regrettait quant à lui le sort que son père avait fait subir à Avalon. La seule idée qu'un homme puisse la frapper le rendait fou de rage – même s'il n'ignorait pas qu'elle était désormais de taille à se défendre. Mais il ne servait plus à rien d'en vouloir à l'auteur de ses jours pour ce qu'il lui avait fait subir. L'homme avait été taillé dans une matière qui lui était étrangère – roc inamovible, acier de l'épée, et pas une once de tendresse. En tant que jeune garçon, il avait appris à le craindre. En tant qu'homme, il s'était efforcé de l'oublier. Un choix qui n'avait pas été laissé à Avalon.

Il se rappelait parfaitement l'unique fois – jusqu'à l'autre nuit à l'auberge de Trayleigh – où il l'avait rencontrée. Il avait douze ans à l'époque, et elle deux seulement. Sans lui demander son avis, on avait posé sur ses genoux cette fillette potelée au visage d'ange, encadré d'un flot de cheveux d'or blanc, qui lui souriait gaiement.

Hanoch avait tenu à se rendre avec lui à Trayleigh pour vérifier que les bruits parvenus à ses oreilles n'étaient pas dénués de tout fondement. Pleinement rassuré, il avait pu discuter cette nuit-là avec Geoffrey, parent et allié, de leur accord.

Tout le temps qu'avait duré cette étrange scène, le jeune garçon qu'il était n'avait su comment réagir ni que faire de cette enfant agitée qui babillait de manière incompréhensible sur ses genoux. Enfin, après quelques minutes de ce supplice, il avait pu rendre l'enfant à sa nurse tandis que les adultes portaient un toast à la réussite de leur union.

La fillette gaie et pleine d'entrain était devenue une splendide jeune femme, dont la vie n'avait pas été rose jusqu'à ce jour. À juste titre, le ressentiment qu'elle nourrissait à l'égard de Hanoch confinait à la haine. Ce fut d'une voix chargée d'amertume qu'elle précisa :

— Il me battait jusqu'à ce que je tombe par terre, puis il me hurlait dessus jusqu'à ce que je me relève. Ensuite, il me disait que j'étais une honte pour le clan. Ce n'était pas un homme. C'était un monstre.

Marcus, qui avait connu maintes fois le même sort, n'aurait pu dire le contraire. Son treizième anniversaire avait été le plus beau jour de sa vie. Ce jour-là, il avait enfin échappé à son père en quittant le clan pour devenir l'écuyer de sir Trygve. C'était Avalon, plus jeune et moins armée que lui pour faire face à Hanoch, qui avait pris sa place.

Embarqué dans la croisade de son chevalier, Marcus n'avait eu qu'une vague idée de ce qui se tramait en Écosse durant son absence. Son père avait fait une vague allusion à Avalon au détour d'une lettre, indiquant à mots couverts la mort de Geoffrey Farouche au cours d'un raid et la « mise à l'abri de la future Promise ».

Au cours de toutes ces années passées en Terre sainte, Marcus n'avait reçu que cinq lettres – la dernière n'étant qu'une simple note lui enjoignant de rentrer. Le jour où il l'avait reçue et où il avait compris qu'il allait revenir chez lui, avait été le deuxième plus beau jour de son existence.

— Je ne vous épouserai jamais ! lança brusquement Avalon, le tirant de ses pensées. Vous pouvez essayer de me battre ou de m'affamer pour m'y contraindre, vous n'y parviendrez pas.

— Jamais je ne vous battrai ! répliqua vivement Marcus, consterné.

Avalon se mura dans un silence sceptique.

— Et je vous affamerai encore moins ! ajouta-t-il. Je ne traiterais jamais une femme de la sorte.

En butte au même silence incrédule, Marcus insista :

— Je suis incapable de faire une chose pareille ! Et je ne le ferai pas.

Levant la main qu'il avait passée autour de la taille d'Avalon, il l'amena jusqu'à son visage, hésitant à céder au besoin de la toucher. Doucement, il lui caressa la joue, passant le pouce sur le satin de sa peau. Elle ne réagit d'aucune façon à ce contact, et il lui fut impossible de jauger sa réaction. Lui-même ne savait comment interpréter le flot d'émotions qui se bousculaient en lui. Pour une raison qui lui échappait, il était primordial pour lui qu'elle le croie incapable de la sauvagerie de son père. Ce n'était pas la seule chose qu'il attendait d'elle. Le désir qu'elle lui avait immédiatement inspiré était revenu le tourmenter, plus fort que jamais.

— J'en suis incapable... répéta-t-il contre ses cheveux.

Marcus aurait voulu pencher la tête et écarter sa chevelure pour l'embrasser dans le cou. C'était comme une amante, et non comme une prisonnière, qu'il aurait voulu la serrer contre lui. Et il lui tardait de goûter de nouveau à sa bouche...

Comme si ce désir avait trouvé un écho en elle, Avalon entrouvrit les lèvres. Marcus se demanda si son pouls s'était accéléré et si son cœur battait au diapason du sien. Sa main glissa sur son visage. Du bout des doigts, il suivit le contour de ses lèvres et se pencha pour en admirer le rose unique, le troublant renflement. Contre lui, il sentit Avalon se laisser aller enfin. Exhalant un faible soupir, elle battit des paupières avant de les laisser fermées.

— Vous m'épouserez... dit-il d'une voix rauque, tout contre son oreille.

Avant même qu'elle ne tressaille et se redresse, Marcus sut qu'il avait détruit la magie de l'instant.

— Certainement pas ! lança-t-elle en écartant sa main de son visage. Je vous l'ai dit : jamais je ne vous épouserai.

Marcus lui laissa le dernier mot. Il avait trop à faire à éteindre l'incendie qu'elle avait allumé en lui. Elle était aussi enivrante qu'un de ces vins d'Espagne qui lui faisaient perdre sa concentration en lui mettant en tête des idées folles, si délicieuses fussent-elles.

Mais il gardait une certitude. Il en serait comme il l'avait dit et, qu'elle le veuille ou non, elle finirait par l'épouser. Marcus avait derrière lui la volonté de tout un clan et la force d'une légende séculaire.

Ils atteignirent les terres du clan Kincardine deux jours plus tard. Un jour de plus, et le château de Sauveur fut en vue.

La fin du voyage se révéla éprouvante. Les pluies d'automne précoces qui les avaient longuement menacés finirent par s'abattre sur eux. Des vents violents les portaient, si forts qu'ils auraient pu arracher un cavalier imprudent de sa monture. Marcus ne voulut pas s'arrêter pour s'abriter, pas plus qu'aucun de ses hommes. Tous étaient impatients de rentrer et d'en avoir terminé avec cette mission.

L'humeur d'Avalon devint aussi mauvaise que le temps. Marcus l'abritait autant que possible, mais cela ne l'empêcha pas de se retrouver aussi trempée que le reste de la troupe.

Dans les premières heures de l'aube du troisième jour, alors que Sauveur était en vue, les conditions se dégradèrent encore et il leur fallut affronter une féroce tempête. Après avoir consulté ses hommes, Marcus décida de passer outre et de foncer jusqu'au château. S'arrêter si près du but leur aurait été à tous insupportable.

Seule Avalon ne l'entendit pas de cette oreille. Quand il ordonna de remonter en selle, elle se dressa devant lui, les poings serrés sur les hanches. Le vent chassait derrière elle les mèches détrempées de ses cheveux, et de son menton gouttait la pluie.

— Vous avez perdu la tête! s'insurgea-t-elle. C'est de la folie de chevaucher par un temps pareil… Jamais ils ne vous donneraient la chasse aussi loin en Écosse. Vous le savez fort bien. Et pourtant, vous prenez le risque de nous faire continuer coûte que coûte!

Sachant que cela allait aggraver sa colère mais incapable de s'en empêcher, Marcus lui répondit d'un haussement d'épaules. Il savait naturellement qu'ils ne risquaient plus d'être rattrapés. Ils avaient déjà traversé les territoires de quatre clans, tous en très bons termes avec le sien. Ces clans alliés ne se montreraient pas aussi tolérants avec des voyageurs anglais, à moins qu'ils ne se fassent accompagner d'une armée. Et ni le baron ni son frère n'étaient capables de mettre sur pied aussi vite une troupe armée. Cela viendrait sans doute, mais trop tard. Avalon et lui seraient mariés.

Affronter la tempête n'avait pas pour but d'éviter d'éventuels poursuivants. Uniquement de rentrer à Sauveur au plus vite. Pour cela, chaque minute comptait et il ne prit pas le temps de le lui expliquer.

Tandis que chacun se préparait, Avalon serra les bras autour d'elle, frissonnant de la tête aux pieds. Marcus aurait voulu la serrer dans ses bras pour rallumer entre eux cette étincelle capable de lui faire oublier le vent et la pluie et d'effacer sa rancœur. Mais à la voir se refermer sur elle-même, plus hostile et sombre que jamais, il sut qu'il ne ferait qu'aggraver les choses. Alors, il se contenta de la saisir doucement par les hanches pour la jucher sur son cheval, avant de s'installer derrière elle.

La tempête se déchaîna avec plus de force encore. Hommes et bêtes, têtes basses et ruisselantes de pluie, s'arc-boutaient pour résister aux cinglantes rafales. Le tonnerre se fit entendre. Distant tout d'abord, il devint de plus en plus proche et menaçant. À chaque nouveau roulement, précédé de l'éclat aveuglant des éclairs, les chevaux inquiets balançaient la tête, les yeux exorbités.

Même si elle aurait préféré s'en passer, Avalon n'avait d'autre choix que de garder la tête sous le tartan que Marcus maintenait pour la protéger. La fierté qui la poussait à refuser son aide avait fait long feu. À présent, elle n'était plus que transie, trempée et complètement épuisée.

L'abri improvisé était aussi détrempé que tout le reste, mais au moins il lui évitait le plus gros des bourrasques de pluie. Sans doute n'était-il pas facile pour Marcus de maintenir ainsi son bras en l'air. Elle aurait pu considérer qu'il n'avait que ce qu'il méritait pour avoir ordonné de continuer en pleine tempête, mais elle n'avait même plus la force d'entretenir sa rancune contre lui. Tout ce qu'elle souhaitait, c'était que cet insupportable voyage se termine.

À peine eut-elle émis ce vœu que le monde parut s'écrouler autour d'elle. Semblable au bras armé de Dieu, la foudre vint fendre en deux un grand chêne près duquel ils passaient, dans un déferlement de lumière et de bruit.

Avalon se sentit voltiger en l'air, légère comme une plume. Aussitôt après, dans une déflagration de douleur, elle atterrit rudement sur le flanc. Tout était devenu noir et silencieux. Ce fut un soulagement pour elle, jusqu'à ce qu'elle réalise qu'elle était en train d'étouffer, le visage dans la boue. Mû par l'instinct de survie, son corps se redressa de lui-même. La bouche ouverte, elle aspira à grands traits l'air empuanti par une terrible odeur de brûlé. Un sifflement aigu dans ses oreilles l'empêchait d'entendre quoi que ce soit. Mais ce qu'elle vit suffit à la terrifier.

Elle distingua une série d'images, de scènes terribles éclairées par la lumière bleutée des éclairs sur fond de nuit. Le chaos régnait partout. Des hommes à pied couraient au milieu d'autres encore en selle. Les chevaux affolés ruaient, piétinaient, se cabraient. Les restes noircis du chêne, en feu malgré la pluie, répandaient sur tout cela une lueur d'incendie.

Et juste devant l'arbre, dans la boue, gisait Marcus, inconscient. Un cheval fou écumait de terreur au-dessus de lui, fouettant l'air de ses jambes antérieures. Ses rênes retenues dans la souche fumante l'empêchaient de s'enfuir. L'étalon ne cessait de se dresser au-dessus du corps inerte, menaçant de le piétiner chaque fois que ses jambes retombaient sur le sol.

Avalon se dressa sans même en prendre conscience et se mit en marche à pas lents vers le chêne foudroyé. La scène, toujours plongée dans le silence pour elle, avait quelque chose d'irréel. Seule la menace représentée par ce cheval semblait posséder quelque réalité. C'était la monture de Marcus, celle sur laquelle ils avaient chevauché depuis Trayleigh. Le blanc de ses yeux formait un cercle autour de ses pupilles. Ses lèvres retroussées découvraient ses dents. Elle ne pouvait entendre ses hennissements de terreur, mais elle n'en ressentait pas moins l'épouvante qui l'habitait.

Du calme… Avalon concentra toute la force de son esprit pour faire parvenir cette injonction à l'animal. *Calme-toi, voilà, tranquille…*

L'étalon tourna la tête vers elle, comme s'il avait pu l'entendre. Il n'en continua pas moins de se cabrer. Aux yeux d'Avalon, Marcus n'était plus qu'une silhouette indistincte au-dessous de lui.

À la périphérie de son champ de vision apparurent des ombres floues qu'elle ne pouvait se permettre de prendre en compte. Des hommes se précipitaient sur elle. Quelqu'un tenta de la retenir par le bras. Avalon parvint à lui échapper sans même s'arrêter. Le même l'attrapa alors par l'épaule. Pivotant sur le côté, elle laissa son pied se détendre en l'air et l'importun alla valser plus loin.

Durant ce moment de distraction, le cheval avait repris de plus belle sa dangereuse danse, faisant gicler la boue sous ses sabots et manquant de peu Marcus à chaque fois. De nouveau, elle s'efforça de capter mentalement son attention, insufflant en lui des sensations de calme, de paix, de sécurité.

Au moment où ses efforts commençaient à porter leurs fruits, deux autres hommes l'encadrèrent, prêts à la ceinturer. Qu'ils puissent vouloir l'arrêter alors que leur laird risquait sa vie la rendit furieuse. Au risque de s'affaler dans la boue glissante, elle se mit à courir pour leur échapper. Ils s'élancèrent à sa suite mais le magicien, qui venait de surgir, les stoppa en étendant les bras. Balthazar ayant compris ce qu'elle tentait de faire, Avalon put rejoindre l'étalon et se concentrer sur lui.

Voilà… C'est cela… Tout doux…

Le cheval dardait sur elle son œil fou, mais elle sentit que le pire était passé. Il se dressa une dernière fois sur ses jambes arrière et, quand il retomba, il pivota pour lui faire face. Marcus se trouvait à présent exactement entre ses deux paires de jambes. Avalon devait agir. Une seule de ses mains semblait lui obéir et il lui fallut s'en contenter. Entre ses doigts, elle pinça la lèvre supérieure de l'animal et le fixa pour l'apaiser jusqu'à ce que le blanc de ses yeux s'efface totalement.

Merci…

Ce remerciement lui était monté du fond du cœur, mais Avalon n'aurait su dire s'il s'adressait à l'étalon, à Dieu, ou aux deux à la fois.

Du coin de l'œil, elle vit que Balthazar et deux autres hommes s'activaient à tirer Marcus sur le côté. Le cheval, tout à fait calme à présent, demeurait face à Avalon, les yeux dans les yeux. Un troisième Highlander les rejoignit. Elle remarqua que l'homme s'adressait à elle en s'efforçant de dégager les rênes, mais elle ne comprit rien de ce qu'il disait. Il insistait tant qu'elle finit par lâcher l'animal et par tapoter ses oreilles pour indiquer qu'elle ne l'entendait pas.

L'homme marqua une pause avant d'acquiescer d'un signe de tête. Se tournant vers ses compagnons qui s'occupaient de Marcus, il leur expliqua la situation. S'approchant d'Avalon, Balthazar lui jeta un regard subtil assorti d'un sourire de réconfort. Sans résister, elle se laissa entraîner par lui sous le couvert d'un pin.

Marcus avait repris connaissance. Assis dans la boue, il secouait la tête. En l'apercevant, il se leva avec peine mais le regard qu'elle lui lança l'arrêta.

Avalon venait seulement de remarquer à quel point ses côtes étaient douloureuses. Qui plus est, l'épaule sur laquelle elle avait atterri semblait déboîtée, ce qui lui faisait souffrir le martyre et rendait son bras inutilisable. De la tête aux pieds, elle était couverte de boue et de feuilles mortes. Son tartan n'était plus qu'une chose froide et collante plaquée contre sa peau. Et tout cela, c'était à Marcus qu'elle le devait.

En fait, à bien y réfléchir, *tout* était de sa faute. Sans lui, c'est dans une cellule de nonne qu'elle se serait trouvée à l'heure qu'il était, en train de réaliser le rêve de toute une vie, de goûter enfin à la liberté, et de dresser des plans pour l'avenir. C'était à se demander ce qui lui avait pris de vouloir le sauver...

En grimaçant, Marcus boitilla pour la rejoindre. Quand il tendit la main pour prendre la sienne, Avalon se détourna. Sans doute dut-elle trahir d'un gémissement la douleur que lui procura ce mouvement brusque. Marcus lança à Balthazar un regard inquiet, et aussitôt après celui-ci fut près d'elle, explorant son épaule du bout des doigts.

Docilement, elle se laissa faire. Quand il s'adressa à Marcus et aux quelques hommes rassemblés derrière lui, elle entendit de très loin la fin de sa phrase, comme si elle s'était trouvée à une extrémité d'un long tunnel et lui à l'autre.

— ... déboîtée. Il faut la remettre en place.

Une certaine agitation gagna le groupe d'hommes. Ils redoutaient qu'elle ne se laisse pas faire, et ils avaient raison. Elle fit un pas de côté pour éviter que le magicien ne s'empare de son bras de nouveau, ravalant la brusque nausée que fit monter en elle ce simple geste. Elle tenta de s'éloigner à reculons, mais d'autres avaient pris place derrière elle, lui coupant toute retraite.

Marcus vint se placer devant elle. Articulant soigneusement pour qu'elle puisse lire sur ses lèvres, il la fixa au fond des yeux:

— Il faut le faire. Désolé…

— Ne me touchez pas! lança-t-elle.

Cette fois, la voix de Marcus et la sienne lui étaient parvenues plus distinctement.

D'un regard impérieux, Marcus fit signe à quelqu'un qui se trouvait derrière elle. Avalon se sentit empoignée de part et d'autre. Une douleur fulgurante lui poignarda l'épaule et le flanc, lui coupant le souffle. Marcus plaça une main sur son épaule blessée, l'autre sur son bras. Puis, après avoir jeté un dernier regard dénué d'émotion sur le visage d'Avalon, il infligea à son bras une brusque traction.

Des taches noires explosèrent dans son champ de vision. Avalon sentit ses jambes la trahir et ne dut qu'au fait d'être portée de ne pas tomber. Pourtant, Marcus lui tirait sur le bras impitoyablement, avec plus de force encore. Elle mordit si fort sa lèvre pour ne pas crier que le sang coula le long de son menton. Puis elle entendit un bruit sourd, écœurant, qui se répercuta dans tout son corps, et elle perdit conscience.

Quand elle reprit ses esprits, elle était agenouillée dans les aiguilles de pin et la boue. Les hommes de Marcus la tenaient toujours. Quelqu'un porta à ses lèvres une gourde et lui fit boire un liquide qui lui brûla la gorge et la fit tousser. En hoquetant, elle cracha sur le sol un mélange de whisky et de sang.

— Je vous hais ! éructa-t-elle, devinant que Marcus se trouvait devant elle. Je vous hais !

Sans un mot, il se leva et s'éloigna, emmenant avec lui la plupart de ses hommes, qui se hâtèrent de rassembler les chevaux sous la pluie battante. Avalon demeura sous le pin en compagnie de Balthazar. Lorsqu'elle eut suffisamment récupéré, il lui tendit un foulard de tissu diaphane. L'étoffe était d'un orange vibrant et brodée d'un grand soleil jaune. Habilement, il l'aida à le nouer pour placer son bras blessé en écharpe.

À son retour, Marcus observa longuement le foulard et le bras replié contre elle, mais ne fit aucun commentaire. D'un geste, il l'invita à le suivre jusqu'à son étalon. Avec un luxe de précautions, deux de ses hommes aidèrent Avalon à se mettre en selle. Quand il vint s'installer derrière elle, elle s'efforça d'éviter tout contact avec lui autant que possible.

Le pire de la tempête était passé. Une heure plus tard, lorsqu'ils arrivèrent enfin à Sauveur, la pluie n'était plus qu'une bruine tenace et le ciel avait viré au gris pâle. Sous les pas de leurs chevaux, le chemin n'était qu'un champ de boue. Les bêtes soulevaient d'énormes paquets de terre accrochés à leurs sabots.

Agrippée de sa seule main valide à la crinière de leur monture pour garder l'équilibre, Avalon mettait un point d'honneur à ne pas lever les yeux sur cette forteresse qui allait devenir sa nouvelle prison. Pourtant, elle n'y avait jamais mis les pieds et la curiosité aurait dû l'emporter.

Quand Hanoch l'avait amenée en Écosse, il l'avait tout de suite conduite dans ce cottage éloigné et isolé, dans lequel elle avait vécu durant toute sa captivité. Lui-même faisait des allers et retours entre Sauveur et le cottage pour surveiller ses progrès tout en assumant ses devoirs de laird.

Sachant à présent que le raid des Pictes sur Trayleigh avait été commandité par Bryce, elle comprenait mieux pourquoi. Sans doute ce vieux renard de Hanoch l'avait-il su, ou deviné. En la faisant vivre en recluse, il n'avait cherché qu'à protéger la précieuse « Promise » de nouvelles attaques. Sans compter que le fait qu'on ignorait en Angleterre qu'elle avait survécu au raid servait sa cause.

Il avait fallu sept années pour que la présence d'Avalon Farouche sur les terres du clan Kincardine parvienne enfin aux oreilles du roi anglais. Et deux édits – l'un signé par le roi d'Angleterre, l'autre par le roi d'Écosse – avaient été nécessaires pour obliger Hanoch à relâcher sa captive...

Les guetteurs avaient signalé leur approche, si bien qu'une foule joyeuse les accueillit à leur entrée dans le château. En dépit de la pluie et du froid, des familles entières se pressaient dans la cour intérieure pour assister au retour tant attendu du laird accompagné de sa Promise.

Au centre de la cour, Marcus repoussa légèrement Avalon devant lui et se dressa sur ses éperons, un bras levé pour réclamer le silence.

— Clan Kincardine ! lança-t-il. Je vous ramène celle que vous attendiez. Je vous ramène la Promise !

Trempée, transie, couverte de boue, Avalon se décida enfin à redresser la tête. Ce fut d'une voix tout aussi claire et intelligible que celle du laird qu'elle lui répondit :

— Allez au diable !

Ce qui n'empêcha en rien la foule en délire de manifester bruyamment sa joie.

5

Avalon refusa de se déshabiller en présence des femmes qui lui avaient été dépêchées pour la servir. Elles étaient six, toutes plus empressées les unes que les autres. Dans sa chambre, elles avaient installé un tub empli d'eau fumante à laquelle elles avaient mélangé quelques brins de lavande et des feuilles de menthe. Elles se relayaient pour tenter de lui faire avaler une soupe d'orge en rivalisant de bienveillance et de mots aimables.

Mais tout ce dont Avalon avait envie, c'était de rester seule. Elle ne pouvait succomber à la gentillesse de ces femmes, même si elle n'aurait voulu pour rien au monde les froisser. Aussi les remercia-t-elle pour le potage et le bain, avant de leur signifier, le plus tranquillement du monde, qu'elle n'avait plus besoin d'elles. Échangeant des regards interloqués, les six femmes essayèrent de la raisonner. Aussi Avalon n'eut-elle d'autre choix que de hausser la voix.

En sortant de la pièce, la dernière d'entre elles ramassa le tartan boueux abandonné sur le sol :

— Je vais le laver et le mettre à sécher.

Comme de toute façon il était trop imbibé d'eau pour pouvoir flamber dans la cheminée, Avalon ne protesta pas.

Elle dut s'y reprendre à plusieurs fois et endurer la douleur pour se débarrasser de la tunique noire qui lui collait au corps. Son épaule lui faisait mal sans répit, mais c'était pire encore au flanc gauche. Un coup d'œil à ses côtes suffit à lui prouver qu'elle avait eu raison de ne pas laisser ses suivantes la déshabiller. Nul doute qu'elles auraient été prévenir le laird, affolées, et elle préférait que celui-ci ignore l'étendue de ses blessures.

Avec une prudente lenteur, Avalon se laissa glisser dans le tub, jouissant de la chaleur qui se communiquait à son corps. Quand elle eut de l'eau jusqu'au cou et les genoux à hauteur du menton, elle ferma les yeux et soupira d'aise. La douleur n'avait pas tout à fait disparu, mais ce bain et les odeurs de menthe et de lavande qui en émanaient lui faisaient un bien fou. L'espace de quelques instants bénis, rien d'autre ne compta pour elle.

Sans doute dut-elle s'assoupir, car lorsqu'elle reprit conscience, la température de l'eau avait considérablement baissé. Saisissant le pain de savon parfumé laissé à sa disposition, elle entreprit de se laver en commençant par ses cheveux et en descendant peu à peu. Ensuite, elle laissa couler le broc de rinçage sur son crâne et sortit du bain.

Sur le lit était disposée une chemise de nuit de laine blanche, solide et chaude, à l'encolure délicatement brodée. Elle eut juste le temps de la passer avant que ne reviennent les six femmes de chambre souriantes, qui lui tendirent une timbale emplie d'un liquide délicieusement chaud et odoriférant.

Avalon la prit sans se méfier, et ce n'est que lorsqu'elle eut bu le contenu jusqu'à la dernière goutte qu'on lui annonça que le breuvage avait été préparé par le Maure, qui lui souhaitait un repos réparateur.

Déjà, la pièce commençait à tourner autour d'elle. Les femmes l'aidèrent à s'allonger dans le lit. La douleur s'estompait peu à peu, effacée par la potion de Balthazar.

Avalon ne pouvait rien faire d'autre que céder à l'engourdissement qui la gagnait. Alors que le soleil, se libérant de sa gangue de nuages, inondait la pièce des premiers rayons de la journée, elle sombra dans le sommeil en laissant échapper le plus léger des soupirs au terme du plus pénible des voyages.

Quand elle rouvrit les yeux, les murs de la pièce étaient toujours aussi ensoleillés. L'espace d'un instant, Avalon ne sut à quoi s'en tenir. N'avait-elle donc pas dormi après avoir bu la potion du magicien ?

Prenant appui sur son bras valide, elle se redressa sur le lit.

— Comment vous sentez-vous ?

La voix profonde s'était élevée dans un coin sombre, que le soleil n'éclairait pas. Marcus en émergea et vint la rejoindre. Lui aussi s'était lavé et changé. Il portait un tartan propre sur une tunique noire. Ses cheveux peignés étaient retenus dans son dos.

Après avoir examiné le visage d'Avalon, Marcus reporta son attention sur un petit objet qu'il serrait au creux de sa main. Elle devina tout de suite de quoi il s'agissait. Il existait de l'épouse du laird maudit un portrait miniature qui avait fortement contribué à accréditer la légende. Le fait qu'Avalon lui ressemblât trait pour trait avait fortifié Hanoch dans la certitude qu'elle était la Promise.

— Impressionnant… commenta Marcus en reportant sur elle son regard d'un bleu de glace.

— Simple coïncidence, répliqua-t-elle.

Avec réticence, elle prit la miniature encadrée qu'il lui tendait. Il lui fallait bien reconnaître que la ressemblance était frappante : même yeux à la couleur si particulière, mêmes cheveux blond pâle, mêmes sourcils noirs. À n'en pas douter, c'était bien l'image d'une de ses lointaines ancêtres qu'Avalon contemplait.

Comme pour favoriser l'imprégnation de la légende dans tous les esprits, une peste avait ravagé le pays quelques années après la disparition de la femme du laird. Une maladie terrible qui ne tuait que les nouveau-nés, laissant les parents indemnes et désespérés. C'était pour y échapper et sauver les quelques enfants rescapés que des familles entières s'étaient exilées. L'alerte passée, certaines étaient revenues, mais pas toutes. Et parmi celles qui avaient choisi de s'intégrer dans leur pays d'adoption, figurait la lignée qui menait à la mère d'Avalon et à Avalon elle-même, selon ce qu'on lui avait raconté.

— Vous êtes donc bien des nôtres… ajouta Marcus comme s'il avait pu lire dans ses pensées. Nos arrière-arrière-arrière-grand-mères devaient être sœurs, selon toute vraisemblance. Ce qui ferait de nous…

— Des cousins, acheva-t-elle à sa place. Je n'en manque pas, hélas… Pour mon malheur.

Avalon se leva et lui rendit la miniature.

— Vous n'avez pas répondu à ma question, insista-t-il. Comment allez-vous ?

Pieds nus sur le sol dallé, Avalon marcha jusqu'à la fenêtre. Le temps était radieux et le ciel sans nuages.

— Difficile à dire, répliqua-t-elle en offrant son visage au soleil. Il me semble que je pourrais dormir encore mille ans.

— Dans un premier temps, plaisanta Marcus derrière elle, deux jours auraient dû vous suffire...

— Deux jours ? s'étonna-t-elle. J'ai dormi si longtemps ?

— Oui. Je suppose que vous en aviez besoin.

Dans le rectangle dessiné par la croisée, un aigle apparut et plana majestueusement, avant de disparaître.

— Je vous ai sauvé la vie, reprit Avalon sans se retourner. L'honneur exige que vous me deviez une faveur.

Marcus marqua une pause avant de demander :

— Que réclamez-vous ?

— La liberté. Relâchez-moi, et nous serons quittes.

— Vous exigez l'impossible.

Les doigts d'Avalon se serrèrent sur l'encadrement de la fenêtre. Le ciel était un océan bleu saphir qui s'étendait à perte de vue, si proche... et hors de portée.

— Je vous ai pourtant sauvé la vie ! s'insurgea-t-elle.

— Alors vous n'auriez pas dû, car dans l'intérêt de mon clan, je ne peux vous donner la récompense que vous souhaitez.

Lentement, Avalon dénoua ses doigts de la boiserie.

— Je vois, dit-elle en laissant retomber ses mains contre ses flancs. Dans ce cas, pour satisfaire aux intérêts de votre clan, j'ai trois grands domaines et leurs manoirs à offrir, et une partie des revenus générés par Trayleigh.

Derrière elle, elle l'entendit s'approcher.

— Je pense qu'il y a là suffisamment de richesses pour que ni vous ni votre clan ne perdiez au change, enchaîna-t-elle. J'irai moi-même demander au roi d'avaliser cette décision. Je signerai tout ce que vous voudrez. Si vous préférez, considérez-le comme une rançon.

Avalon pivota sur ses talons, tournant le dos au soleil.

— Laissez-moi partir, conclut-elle. C'est tout ce que je vous demande en échange.

Marcus était plus proche qu'elle ne l'avait cru. Son visage était de marbre, aussi indéchiffrable que son attitude.

— Ce n'est pas assez, dit-il enfin.

— C'est tout ce que j'ai.

— Non.

Marcus tendit le bras et enroula autour d'un doigt une mèche de cheveux d'Avalon, qu'il fit jouer dans le soleil. Un long moment, il l'étudia avec attention, comme s'il s'agissait du plus précieux trésor.

— Ce n'est pas tout ce que vous avez, ajouta-t-il en rivant ses yeux de glace aux siens.

Captive de son regard, Avalon se sentit perdre pied. L'instant d'après, les lèvres de Marcus se posaient sur les siennes, tendres et chaudes. Ses mains allèrent caresser doucement son dos. Elle se sentit attirée contre lui et ne fit rien pour résister, acceptant cette étreinte, acceptant tout de lui.

Le fin tissu de la chemise de nuit ne lui laissait rien ignorer des détails du corps de Marcus, sous les plis du tartan et de la tunique. Sa chaleur se mêlait à la sienne et mettait le feu à son corps. Le nectar enivrant de ce baiser intoxiquait ses sens. Elle était vivante, de nouveau, éveillée et vivante, et c'était à lui seul qu'elle le devait. Lui qu'elle devait considérer comme son pire ennemi…

Les mains de Marcus, qui veillait à ne pas toucher son épaule blessée, descendirent le long du dos d'Avalon et se posèrent sur ses fesses. Sans effort, il la souleva jusqu'à amener son bas-ventre au contact de cette partie de son anatomie qui prouvait quel effet elle lui faisait.

— C'est cela que je veux, murmura-t-il contre ses lèvres. Et pas autre chose. Pouvez-vous me l'accorder ?

Avalon était incapable de lui répondre. De son corps, il avait fait une motte de terre glaise, qu'il modelait à son gré. Tout ce qu'elle était n'existait plus qu'en fonction de lui, de ses bras, de son torse, de ses cuisses sur lesquelles il l'avait assise, de cette troublante masse raide entre eux. Mais cela ne suffisait pas. Il lui fallait davantage encore. À tout prix, il lui fallait satisfaire cette faim en elle, totalement nouvelle, qui avait pris le contrôle de sa volonté.

Peu importait qui il était. Qui elle était n'avait pas plus d'importance. Que cette étreinte aille à son terme était tout ce qui comptait.

— Vous le voulez aussi, n'est-ce pas ?

Gardant une main en coupe sous ses fesses, il leva l'autre sur l'un des seins d'Avalon. Jamais aucun homme ne s'était permis une telle privauté avec elle, mais elle ne fit rien pour l'en empêcher. Bien au contraire, elle s'arc-bouta pour se prêter à la caresse.

— Vous le voulez aussi, répéta-t-il.

Cette fois, ce n'était plus une question. La réponse qu'elle ne lui avait pas donnée, il la connaissait.

Sous le tissu de la robe de nuit, les doigts de Marcus trouvèrent le mamelon, qui durcit instantanément. Avalon ne put retenir un gémissement de plaisir. À partir de l'endroit si sensible qu'il caressait, le plaisir se diffusait par vagues dans tout son corps. Il l'embrassa de nouveau, plus fort, en se pressant avec fougue contre ses côtes meurtries. Un petit cri de douleur lui échappa.

Marcus se figea instantanément et s'écarta.

— Que se passe-t-il ?

— Posez-moi, parvint-elle à articuler entre ses dents serrées. Reposez-moi sur le sol.

Redoublant de prudence, il fit ce qu'elle lui demandait.

— Ce n'était pas votre épaule, constata-t-il sèchement. Vous êtes blessée ailleurs, n'est-ce pas ?

— Non ! mentit-elle.

Mais elle avait beau s'efforcer de faire bonne figure, elle ne parvenait pas à se redresser tout à fait. Le regard de Marcus se porta sur son flanc gauche, où la main d'Avalon venait de se poser.

— Laissez-moi voir ! ordonna-t-il en avançant d'un pas.

— Non !

Prudemment, elle recula d'autant. Il n'y avait plus une once de douceur en lui. L'homme qui la toisait était redevenu le laird inflexible.

— Vous avez le choix, dit-il. Soit vous enlevez cette robe pour me montrer votre blessure, soit je vous l'enlève moi-même.

Sachant qu'elle ne pouvait gagner, Avalon se résigna.

— Tournez-vous, grommela-t-elle.

Marcus s'exécuta et croisa les bras. Avalon s'arrangea pour ôter la chemise de nuit sans trop se faire mal. Heureusement, songea-t-elle, qu'il lui restait l'usage d'un bras. Puis elle alla chercher une couverture qu'elle enroula autour d'elle de manière à ne laisser visible que le flanc blessé. Enfin, elle s'assit au bord du lit et dit d'une voix lasse :

— C'est bon, vous pouvez vous retourner.

Marcus la rejoignit et se baissa pour étudier l'étendue des dégâts. Son visage ne trahit rien, mais Avalon savait que ses côtes, deux jours après la chute, ne devaient pas être jolies à voir.

— Cela paraît plus grave que ça ne l'est en réalité, s'empressa-t-elle de préciser.

Marcus s'assit sur ses talons, toujours aussi impassible. La chimère, sous le crâne d'Avalon, lança un cri d'alerte.

— Vous êtes incroyable… lâcha-t-il enfin à mi-voix. Je n'arrive pas à croire que vous ayez pu effectuer à cheval le reste du trajet jusqu'à Sauveur dans cet état.

La voix de Marcus avait vibré d'une passion contenue qui allait à l'encontre de son impassibilité de façade. Cela éveilla en elle une frayeur jusqu'alors ignorée. En posant les yeux sur lui, accroupi à ses pieds, elle réalisa soudain qu'elle était quasiment nue devant l'homme qui l'avait enlevée et qui s'était presque arrangé pour la séduire. À quoi donc avait-elle pensé en acceptant de se mettre dans cette position vis-à-vis de lui ?

— Cela ne fait pas mal, mentit-elle à mi-voix.

— Non ?

Il tendit le bras sans crier gare, comme pour toucher le flanc d'Avalon. Il suspendit son geste, mais elle ne put s'empêcher de se dérober à son contact en tressaillant.

— Pas mal, vraiment ? insista-t-il. Ne me mentez pas. Je ne le tolérerai pas !

Avalon sentit le sang refluer de son visage. Je ne le tolérerai pas ! Dans la bouche du fils, c'étaient les mots employés autrefois par le père. Combien de fois Hanoch les lui avait-il rabâchés ?

— *Ne sois pas insolente, ne geins pas, ne tremble pas, ne pleurniche pas ! Je ne le tolérerai pas !*

Malgré la douleur qui en résulta, Avalon se redressa et s'écarta de lui sur le lit autant qu'elle le put.

— Vous n'avez aucun droit de me dire ce que je dois faire ou non ! Que vous soyez le laird ici ne vous donne pas tous les droits sur moi ! Je ne vous appartiens pas !

— Pas encore, Avalon... rétorqua Marcus en se relevant pour gagner la porte.

Derrière lui, la porte se referma et Avalon entendit le bruit d'une clé dans la serrure. Elle ne lui appartenait pas encore, songea-t-elle amèrement, mais elle était déjà sa prisonnière.

Un quart d'heure plus tard revinrent les six femmes qui s'étaient occupées d'elle à son arrivée. Cette fois, elles amenaient un panier de bandages et un pot de baume qu'elles voulurent à tout prix lui appliquer elles-mêmes.

Avalon n'eut pas le courage de les rabrouer. D'abord parce qu'elle se sentait encore très fatiguée, ensuite parce qu'elles avaient réellement à cœur de tout faire pour son bien-être. Elles l'entourèrent de douceur pour la forcer à se rasseoir sur le lit et poussèrent les hauts cris en découvrant l'étendue de ses blessures.

En passant doucement le baume sur les hématomes, elles lui expliquèrent que c'était une fois encore un cadeau du Maure. Son efficacité avait déjà été testée sur plusieurs membres du clan, lui assurèrent-elles. Betsy avait reçu un coup de sabot d'une vache malade, et le baume l'avait guérie en quelques jours. Ronald avait failli se fendre le crâne en tombant dans le grenier à foin, et aujourd'hui il gambadait plus que jamais.

— Et n'oubliez pas la pouliche ! ajouta joyeusement la plus jeune des suivantes.

Les cinq autres hochèrent gravement la tête. Une pouliche atteinte de coliques que rien ne pouvait guérir s'était spectaculairement rétablie lorsque le Maure lui avait appliqué ce baume sur le ventre.

— Je vois, assura Avalon en s'efforçant de ne pas gémir quand elles lui bandèrent le torse. C'est un baume miracle.

— Oui ! répondirent-elles en chœur.

Les bandages étant trop volumineux pour lui permettre de passer la tunique noire, la moitié des suivantes allèrent se mettre en quête d'une tenue plus appropriée. Les trois autres, pendant ce temps, s'activèrent à remettre le lit en état.

Marcus avait laissé la miniature sur la paillasse. Sans doute avait-il été trop en colère pour penser à la reprendre. Machinalement, Avalon s'en saisit et examina ce visage qui ressemblait tant au sien.

Une des trois femmes, intriguée, jeta un coup d'œil par-dessus son épaule.

— Un miracle ! murmura-t-elle en examinant le portrait.

Les deux autres, qui l'avaient rejointe, acquiescèrent avec gravité.

— Notre miracle ! renchérit l'une.

— Notre Promise ! conclut la dernière.

— S'il vous plaît... gémit Avalon.

Toutes se tournèrent vers elle, les yeux brillants, comme si elles s'attendaient à voir couler de ses lèvres quelque perle de sagesse. Avalon retint son souffle. Comment leur ôter leurs illusions en douceur ?

— C'est normal que je lui ressemble, dit-elle enfin. Elle était mon ancêtre.

La plus âgée des trois femmes lui prit la miniature des mains, la serrant contre elle comme une relique.

— C'est la vérité de Dieu, ma petite... Nous le savons.

Marcus était cruellement conscient qu'il devait une faveur à Avalon. Il était d'autant plus désolé de n'avoir pu lui accorder ce qu'elle demandait.

Il ne gardait aucun souvenir de l'accident. Un instant avant que la foudre ne tombe sur le chêne, il lui avait semblé sentir une drôle d'odeur dans l'air. Ensuite, quand il avait émergé du trou noir dans lequel il était tombé, c'était Hew, son lieutenant, qui lui avait raconté toute l'histoire, pendant que Bal examinait sa tête.

— Nous avons essayé de l'arrêter, lui avait-il expliqué en cherchant du regard l'approbation du Maure. Mais rien n'aurait pu la retenir. Elle s'est débarrassée de Tarroth comme s'il n'avait été qu'un enfant et elle a marché droit sur le cheval, fou de terreur, pour le calmer.

— Oui ! avait approuvé Nathan, debout près de Hew. C'était une vision glorieuse…

Marcus regrettait de ne pas avoir été conscient pour en profiter lui aussi. La vierge guerrière tenant tête à ses plus farouches soldats et domptant la bête. Avec une épaule déboîtée et plusieurs côtes fêlées…

Marcus soupira et se frotta le menton. Depuis la terrasse de la plus haute tour du château, la vue embrassait l'horizon vert et doré. Des taches écarlates éclaboussaient déjà le sommet de certains arbres. L'automne s'annonçait, et pour lui qui en avait été si longtemps privé, cela resterait à jamais un fascinant spectacle.

Cela l'avait rendu malade de devoir remettre en place l'épaule d'Avalon – physiquement malade. Il savait qu'il n'avait pas eu d'autre choix que de s'en charger lui-même, mais le souvenir de cette scène le hantait. Il revoyait son visage pâle et résolu, qui s'était décomposé quand il avait commencé à tirer sur le bras. Il revoyait ce filet de sang qui avait coulé sur son menton, tellement elle s'était mordu la lèvre pour ne pas crier. C'était Hanoch qui lui avait appris à ne pas montrer sa souffrance.

Ensuite, Marcus s'était empressé de tourner le dos pour ne pas se rendre ridicule en tombant à genoux devant elle pour lui demander pardon. Pardon de l'avoir fait souffrir. Et pardon de devoir la faire souffrir encore dans l'intérêt de son clan. Il y voyait une couardise indigne de lui. Et il en était d'autant plus honteux que les moines et les prêtres qui l'avaient tourmenté à Damas auraient été ravis de découvrir cette faille en lui. Dieu merci, il n'avait pas connu Avalon à l'époque. Sans quoi, ils auraient trouvé le moyen de le briser.

— Elle va vite se remettre, assura une voix derrière lui.

Marcus ne se tourna pas pour accueillir Balthazar. Aussitôt, le vent s'empara de ses robes multicolores et les fit claquer comme des oriflammes. Bal n'avait pas paru alarmé outre mesure quand il lui avait fait part de cette autre blessure qu'Avalon avait tenté de leur dissimuler. Les côtes se remettaient facilement. Marcus était bien placé pour le savoir, lui qui avait enduré ce genre de blessures une demi-douzaine de fois au cours des sept dernières années. Mais sur Avalon, leurs effets lui avaient paru dévastateurs.

— Sa fierté n'a d'égal que son courage, reprit Bal avec un mince sourire.

Marcus laissa fuser un rire caustique et renchérit :

— Et son courage n'a d'égale que son inconscience. Elle aurait pu mourir d'une hémorragie.

— Exact, concéda Bal. Mais s'il en avait été ainsi, savoir qu'elle était blessée n'aurait pas aidé à la sauver.

De ses lèvres s'échappa un sifflement identique au chant d'un oiseau avant qu'il ne conclue :

— Ce qui aurait été dommage. Voilà une femme qui ne ressemble à aucune autre.

— Mmm… marmonna Marcus. Voilà une femme qui va avoir ma peau !

Balthazar se mit à rire de bon cœur, ce qui ne manqua pas de surprendre Marcus. Il pouvait compter sur les doigts de la main les occasions où son ami s'était laissé aller à rire.

— Elle ne te tuera pas, Kincardine! s'exclama-t-il. Mais elle pourrait bien te rendre plus souple. De la même façon qu'un feu vif fait plier la plus dure des épées. Ça ne peut te faire de mal. Tu y survivras.

Absorbé dans la contemplation du paysage, Marcus préféra ne pas répondre. À l'ouest de Sauveur, quelques moutons s'égaillaient à flanc de colline. Trois chiens les encerclaient et aboyaient autour d'eux pour les regrouper. Les champs n'étaient plus couverts que de chaume depuis que les moissons avaient été rentrées. Et dans une unique prairie broutaient les quelques précieuses vaches du clan. Elles suffisaient à peine à fournir le lait et le fromage, et leur viande ne serait consommée qu'à leur mort naturelle. Le bétail était trop rare pour qu'on puisse le sacrifier.

Ce qui ramenait Marcus à la proposition qu'Avalon lui avait faite – pour la deuxième fois – de lui offrir toutes ses possessions. Il ne pouvait le nier, cela aurait résolu bien des problèmes. Il aurait suffi d'une fraction de sa fortune pour tirer le clan de l'état de pauvreté chronique dans lequel il se trouvait. Au château lui-même, des réparations depuis longtemps nécessaires ne pouvaient plus attendre. Étables et écuries avaient grand besoin d'être restaurées et agrandies. Avec cet argent, ils auraient pu acheter les métiers nécessaires pour rendre leur activité de tissage réellement profitable. Ils auraient pu acheter assez de bêtes pour que tous puissent manger à leur faim tous les jours. Ils auraient surpassé en prospérité tous les autres clans du voisinage. Et pourtant, il avait répondu à Avalon que ce n'était pas suffisant.

Sous le pin où il l'avait tant fait souffrir, trempée et à genoux dans la boue, elle lui avait jeté à la figure qu'elle le haïssait. Marcus espérait que la douleur l'avait égarée et que ce n'était pas ce qu'elle ressentait réellement. Car pour sa part, ce n'était pas de la haine qu'il éprouvait à son égard. C'était de l'admiration. Du respect. Et du désir.

Le désir, justement, était ce qui l'avait poussé à rejeter son offre. Il pouvait prétendre qu'il avait obéi à de plus nobles motivations, comme l'intérêt de son clan, mais au fond de lui-même il ne pouvait se cacher la vérité. C'était pour ne pas perdre Avalon qu'il avait refusé de lui rendre sa liberté. C'était parce qu'il était incapable de renoncer à elle qu'il en avait fait sa prisonnière. Au diable la légende ! Ce qu'il voulait satisfaire, c'était le désir qu'elle lui inspirait, mais il ne pouvait s'y résoudre sans l'avoir auparavant épousée. C'était le moins qu'il pouvait faire pour elle.

— Je sens se lever une tempête, murmura Balthazar en scrutant les montagnes.

Le ciel était parfaitement bleu et aucun nuage ne s'annonçait à l'horizon. Mais Marcus savait que ce n'était pas ce genre de tourmente que son ami évoquait.

Comme d'eux-mêmes, les pas de Marcus le ramenèrent devant la porte d'Avalon. Le garde qu'il avait placé en faction le salua et indiqua à mi-voix :

— Je n'ai entendu aucun bruit depuis que je suis ici. Peut-être est-elle endormie ?

— Peut-être.

Marcus décrocha la clé de sa ceinture et ouvrit la porte. Avalon était assise sur un banc devant la cheminée, dans laquelle brûlait un petit feu. Les mains sur les genoux, elle se tenait raide et droite, les yeux fixés sur les flammes. Et elle ne tourna pas la tête vers lui en l'entendant entrer.

Refermant soigneusement la porte, Marcus s'y adossa, indécis. Il ne savait pas ce qui l'avait poussé à revenir dans cette chambre où il n'était manifestement pas le bienvenu. Il avait mille autres choses à faire. Veiller aux détails de la vie du domaine était un travail exigeant. De plus, il était resté longtemps absent et devait se familiariser avec les membres du clan et leurs habitudes. Il lui fallait penser également à l'organisation des noces. Aussitôt qu'il aurait réussi à amadouer suffisamment Avalon pour qu'elle ne dénonce pas cette union devant tous leurs invités...

Marcus se surprit à observer le rythme de sa respiration. Ses flancs s'abaissaient et se soulevaient lentement, comme si elle était assoupie. Elle avait de nouveau revêtu le tartan du clan, et natté ses cheveux en une longue tresse. Une bande orange, dans son dos, indiquait qu'elle portait le foulard que Bal lui avait offert pour soutenir son bras blessé.

Incapable de supporter plus longtemps le silence qui s'éternisait, Marcus prit la parole.

— Demandez-moi une autre faveur.

— Une autre faveur ? répéta-t-elle en un lointain écho, comme si ces paroles constituaient une énigme pour elle.

Marcus alla s'adosser au jambage de la cheminée et lui fit face pour préciser:

— Une autre faveur que je serais en mesure de vous accorder. Un bijou. Un diamant. Une servante à laquelle vous seriez attachée, dont vous aimeriez qu'elle vous rejoigne ici.

145

Un rire étouffé la secoua, comme s'il lui était pénible de se laisser aller à l'hilarité.

— *Nay**! répliqua-t-elle. J'ai suffisamment de diamants et de bijoux. Et je n'ai pas de servante favorite.

— Et cette fille en compagnie de qui vous vous trouviez à l'auberge de Trayleigh? Qui était-elle?

Les mains toujours posées sur ses genoux, Avalon fit cette fois l'effort de tourner la tête vers lui pour répondre.

— Cette fille, comme vous dites, est très bien où elle est. Pour rien au monde je ne voudrais la voir ici.

— Elle vous a appelée Rosalind, dit Marcus en souriant à ce souvenir. Ce qui ne vous allait pas du tout.

— Elle était effrayée. Et à juste titre. Elle a pris de gros risques pour moi, cette nuit-là.

— Quels risques?

Détournant le regard, Avalon pinça les lèvres. Elle parut sur le point de révéler quelque chose, avant de se raviser.

— Elle m'a emmenée chez quelqu'un que je voulais voir, expliqua-t-elle. Une femme qui avait pris soin d'une personne qui m'était chère autrefois.

— En quoi cela était-il risqué? insista Marcus.

Avalon émit un claquement de langue agacé.

— Rien qu'en me faisant sortir clandestinement du château, elle prenait un risque énorme! Mon cousin aurait été pris d'une rage folle, s'il l'avait su. Lui aussi préférait me boucler dans ma chambre...

En lui posant la question qui lui brûlait les lèvres depuis des jours, Marcus la dévisagea attentivement:

— Dites-moi… auriez-vous épousé Warner Farouche de votre plein gré ?

— Bien sûr que non ! s'exclama-t-elle. Il n'était qu'un fantoche ridicule et arrogant entre les mains de son frère. Je ne l'avais même jamais rencontré avant de revenir à Trayleigh.

Marcus ressentit une intense satisfaction. Il ne pouvait s'empêcher d'être soulagé, et il préférait ne pas s'interroger sur ce que cela signifiait. Qu'Avalon n'ait pris aucune part à ce projet de mariage lui suffisait.

— Avec vous ou avec qui que ce soit d'autre, ajouta-t-elle sur le ton de l'évidence, jamais je ne me marierai.

— Vous prenez le risque de devoir vous dédire, rétorqua tranquillement Marcus. Et vous mésestimez la volonté d'un millier de membres de mon clan et la force d'une légende séculaire qui affirme que vous m'épouserez.

Les yeux dans les yeux, ils s'affrontaient du regard et par la parole, affichant l'un et l'autre une sérénité qu'aucun n'éprouvait.

— Dites-moi dans ce cas comment vous allez vous y prendre, répliqua-t-elle d'un air amusé. C'est les chaînes aux pieds qu'il vous faudra me conduire à l'autel. Vous ne pouvez tout de même pas contraindre la mariée…

Marcus la surprit en quittant la cheminée pour venir s'accroupir auprès d'elle d'un mouvement souple. Les yeux écarquillés, Avalon s'écarta autant qu'elle le put sur le banc.

— Je n'aurai pas à vous y contraindre, assura-t-il. Vous en avez envie autant que moi.

— Certainement pas !

Une brusque rougeur, qui démentait ces paroles, venait de gagner les joues d'Avalon.

— Vous mentez, murmura Marcus.

Son regard s'attarda sur ses lèvres, d'un rose profond, aux courbes émouvantes.

— Je sais ce que vous ressentez, enchaîna-t-il. Je sais ce qui s'est passé en vous aujourd'hui, quand vous avez répondu à mon baiser. Je sais...

Il se rapprocha d'elle encore avant de poursuivre :

— ... ce que vous désirez. Parce que je le désire aussi.

Le souffle d'Avalon se fit précipité. Ses yeux brillaient comme des améthystes dans le soleil de l'après-midi. Il se pencha jusqu'à ce que leurs lèvres se frôlent et qu'ils respirent le même air.

— Et parce que c'est inévitable, conclut-il.

Avalon se poussa sur le banc.

— Ce dont vous parlez n'a rien à voir avec le mariage, dit-elle en hâte. C'est une aberration des sens qui ne signifie rien et ne constitue pas la base d'une union solide.

— Vous croyez ça ?

Marcus se remit souplement sur pied et marcha jusqu'à une petite table, derrière laquelle il s'installa.

— Je ne discuterai pas avec vous sur ce point, reprit-il. Disons simplement, pour le moment, que vous avez raison. « Ce dont je parle » n'a rien à voir avec le mariage.

Depuis son banc, Avalon l'observait sans bouger, d'un air méfiant.

— Cependant, poursuivit Marcus, je pense que vous-même serez d'accord pour reconnaître qu'un contrat de fiançailles en bonne et due forme, tel que celui conclu entre nos pères respectifs, a *tout à voir* avec un mariage.

Troublée, Avalon détourna le regard.

— Un contrat légal ! insista-t-il en s'appuyant des deux coudes sur la table. Régulièrement établi. Dûment signé. Avalisé non par un, mais par deux rois !

Avalon garda le silence, ce qui ne le surprit pas. Qu'aurait-elle pu lui répondre ? Qu'elle s'en fichait ? Il le savait déjà.

— J'en déduis donc que je n'ai pas besoin de votre consentement pour vous épouser, lady Avalon. Votre destin est tout tracé. En faisant valoir mon bon droit, je suis sûr que je n'aurai aucun mal à trouver un homme d'Église pour nous marier, en dépit de toute la mauvaise volonté que vous y mettrez.

Cette fois, elle ne put feindre l'indifférence. Tournant la tête vers lui, elle devint livide et lança :

— Vous ne feriez pas ça !

Marcus haussa négligemment les épaules.

— Je ne vois pas pourquoi. Si vous ne vous décidez pas à devenir raisonnable, vous ne me laisserez pas le choix. Vous n'aurez personne d'autre que vous-même à blâmer de votre situation. Songez-y, Avalon...

Naturellement, il bluffait. Il n'avait aucun désir de la forcer au mariage. En fait, il était à peu près certain qu'il était *impossible* de l'y obliger. Il avait besoin de sa pleine et entière coopération pour cette cérémonie. Sans compter que le jour où Warner Farouche viendrait la revendiquer pour lui – et il ne doutait pas que ce jour viendrait –, sa position serait d'autant plus légitime qu'elle serait avalisée par une épouse consentante.

— Je vous laisse y réfléchir, conclut-il en se levant pour quitter la pièce. Vous devez vous reposer, à présent. J'espère que vous irez bientôt mieux.

Frappant du poing contre la porte pour que le garde vienne lui ouvrir, Marcus s'inclina en direction d'Avalon, qui avait repris sa contemplation morose du feu dans l'âtre. Mais avant de refermer derrière lui, il l'entendit maugréer:

— J'aurais dû laisser ce cheval vous tuer !

Marcus se maudit de sa propre impulsivité. Il était venu lui proposer une faveur, et il s'était laissé aller à lui poser un ultimatum. Bal ne s'était pas trompé en prédisant une tempête...

6

Avalon garda la chambre deux jours de plus, mais elle n'eut pas le temps d'y tourner comme un lion en cage ni de s'y ennuyer, car les visites ne manquèrent pas.

Les six femmes qui constituaient sa garde rapprochée, ainsi qu'elle avait fini par les considérer, continuaient à s'activer autour d'elle, maternelles. Mais à côté d'elles, ils furent légion, hommes et femmes, à vouloir lui rendre visite sous un prétexte ou un autre – voire sans prétexte du tout, simplement pour l'observer, comme un fabuleux et ancien mystère.

Avalon n'avait pu connaître aucun d'entre eux. Quand elle avait vécu en recluse dans ce cottage d'un village éloigné, ses contacts avec les autres avaient été strictement contrôlés. Chacun d'eux, à sa façon, lui dit à quel point il était heureux de faire enfin sa connaissance.

Tegan, le cuisinier du château, insista pour qu'elle lui confie ses mets préférés.

Hew, Sean, Nathan et David – tous quatre hommes de confiance de Marcus – s'attardèrent longuement au pied de son lit avant d'oser lui demander comment elle s'y était prise pour terrasser Tarroth, un géant qu'aucun homme du clan ne battait. L'heure suivante avait été consacrée à une leçon impromptue, au cours de laquelle chacun avait tenu à répéter devant elle ce geste technique jusqu'à le posséder parfaitement.

Tarroth également vint lui poser la question. Sérieux et concentré, il s'ingénia à imiter chacun de ses mouvements. Pour le récompenser de ses efforts, elle lui apprit en plus le moyen de contrer l'attaque.

Ilka, la gouvernante du château, arriva accompagnée de ses trois filles intimidées qui la considérèrent de leurs grands yeux écarquillés sans trop oser s'approcher. Elle s'assura que la jeune femme avait suffisamment de fourrures sur sa paillasse, que l'âtre était correctement nettoyé et le feu garni, que ses vêtements lui convenaient, et qu'elle ne manquait de rien pour son confort.

Bien d'autres encore lui rendirent visite, s'adressant à elle avec la déférence due à une reine, alors qu'elle n'était que la prisonnière blessée de leur laird. Tous partageaient une joie profonde confinant à la jubilation.

Même Tarroth s'était respectueusement incliné devant elle avant de sortir. Il n'avait montré aucun ressentiment à l'égard de la faible femme qui l'avait battu si facilement. En fait, il devait être fier d'avoir été choisi pour qu'elle puisse faire la preuve de ses talents de « vierge guerrière ».

Car ce qui frappait Avalon plus que tout, c'est que ces gens prenaient la légende pour argent comptant et qu'ils étaient intimement convaincus de sa véracité. Tout comme Hanoch, ils croyaient dur comme fer à cette fable enfantine, à cette superstition ridicule.

152

Les femmes se firent plus entreprenantes à mesure que passaient les heures. Elles s'asseyaient à côté d'elle et sollicitaient son avis sur un millier de choses qui ne la concernaient en rien. Pourquoi un mari se conduisait-il de manière violente ? Comment mettre au pas un enfant rebelle à toute autorité ? La Promise pensait-elle que les truies mettraient de nouveau bas cette année ? La moitié de la récolte dans les champs les plus exposés aux vents du nord avait été gâtée par un mystérieux mal noir : estimait-elle que c'était là l'œuvre du diable et pouvait-elle y faire quelque chose ?

Assaillie par leurs attentes déraisonnables, Avalon était partagée entre l'ébahissement et la frayeur. Quand elle leur disait qu'elle ne pouvait rien pour eux, ils interprétaient sa mauvaise volonté comme un signe qu'elle était la Promise. Leur aveuglement et leur entêtement lui donnaient envie de grincer des dents. Comment pouvaient-ils s'illusionner à ce point ? Elle n'était pas une reine, encore moins une icône. Tout ce qu'elle pouvait faire pour adoucir leur misère, c'était leur offrir sa fortune. Et cette solution-là, Marcus l'avait repoussée.

Quand Balthazar arriva à son tour, elles étaient une vingtaine dans la chambre, autour du lit qu'Avalon avait fait déplacer sous la fenêtre. D'elles-mêmes, elles avaient instauré une sorte d'ordre hiérarchique qui leur permettait de demander audience à la Promise à tour de rôle sans se disputer. Assise sur ses fourrures, celle-ci supportait stoïquement cette cour assidue, les mains jointes dans son giron en une attitude qui ne ressemblait nullement à celle de la prière.

Dès que le Maure se fut encadré dans la porte ouverte, un grand silence se fit dans l'assemblée.

Les femmes se consultèrent du regard, et en quelques instants toutes se volatilisèrent non sans avoir fait une courte révérence au visiteur.

— Je constate qu'elles vous ont déjà adoptée, dit celui-ci en venant à son tour s'incliner devant Avalon.

— Ce n'est pas moi qu'elles ont adoptée, corrigea-t-elle en se redressant. C'est un leurre qui n'a rien à voir avec moi.

Un autre homme se présenta à l'entrée de la chambre, et Avalon sut de qui il s'agissait avant même de l'entendre.

— Est-elle suffisamment valide pour sortir ? demanda Marcus à Balthazar.

Se tournant vers elle, le Maure arqua un sourcil et s'enquit d'un ton ironique :

— L'est-elle ?

Avalon ne sut que répondre. Le besoin de prendre l'air la tenaillait sans relâche, mais feraient-ils marche arrière de peur qu'elle ne se sauve si elle trahissait avec trop d'empressement son envie ?

Marcus parut deviner son tourment. Il marcha jusqu'à elle et jeta sur elle un regard intense, farouche, sauvage, qui lui rappela celui d'un loup en cage qu'elle avait vu dans son enfance. Lui offrant le bras, il dit simplement :

— Venez.

Côte à côte, ils descendirent jusqu'à la grande salle de Sauveur, énorme et froide avec ses hauts piliers de pierre grise et noire soutenant d'élégantes arches. Un énorme feu ronflait dans les quatre cheminées plaquées contre chacun des murs de la pièce. Des tables et des bancs de bois sombre et usé par le passage des convives parsemaient le dallage de pierre.

Sur le passage de Marcus et d'Avalon, les conversations cessaient et tous les regards se braquaient sur eux. Un sourire extatique fendait la plupart des visages. Des larmes coulaient sur les joues de nombre de femmes. Il suffisait à Avalon de les regarder pour comprendre qu'elle constituait la moitié du remède magique censé mettre un terme à la dureté de leur existence, l'autre moitié étant ce laird enfin de retour après une si longue absence.

À l'extérieur, le ciel était de cette teinte particulière qu'il ne prend qu'au cours des quelques précieuses semaines séparant l'été de l'hiver. D'un bleu profond, pur et infini, à peine ourlé à l'horizon d'un feston de nuages blancs. L'air était frais et vivifiant, chargé d'odeurs de feuilles mortes et de fumée. Tout cela lui semblait étonnamment familier. Si familier qu'elle aurait pu se sentir... de retour chez elle.

Prenant conscience de la tournure prise par ses pensées, Avalon se rembrunit. Pourquoi cette ambiance ne lui aurait-elle pas été familière? Elle avait passé suffisamment de temps dans les Highlands pour s'être habituée aux charmes de l'automne dans ce pays.

Marcus l'entraîna par le bras le long d'un sentier bien entretenu. Sans doute entendait-il, tout comme elle, les murmures qui s'élevaient derrière eux. À quelque distance arrivait le fidèle Balthazar, suivi d'une file de curieux s'interpellant entre eux et répétant le nom du laird et de la Promise. Celui-ci n'était pas né de la dernière pluie, et Avalon commençait à se douter que cette promenade n'avait pas pour seul but de lui faire prendre l'air.

Il la montrait à son peuple avec autant de fierté qu'un homme exhibe un cheval de grand prix.

Avalon aurait aimé lui en vouloir, mais elle se surprenait à l'approuver dans le secret de son esprit. À sa place, elle aurait fait la même chose. Si elle avait été comme lui responsable de tant de gens, elle aurait fait feu de tout bois pour leur rendre l'espoir. Et s'il avait fallu pour cela s'emparer d'une vieille légende et tenter de lui donner corps, elle n'aurait pas non plus hésité. Il lui fallait bien le reconnaître, mais ce n'était pas pour lui plaire, car approuver les actes de Marcus n'était pas si éloigné que cela d'y participer. Et si elle finissait par s'y résoudre, Hanoch aurait définitivement gagné.

Le chemin déboucha dans un vallon couvert de pâtures d'herbes sauvages émaillées des dernières fleurs de l'été. Leur surface caressée par le vent ondulait avec des reflets argentés. On eût dit que le flot en coulait du flanc d'une montagne en surplomb, au sommet couvert de brume. Çà et là dans le vallon prospéraient de grands buissons de ronces. De très jeunes filles aux longs cheveux, chargées de paniers d'osier, glanaient les bribes de laine priscs dans les épines.

Et sur le côté de la montagne, bien que ne l'ayant jamais vu, Avalon reconnut ce qui était supposé rester du *faë* maléfique de la légende. Figée sur place, elle plissa les yeux pour étudier la formation rocheuse sombre, sur fond vert argenté, qui évoquait à s'y méprendre une silhouette humaine. Il était facile de comprendre comment un mythe pouvait naître d'une telle configuration naturelle.

Le prétendu *faë*, s'il avait été constitué de chair plutôt que de pierre noircie, aurait été trois fois plus grand qu'un homme. Mais autrement, la forme inscrite sur le versant de la montagne évoquait bien celle d'un corps disloqué – humain, à l'exception de la paire d'ailes déployées dans le dos. La forme de la tête était parfaitement reconnaissable. Les bras et les jambes à demi ployées aussi. Avec un peu d'imagination, il n'était pas difficile de prétendre que ce grand corps noir avait été projeté là en des temps anciens, et qu'aucune herbe ne poussait plus depuis sur lui.

Les yeux rivés à l'étonnant phénomène, Avalon serrait les dents et retenait son souffle. Elle ne s'en rendit compte qu'en détournant le regard et en s'avisant que Marcus faisait de même. Le vallon était plongé dans le silence. Autour d'eux, pas plus de bruits d'insectes que de chants d'oiseaux. Tous ceux qui les suivaient se taisaient, et la brise elle-même était tombée.

Soudain, cela parut une évidence à Avalon : il y avait réellement eu un *faë*. La femme du laird n'était pas un mythe. Elle avait souffert et était morte dans ce vallon. Au désespoir de son époux, qui avait crié vengeance et avait effectivement passé un pacte avec le diable. La malédiction existait.

Le monde autour d'elle parut se distordre. Les contours s'estompèrent, les couleurs se brouillèrent. Un bruit emplit ses oreilles – les pleurs d'un homme au désespoir. Une terrible odeur s'éleva, si forte qu'elle eut envie de vomir. L'atmosphère, d'un coup, se fit atrocement humide et étouffante. L'homme ne cessait de pleurer. À ses pleurs se mêlaient des gémissements presque incompréhensibles.

— *Treuluf... ma vie, mon âme... ne me quitte pas...*

Avalon reprit son souffle et, d'un coup, le vallon autour d'elle revint à la normale. Il n'y avait plus d'homme au désespoir, plus de voix tragique, plus de touffeur désagréable dans l'air. Personne ne semblait s'être rendu compte de rien. Tous ceux qui se trouvaient là continuaient de fixer le laird, la Promise ou la silhouette du *faë* maléfique à flanc de montagne. Seul Marcus, quand elle croisa son regard, lui apporta la certitude qu'elle n'avait pas rêvé. Prenant une ample inspiration, il murmura :

— Vous sentez comme moi cette odeur de soufre ?

La réaction d'Avalon fut spontanée. Peu lui importait le témoignage de ses sens. Ce qu'elle venait de ressentir ne *pouvait pas* être, tout simplement.

— Non, mentit-elle.

Le sourire entendu de Marcus lui prouva qu'il n'était pas dupe.

— Ces terres sont aussi fréquentées par les vivants que par les fantômes, assura-t-il. Que vous y croyiez ou non.

Les jeunes glaneuses s'étaient approchées. Sur leurs visages pâles, Avalon lisait l'émerveillement que leur procurait cette rencontre et l'admiration qu'elles avaient pour elle. Elle avait également l'impression de sentir la raideur de leurs doigts écorchés, l'humidité de leurs pieds mal protégés par des chaussures trouées.

Comme le laird d'un autre temps qu'elle venait d'entendre, Avalon aurait voulu pleurer sur ces enfants qui n'avaient jamais connu une nuit sans être rompues par la fatigue d'un travail harassant. Ces enfants que le saumon trop rare et les blés touchés par le mal noir allaient affamer cet hiver.

Grand Dieu, songea-t-elle, désespérée. Qu'allait-il advenir de tous ces gens ?

Marcus lui lâcha le bras pour aller se fondre dans la foule. Restée seule, Avalon vit venir à elle Balthazar. Un instant, son regard embrassa le vallon, les ronciers, la silhouette menaçante du *faë* de pierre noire.

— Quel étrange pays… dit-il enfin. Des terres sauvages, de braves gens. Des montagnes d'où l'on pourrait apostropher Dieu, s'Il voulait bien écouter. De la magie, des légendes, et une liqueur qui fait tourner la tête. Quel mélange enivrant !

Le vent soufflait de nouveau dans les herbes à leurs pieds. Les fillettes retournèrent à leur tâche, même si elles ne perdaient pas une occasion d'observer à la dérobée le laird et sa Promise. Balthazar se pencha pour cueillir une fleur rescapée des premiers frimas. La faisant tourner entre ses doigts, il pivota vers Avalon pour demander :

— Si j'avais une question à vous poser, y répondriez-vous ?

— Si cela m'est possible, répliqua-t-elle prudemment.

Cela le fit sourire.

— Réponse avisée d'une vieille âme… Ma question est celle-ci : que vous rappelez-vous de cet endroit ?

— Absolument rien. Je n'y suis jamais venue. Hanoch m'a fait installer dans un village situé plus au nord. C'est là que je suis restée durant sept années.

Balthazar balaya cette réplique d'un revers de main.

— Vous n'y êtes pas. Je ne parlais pas de cette vie, mais d'une autre, vécue précédemment. Que vous en rappelez-vous ?

— Une autre ? répéta-t-elle, étonnée. Je ne comprends pas de quoi vous voulez parler.

Un sourire indulgent passa sur ses lèvres.

— Certaines personnes pensent que les âmes connaissent plusieurs incarnations au fil du temps, de corps en corps. Ils croient que chaque existence est un moyen pour l'âme de se rapprocher de Dieu.

Avalon considéra avec intérêt cette idée stupéfiante, sans en négliger les implications hérétiques.

— Il n'y aurait donc pas de paradis ? demanda-t-elle. Et pas d'enfer non plus ?

Le magicien sourit de nouveau, les commissures de ses lèvres à peine retroussées.

— Voilà qui peut donner matière à un fantastique débat, admit-il. Quoi qu'il en soit, l'enfer sur terre pourrait consister à se réincarner sans en tirer de leçons.

Un vertige, de nouveau, s'empara d'Avalon. Le fantôme avait pleuré. Sa plainte était parvenue jusqu'à elle pour lui faire partager son angoisse. Contrairement à ce qu'elle avait affirmé à Marcus, une odeur de soufre lui avait assailli les narines.

— J'aurais donc moi aussi une leçon à apprendre ? s'enquit-elle en posant les yeux sur la fleur que Balthazar tenait devant lui. Laquelle ?

— Vous êtes la seule à pouvoir trouver la réponse à cette question. Au plus profond de votre cœur. C'est là qu'il faut chercher.

En guise de salut, il s'inclina devant elle et se toucha le front du bout des doigts, avant de lui tendre la fleur qu'il avait cueillie. Avalon la saisit, observant la symétrie des pétales et la tige d'un vert velouté. Quand elle releva les yeux, le magicien remontait le chemin à grandes enjambées en direction de Sauveur.

En le regardant s'éloigner, Avalon vit Marcus qui l'observait, debout au milieu des siens. Incapable de soutenir son regard, elle détourna les yeux et reporta son attention sur les fillettes qui discutaient tout en travaillant. D'un coup, elle sentit s'abattre sur elle un sentiment de solitude tel qu'elle n'en avait pas connu depuis l'enfance. La solitude était son pire ennemi, et elle s'était battue pied à pied pour la bannir de sa vie.

Il y avait un buisson de ronces non loin. Elle le rejoignit en flânant et remarqua les bribes de laine qui s'y trouvaient prises, souvenirs d'une brebis téméraire ou trop gourmande pour se soucier des épines. Elle tendit la main pour glaner le plus proche flocon blanc. Puis elle en avisa un autre en retrait et enfonça la main pour la retirer aussitôt, un doigt piqué au sang.

— Oh, milady ! s'exclama une voix enfantine. Vous devez vous méfier de ces ronces. Elles ne pardonnent pas.

La jeune fille glissa son panier sous un bras et prit la main d'Avalon pour examiner la blessure. Ses camarades abandonnant leur tâche vinrent la rejoindre.

— Ce n'est pas trop grave, constata l'une.

— Presse la blessure pour faire sortir le mal ! conseilla une autre.

Celle qui lui tenait la main pressa fortement le doigt, jusqu'à faire jaillir une gouttelette de sang toute ronde.

— Faire sortir le mal vous permettra de moins souffrir, révéla-t-elle.

En observant les mains des jeunes filles, Avalon songea qu'elles devaient savoir de quoi elles parlaient. Pas un doigt n'avait échappé aux morsures cruelles des ronces, comme en attestaient leurs nombreuses blessures.

— Je suppose que je ne suis pas assez aimable pour que les ronces s'écartent devant moi.

Dans la bouche d'Avalon, c'était une boutade, mais les fillettes la prirent très au sérieux. Secouant la tête, elles lui expliquèrent avec conviction qu'elle était tout aussi aimable que la belle dame de la légende, mais que les ronces étaient devenues plus méchantes avec le temps.

— Que se passe-t-il, ici ?

C'était Marcus, venu voir les raisons de l'attroupement. En un instant, les filles s'éparpillèrent comme une volée de moineaux et reprirent leur pénible ouvrage. Avalon se retourna vers lui. Sa silhouette massive lui masquait la montagne. Il lui prit la main, concentré, et l'approcha de ses yeux.

— Il faut faire sortir le mal, déclara-t-il en approchant le doigt de ses lèvres. Pour moins souffrir.

— On me l'a déjà expliqué.

Sans laisser à Avalon le temps de l'en empêcher, Marcus posa les lèvres sur la piqûre, qu'il se mit à suçoter doucement. Subjuguée, elle demeura devant lui, le cœur battant à tout rompre, envahie par l'étrange sensation que faisaient naître sa langue sur sa peau, ses lèvres douces et chaudes. Ses cils ombraient la couleur naturelle de ses yeux de glace, les faisant paraître plus sombres.

Avalon ne ressentait plus aucune douleur. Juste une troublante chaleur. L'intensité de cet acte intime résonnait en elle, faisant taire toutes ses pensées. Elle ne voyait plus que Marcus. Tout le reste s'était estompé.

Il releva les yeux, et Avalon se sentit prise au piège de son regard, réduite à sa merci aussi sûrement que s'il l'avait couverte de chaînes. Elle sentit déferler en elle ce flot délicieux que lui seul savait susciter. Elle en devinait l'écho en lui, au fond de ses yeux bleus. Il s'y mêlait quelque chose de plus masculin, auquel elle préférait ne pas penser. Quelque chose comme le désir de posséder.

— Ça va mieux ?

Sans attendre de réponse de sa part, il déplia doucement le reste de ses doigts et déposa un baiser au creux de sa paume.

Où ses lèvres s'étaient posées, une chaleur intense était née, qui se communiqua dans un grand frisson à son bras, puis à tout son être. Avalon se sentit chanceler et dut prendre appui sur lui, s'immergeant dans sa magnétique présence. Marcus lâcha sa main et la laissa prendre appui contre lui, prenant garde à ne pas toucher ses côtes blessées. Puis, passant une main derrière sa nuque, sans la quitter des yeux, il amena très lentement ses lèvres au contact des siennes.

Ce fut un très léger baiser, presque chaste – sans doute en raison du public autour d'eux qui ne les quittait pas des yeux. Il n'en laissa pas moins Avalon à bout de souffle et plus troublée que jamais.

Lorsque leurs lèvres se séparèrent, elle entendit Marcus murmurer :

— Comme vous m'avez manqué, Bel Amour…

En sursaut, Avalon se libéra de son emprise et s'écarta. Marcus paraissait aussi surpris qu'elle par ce qu'il venait de dire. Comme s'il ne savait pas d'où cela pouvait venir. Comme si un autre s'était exprimé à travers lui.

— Qu'avez-vous dit ? s'enquit-elle en le dévisageant.

Marcus parut gêné et détourna le regard.

— Ce n'était rien, répondit-il vaguement.

— Cela n'est pas tombé du ciel, et vous le savez bien !

Avalon reporta son attention sur le *faë* de pierre noire à flanc de montagne et poursuivit :

— Toute cette histoire n'est qu'une légende ! Un conte à dormir debout ! Et rien ni personne – pas même vous – ne parviendra à me convaincre du contraire !

Avalon sentait son calme lui échapper. Les nerfs en pelote, elle éprouvait le besoin de se libérer du carcan d'attentes et d'espoirs déraisonnables dans lequel tous ces gens tentaient de l'enfermer.

Marcus fit un pas vers elle.

— Allons… dit-il d'une voix grave. Apaisez-vous. Ce n'était rien qu'un terme affectueux. Quelques mots doux pour la dame que je dois épouser, voilà tout.

— Vous n'avez pas encore compris ? cria-t-elle, hors d'elle, les poings serrés. Jamais je ne vous épouserai ! Jamais !

Tous dans le vallon se figèrent. Un grand silence se fit. Un corbeau décrivit un cercle au-dessus d'eux et alla se poser sur une branche. La tête penchée, il observa la scène.

Alors, comme s'il avait attendu l'arrivée de cet ultime spectateur, Marcus se mit à rire. D'abord, ce fut un rire discret, qui enfla progressivement en un fou rire contagieux auquel toute l'assistance succomba. Cette vague d'hilarité dont elle était l'objet frappa Avalon de plein fouet. Elle sentit ses joues s'empourprer.

Marcus ne riait pas pour se moquer d'elle, mais parce qu'il était sincèrement amusé. Cela ne faisait aucun doute pour elle. Tout comme elle comprenait que tous les autres s'étaient joints à lui par soulagement de voir le laird se gausser de son refus de l'épouser. Pour eux, rien de bien inquiétant à cela. La Promise n'était-elle pas supposée, selon la légende, se conduire ainsi ?

Aussi dignement que possible, Avalon se mit en marche vers le château. Elle savait qu'on l'empêcherait de se diriger vers une autre direction, et elle ne tenait pas à ajouter la violence à l'embarras. Marcus ne fit pas un geste pour la retenir. Sans cesser de rire, il la regarda partir par le chemin qu'ils avaient emprunté ensemble.

Sur son passage, les gens l'étudiaient avec curiosité. Dans les yeux de certains – surtout des femmes –, Avalon crut discerner une certaine compassion. Quelques visages lui parurent familiers, même si cela n'était pas possible. Hanoch avait fait en sorte de réduire à très peu de monde ceux qui s'étaient occupés d'elle autrefois. Une cuisinière, une gouvernante, et huit hommes pour servir à la fois de serviteurs et de gardes. Sans compter Ian, son instructeur.

Hanoch l'avait choisi pour ses exceptionnelles capacités de lutteur. Où il avait appris ces étranges techniques de combat au corps à corps qui faisaient l'admiration et provoquaient l'étonnement de tous, nul ne le savait. Il se disait que Ian avait beaucoup voyagé hors d'Écosse, qu'il avait vécu dans des pays dont le nom était imprononçable.

Certains prétendaient que tout cela n'était qu'inventions, que Ian était un peu dérangé et qu'il n'avait jamais été plus loin que l'Angleterre. Mais personne ne pouvait le vaincre.

Ian était déjà revêche et grisonnant quand Avalon lui avait été confié. Le temps n'avait fait qu'accentuer ces caractéristiques. Il avait été pour elle un professeur sans merci, à sa façon aussi intraitable que Hanoch. Ces deux-là avaient signé un pacte pour transformer une frêle enfant en prodige redoutable. Ils n'avaient eu de cesse de faire d'elle la vierge guerrière que le clan attendait.

Ian était mort, à présent. Son cœur avait cédé peu de temps avant qu'elle ne quitte l'Écosse. Autrement, sans doute aurait-elle encore vécu dans la crainte d'entendre sa voix rude l'interpeller. Avec Hanoch, il avait été le seul à lui inspirer de la crainte. Les gardes étaient régulièrement relevés : elle n'avait eu le temps de s'habituer à aucun d'eux. La cuisinière, habitant au village, ne venait au cottage que dans la journée.

La gouvernante – elle s'appelait Zeva – avait été sa seule véritable compagnie. Elle seule lui avait témoigné un peu de compassion, en déverrouillant la porte du cellier quand aucun homme n'était dans les parages, ou en passant en cachette à l'enfant prisonnière de la nourriture et de l'eau. Elle seule avait versé une larme lorsque Avalon était partie à quatorze ans, en lui souhaitant bon voyage et en espérant la revoir un jour.

Ayant appris que l'indifférence était la meilleure défense, la jeune fille qu'elle était devenue n'avait pas répondu. Elle le regrettait à présent, car Zeva n'était plus là, dans la foule qui l'entourait, pour voir son vœu se réaliser. Sans doute était-elle morte, elle aussi. Avalon n'aurait su dire si cela l'attristait. Aurait-elle ri, comme les autres, de la voir s'insurger contre le laird ? Ou serait-elle restée de marbre, en se remémorant la petite fille aux yeux cernés et au corps meurtri qui détestait le noir ? Peut-être seule Zeva aurait-elle pu la comprendre...

En marchant vers le château qui constituait sa nouvelle prison, Avalon songea à l'ironie de la situation. Elle s'était arrangée jusqu'à ce jour pour conserver envers et contre tout sa précieuse carapace d'impassibilité. Et il avait fallu que ce soit Marcus Kincardine qui parvienne à la briser... Celui contre qui elle en aurait eu le plus besoin était le seul avec qui elle ne pouvait feindre l'indifférence.

Un homme à cheval galopait vers elle sur le chemin. C'était un Kincardine – son tartan flottant au vent ne laissait subsister aucun doute là-dessus. Son arrivée fit sensation dans la foule. Des fragments d'impressions et de pensées que lui délivrait la chimère, Avalon comprit qu'il s'agissait d'un des éclaireurs postés aux limites des terres du clan. Sa précipitation signifiait sans doute qu'il avait d'urgentes nouvelles à délivrer.

Conscient de l'attention dont il était l'objet, l'éclaireur en tirait une certaine vanité, mais l'essentiel de son attention était focalisé sur sa mission. Il lui fallait trouver le laird au plus vite, pour l'informer de la présence d'un groupe d'hommes à cheval dont il venait de repérer l'approche.

Négligemment, la chimère cligna des paupières et Avalon eut un aperçu de ce que l'homme avait vu. Le détachement comprenait une dizaine de cavaliers, porteurs de trois étendards différents, parmi lesquels figurait celui de Malcolm, roi d'Écosse. Les deux autres n'étaient pas familiers au garde, mais Avalon reconnut immédiatement les armoiries du roi Henry d'Angleterre et la croix de la papauté.

Avalon sentit son excitation se mêler à celle du clan, mais pour des raisons différentes. On venait à sa rescousse ! Le roi et l'Église se coalisaient pour la sauver !

Calmement, Marcus se porta à la rencontre de l'éclaireur. Il avait fait un simple geste de la main, et aussitôt un groupe d'hommes était venu faire cercle autour d'Avalon.

L'éclaireur mit pied à terre, s'inclina devant Marcus et commença à parler. Autour d'eux les membres du clan, hommes et femmes, se pressaient. Tandis que le garde poursuivait son récit, certaines femmes portèrent la main à la bouche et jetèrent à Avalon un regard effrayé. Elle sentait leur peur flotter jusqu'à elle telle une onde toxique. Les hommes étaient moins démonstratifs, mais tout aussi préoccupés.

Seul Marcus semblait garder son calme. Écoutant l'éclaireur sans l'interrompre, il hochait la tête de temps à autre. Quand l'homme eut terminé son récit, il lui dit quelques phrases et se détourna pour rejoindre Avalon entourée de ses gardes du corps.

— Faites-la rentrer, ordonna-t-il simplement.

7

Avalon n'eut pas besoin des bons services de la chimère pour deviner, quelques heures plus tard, le tour pris par les événements. Du grand silence qui baignait le château, elle déduisit que tous ses occupants étaient suspendus aux résultats de la négociation engagée avec les émissaires – un pour chacun des rois, deux pour l'Église, et six gardes armés pour assurer leur protection.

Les hommes dépêchés par Malcolm avaient de bonne grâce accepté l'hospitalité du clan. Ils ne s'étaient pas fait prier pour faire honneur au whisky et aux victuailles qu'on leur avait offerts, selon ce que Nora, l'une de ses suivantes, lui avait rapporté. À sa demande, celle-ci allait régulièrement à la pêche aux informations.

Greer, une autre des femmes de compagnie d'Avalon, la relayait de temps à autre. Ce fut elle qui lui raconta que tout ce beau monde était enfermé avec le laird depuis plus d'une heure sans qu'aucun cri n'ait encore été entendu.

— Peut-être veulent-ils seulement vérifier que vous êtes bien traitée ? suggéra-t-elle.

Pleine d'espoir, les doigts croisés dans son giron, elle observait la réaction d'Avalon, debout près du feu.

— Peut-être, répondit la jeune femme d'un ton neutre.

Mais il lui fallait mordre sa langue pour ne pas trahir l'allégresse que soulevait en elle la perspective de sa libération. Adieu au clan Kincardine et à sa légende !

En lui fourrant un bol entre les mains, Greer darda sur elle un œil sévère.

— Mangez ! ordonna-t-elle. Vous ne pouvez pas rester le ventre vide.

Avalon acquiesça d'un hochement de tête, mais Greer ne bougea pas d'un pouce tant qu'elle n'eut pas porté à ses lèvres une cuillère de ragoût fumant. Cela n'avait aucun goût pour elle, mais elle lui en fit néanmoins compliment, ce dont Greer s'estima satisfaite.

Après son départ, Avalon se débarrassa du bol sur une table et gagna la fenêtre, grimpant sur la paillasse pour mieux voir.

Le feston de fins nuages blancs qu'elle avait repéré sur l'horizon au début de sa promenade gagnait peu à peu sur l'azur du ciel. Ils avaient pris une teinte anthracite, qui laissait augurer de nouvelles pluies pour bientôt. Un courant d'air frais suffisait à peine à rafraîchir sa peau, tant Avalon se sentait excitée.

Bientôt, toute l'affaire serait réglée. Les émissaires devaient être en train d'exiger sa libération, et tôt ou tard, Marcus devrait céder. Elle quitterait cet endroit pour n'y plus revenir. Elle trouverait le couvent qui voudrait bien l'accueillir et s'y retirerait en attendant le moment propice à son retour à Trayleigh.

Pourtant, un certain malaise gâchait la joie que lui valait cette perspective. Elle n'eut pas à s'interroger longuement pour en découvrir l'origine. Le souvenir de la petite fille rencontrée dans le vallon la hantait. Pour elle et pour toutes celles et ceux qui lui ressemblaient, elle ferait envoyer du bétail, du grain, de l'argent. Elle refusait de redevenir l'otage du clan Kincardine, mais elle ne voulait pas le laisser tomber tout à fait. Ceux qui le composaient ne pouvaient être tenus pour responsables du martyre de son enfance, pas plus que de la cruauté de leur vieux laird. Et encore moins du mythe qui leur donnait des raisons d'espérer. Elle les aiderait donc autant que possible, mais elle le ferait depuis l'Angleterre.

On frappa, et la porte de sa chambre s'ouvrit. Le magicien s'encadra dans l'ouverture, s'inclinant profondément devant elle, comme il le faisait à chaque fois.

— On vous réclame, lady Avalon… dit-il d'une voix profonde. Me suivrez-vous ?

Depuis son arrivée, on n'avait pas laissé à Avalon l'occasion de visiter le château. La plupart des corridors à travers lesquels Balthazar l'entraîna ne lui étaient pas familiers. Partout, cependant, se retrouvait le style architectural de la grande salle – plafonds voûtés, grands piliers de pierre noire et grise. La plupart des portes devant lesquelles ils passèrent étaient closes. Et au bout d'un large couloir, ce fut devant la dernière de ces portes closes qu'ils s'arrêtèrent.

Il y avait des hommes partout. Les femmes se tenaient aux lisières. Avalon repéra Nora, en compagnie d'une autre suivante avec qui elle discutait. La plupart de ceux qui étaient là, cependant, se taisaient, s'efforçant de surprendre ce qui se disait derrière la porte.

L'assemblée se scinda en deux pour livrer passage à Balthazar, qui précédait Avalon. Deux gardes encadraient la porte – un Anglais pour le roi Henry, un Écossais pour le roi Malcolm. Les autres hommes de Malcolm se tenaient contre le mur, détendus et manifestement prêts pour de nouvelles libations. Par contraste, les soldats du roi Henry paraissaient nerveux, sombres et mécontents de leur sort. Ils ne se privèrent pas pour détailler de pied en cap la jeune beauté dont le sort justifiait les efforts de tant de têtes couronnées et de saints hommes.

Ignorant les gardes, Avalon marcha tête haute jusqu'à la porte, qu'elle ouvrit elle-même. Les quatre émissaires étaient assis à l'intérieur, derrière une longue table de bois lustré. Derrière eux se tenaient d'autres gardes – à la solde de la papauté, cette fois – vigilants et lourdement armés. Marcus était debout. Avant même d'avoir fait un pas dans la pièce, Avalon eut conscience en l'apercevant qu'un grand danger menaçait.

La fureur de Marcus confinait à la rage. Elle se tortillait tel un serpent menaçant autour de lui. Son courroux était si profond, si puissant, si enraciné en lui qu'il menaçait de lui faire perdre tout contrôle. Cette colère noire n'émanait pas de lui : elle *était* lui.

Avalon frissonna en réalisant que quelque chose, ici, était à l'œuvre, qu'elle seule pouvait percevoir. Ni les gardes, ni les hommes aux visages sévères assis derrière la table, ni même Balthazar n'en étaient conscients.

Marcus était un homme sous pression, sur le point d'exploser en un millier de fragments meurtriers. Ce qui en résulterait, nul ne pouvait le prévoir. Mais ce qui était prévisible, c'est que les gardes du pape auraient le temps de le tailler en pièces avant que ses propres hommes ne puissent intervenir.

Instinctivement, Avalon devina que le serpent qui avait pris possession de Marcus et la chimère qu'elle abritait n'étaient pas de même nature. Son propre monstre n'avait jamais réussi – ni même cherché – à la dominer de la sorte. Car le serpent de Marcus ne faisait pas que le tenir sous sa coupe. Il était prêt à provoquer sa perte sans la moindre hésitation.

Avalon ne savait que faire. Le soulagement que lui avait inspiré sa probable libération s'était estompé. Seul comptait à présent Marcus, et le démon qui s'était emparé de lui sans que personne le sache.

En l'entendant pénétrer dans la pièce, il tourna la tête vers elle. Le serpent s'était également emparé de ses yeux, qui la regardaient avec une insensibilité contrastant cruellement avec leur sauvagerie sous-jacente. Prenant garde de soutenir sans ciller ce regard, Avalon marcha jusqu'à Marcus.

Puis elle se tourna vers les émissaires de Malcolm et de Henry, accompagnés par deux hommes d'Église. En apercevant ceux-ci, Avalon comprit qu'eux seuls avaient provoqué l'apparition du serpent-démon, et que c'était d'eux que venait le danger. Sur leur cotte de mailles, ils portaient une tunique blanche brodée d'une croix rouge. Ni très jeunes ni très vieux, ils arboraient la même expression compassée – bouche pincée et regard pieux – qu'ils devaient prendre pour de la sainteté.

— Lady Avalon Farouche ? demanda l'un des deux avec un accent nasillard.

Le serpent qui avait pris possession de Marcus se dressa en sifflant et en déroulant ses anneaux.

— Oui, répondit-elle, avançant d'un pas.

D'instinct, elle s'était arrangée pour que Marcus puisse la voir en permanence du coin de l'œil. Tant qu'elle lui serait visible, lui semblait-il, rien de grave ne pourrait advenir.

Avisant le foulard orange qui maintenait toujours son bras en écharpe, l'émissaire s'enquit :

— Vous avez été blessée, milady ?

— C'était un accident, répliqua-t-elle. Rien de grave.

— Alors pourquoi ce foulard ? insista l'envoyé du pape.

Avalon haussa les épaules.

— Simple précaution. Je n'en ai pas réellement besoin.

Les quatre émissaires ne parurent pas convaincus. L'homme du roi Henry se gratta la barbe d'un air suspicieux. Derrière elle, Avalon sentit le serpent se dresser et se contorsionner davantage encore. Il n'en faudrait pas beaucoup plus pour que se produise l'irréparable. Elle n'avait pas besoin de jeter un coup d'œil à Marcus pour le savoir. Le processus s'inscrivait dans son propre corps, comme si elle en était la victime elle aussi. La conscience du danger tétanisait ses muscles.

La décision d'Avalon était prise. Elle ne pouvait laisser Marcus périr ainsi. Pas aussi stupidement. Et pas à cause d'elle. Feignant la plus extrême nonchalance, elle ignora la douleur qui poignardait son épaule et son bras blessé, et sortit celui-ci de son attelle pour le faire jouer devant elle. Puis, dénouant le foulard orange, elle le laissa glisser au sol, fière de la fluidité de ses mouvements et de n'avoir pas frémi une seule fois.

— Vous voyez ? dit-elle en dévisageant tour à tour les quatre hommes. Je vais bien.

Hochant la tête d'un air satisfait, le plus âgé des envoyés du pape prit la parole.

— Lady Avalon, on a porté à notre connaissance que vous avez été enlevée et que l'on vous détient ici contre votre gré. Est-ce vrai ?

— Oui, répondit-elle au terme d'une brève hésitation.

— Warner Farouche a fait valoir ses doléances auprès de l'Église, poursuivit l'homme d'une voix monocorde. Il prétend qu'un contrat antérieur à celui du clan Kincardine vous lie à sa famille. Est-ce également vrai ?

Avalon hésita un peu plus longuement, cette fois. Quelle était la meilleure option ? Pour le savoir, le mieux était de chercher à gagner du temps.

— Un contrat antérieur ? répéta-t-elle.

Avalon sentit que Marcus l'observait. Elle tourna la tête pour soutenir son regard et vit que le serpent s'apprêtait à frapper. Peut-être les émissaires commençaient-ils à sentir eux aussi le danger, car le plus jeune des deux envoyés du pape suggéra :

— Vous préféreriez nous parler en privé ?

La réponse du serpent jaillit, menaçante et définitive.

— Pas question !

— J'exige une entrevue privée !

Pour faire part de son exigence, l'envoyé du roi Henry avait commis l'erreur de se dresser sur ses jambes et de défier du regard le laird du clan Kincardine.

Il ne fallut à Avalon qu'une fraction de seconde pour poser la main sur le bras de Marcus, en un geste d'apaisement, mais ce fut presque trop tard. Sous ses doigts, elle sentait ses muscles raidis. Tout son être irradiait d'une intention meurtrière.

— S'il vous plaît... dit-elle.

Et pour donner plus de force à sa supplique, elle la lui fit également parvenir par l'esprit. Cela suffit à briser la concentration du serpent. Avalon profita de ce moment de flottement pour tenter d'atteindre Marcus.

— Accordez-moi cette faveur, insista-t-elle en le fixant au fond des yeux. Vous m'en devez une. Vous disiez que je n'aurais qu'à demander.

En silence, les émissaires ne perdaient rien de la scène.

Cherchant l'inspiration, Avalon laissa ses yeux courir à travers la pièce et aperçut le Maure, près de la porte.

— Si vous n'avez pas confiance, reprit-elle, Balthazar peut rester ici et vous représenter.

Puis, se tournant vers les quatre hommes :

— Je suis certaine que cette solution satisferait toutes les parties. N'est-ce pas, messieurs ?

— Je suis pour !

L'envoyé de Malcolm, qui s'exprimait pour la première fois, défia du regard ses compagnons de le contredire.

Inébranlable, Marcus ne paraissait pas prêt à céder. Balthazar prit les devants en venant se placer devant lui pour le saluer à sa manière si particulière. Dans une langue fluide aux sonorités exotiques, il lui adressa quelques mots. Marcus, les poings serrés, l'écouta sans lui répondre, avant de tourner les talons et de quitter la pièce, la tête haute.

Soulagée, Avalon commença à se détendre. Le serpent avait suffisamment relâché son étreinte pour que l'homme, en Marcus, puisse reprendre le dessus. La prochaine fois qu'elle le verrait, elle retrouverait celui qu'elle connaissait.

— Quelle sorte d'homme êtes-vous ? demanda le plus vieux des envoyés du pape à Balthazar.

Il le toisait avec mépris, s'attardant sur la peau mate de son visage aux tatouages exotiques et sur ses robes colorées.

— Rien qu'un serviteur, Votre Grâce… répliqua Balthazar en s'inclinant cérémonieusement. Venu des lointaines contrées de la Terre sainte.

Se penchant vers son compagnon, l'autre homme d'Église expliqua :

— Kincardine l'a sans doute ramené de sa croisade.

Les quatre hommes hochèrent la tête d'un air entendu. Après s'être une nouvelle fois incliné devant eux, Balthazar alla se poster près de la porte.

L'ecclésiastique le plus âgé reprit son interrogatoire d'un ton guindé.

— Lady Avalon, vos cousins lord Farouche et son frère Warner ont fait part de leurs doléances à Leurs Majestés les rois d'Angleterre et d'Écosse, ainsi qu'à Sa Sainteté le pape. Ils proclament que vous leur avez été indûment enlevée au mépris d'un accord vous concernant.

— Quelle est la nature de cet accord ? s'enquit Avalon en s'efforçant de ne rien laisser paraître de son trouble.

Le plus jeune des hommes d'Église prit le relais.

— Lady Avalon, avant que nous allions plus loin, avez-vous été, d'une manière ou d'une autre...

Incapable de poursuivre, il se racla la gorge. De grosses gouttes de sueur perlaient à son front. Bien que sachant parfaitement où il voulait en venir, Avalon joua l'étonnement. Elle prit un malin plaisir à l'entendre conclure d'une voix sourde :

— Enfin, vous voyez... Avez-vous été, d'une manière ou d'une autre... compromise ?

Avalon s'efforça de ne rien montrer du mépris que lui inspiraient ces pauvres fous. Que s'imaginaient-ils ? Qu'elle serait restée là, bien tranquillement devant eux, sans rien montrer de sa détresse, si elle avait été violée ?

— Je peux vous assurer, dit-elle à haute et distincte voix, que je n'ai été « compromise » en aucune manière.

Tous parurent soulagés par cette précision. L'aîné des hommes d'Église poursuivit :

— Fort bien, lady Avalon. Dans ce cas, je dois vous informer que vos fiançailles sont sujettes à contestation. La revendication de Kincardine est légitime, bien sûr. Il ne fait aucun doute que le contrat de fiançailles a été signé en bonne et due forme.

— Oui, intervint vigoureusement l'émissaire du roi écossais. Cela va sans dire...

— Il n'en demeure pas moins un léger problème, reprit le dignitaire de l'Église en la fixant au fond des yeux. Lord Farouche, votre cousin, se prévaut d'un contrat de fiançailles en faveur de son frère. Il maintient qu'il aurait signé avec votre père un accord en ce sens, quelques mois avant celui conclu avec Hanoch Kincardine.

Incroyable! songea Avalon avec colère. Bryce ne reculerait donc devant rien pour faire main basse sur sa fortune.

— Je n'ai jamais été mise au courant d'un engagement de cette sorte, dit-elle calmement. De quelle preuve mon cousin dispose-t-il?

— Il prétend avoir tous les papiers nécessaires pour le prouver, milady. Il est en train de les rassembler.

Les bras croisés devant lui sur la table, le plus jeune se pencha en avant:

— Jusqu'à ce que ce débat soit tranché, lady Avalon, vous resterez sous la tutelle et la bonne garde de l'Église. Le temps de déterminer qui peut légitimement prétendre à votre main.

Rien n'aurait pu mieux servir les intérêts d'Avalon. C'était la solution qu'elle appelait de ses vœux une demi-heure plus tôt. Elle pouvait quitter le château en compagnie de ces hommes d'Église. Dès qu'elle aurait suffisamment endormi leur méfiance, elle les abandonnerait derrière elle et retrouverait sa liberté.

Mais en agissant ainsi, jamais elle ne pourrait venir en aide au peuple de Sauveur. Sa fortune lui échapperait et ne pourrait servir à rétablir la prospérité du clan Kincardine. Il n'y aurait ni grain, ni bétail, ni fonds pour les aider à traverser cet hiver qui s'annonçait difficile. Rien pour l'aider à surmonter sa culpabilité d'abandonner ces gens à leur sort.

D'un autre côté, si elle se plaçait sous la garde des envoyés du pape, le risque existait que Bryce et Warner finissent par convaincre l'Église de leur mensonge. Ils auraient alors la mainmise sur elle, et cette seule idée lui était intolérable. Elle était prête à tout pour empêcher l'assassin de son père d'arriver à ses fins. Même s'il lui fallait pour cela… rester à Sauveur. Pour attendre d'y voir plus clair. Et pour guetter la bonne opportunité.

Ainsi pourrait-elle venir en aide au clan Kincardine tout en ménageant l'avenir et en dressant des plans pour récupérer la maîtrise de son destin.

— Hélas, mes bons messieurs… dit-elle d'un air contrit. J'ai bien peur de n'être pas en état de vous suivre. J'ai subi une grave chute de cheval il y a peu, et je ne suis toujours pas, au jour d'aujourd'hui, en état de monter à cheval.

L'émissaire du roi Henry s'en étrangla de surprise.

— Comment ça ? Vous disiez vous-même que vous étiez guérie.

— Guérie de mon épaule, oui. Mais…

Sans trop savoir comment, Avalon parvint à rougir sur commande et baissa timidement les yeux :

— … mon « côté », lui, n'est pas guéri.

D'un coup de menton, elle désigna Balthazar.

— Demandez à cet homme, si vous le voulez. C'est lui qui m'a soigné.

— Valet ! aboya l'émissaire anglais. Avance-toi !

Balthazar s'exécuta, s'inclina une fois encore, et de nouveau Avalon s'émerveilla de le voir si maître de lui.

— Est-il vrai, reprit l'Anglais, que l'état de santé de lady Avalon lui interdit de voyager ?

— C'est exact, hélas. En arrivant ici, son cheval effrayé par la foudre l'a projetée au sol, ce qui lui a brisé plusieurs côtes en plus de lui déboîter l'épaule. Un long voyage serait pour elle un véritable supplice.

— Voyez-vous ça… Et qui es-tu, toi, pour distinguer un simple bleu d'une côte cassée?

Balthazar ne trahit pas la moindre colère.

— J'ai voyagé en compagnie de mon maître dans de très lointains pays, mes seigneurs. J'ai étudié l'art de guérir auprès de grands maîtres, d'Alexandrie à Jérusalem.

— Sorcellerie païenne, sans doute… marmonna l'aîné des deux clercs.

— J'ai prié sous la nef de la plus grande église de la terre la plus sainte, Votre Grâce. Et j'ai porté ma croix en pèlerinage jusqu'à Bethléem.

— Tu es pourtant marqué de signes païens, fit valoir l'Anglais d'une voix accusatrice. Tu portes le signe du démon tatoué à même la face!

— C'est simplement la coutume de mon peuple, sir, de se marquer la peau ainsi. Ces motifs m'ont été tatoués avant ma conversion au Christ. J'ai choisi de rejoindre le monastère de Saint-Siméon.

— Un copte?

Les deux émissaires du pape échangèrent un regard surpris, avant de reporter leur attention sur Balthazar.

— Ainsi, dit l'aîné, vous seriez un moine chrétien?

— Je porte la marque du Christ.

Sans se presser, Balthazar ouvrit les deux pans de sa robe, qui se croisaient sur son torse. Un crucifix tatoué ornait sa poitrine et son ventre.

— Une autre marque… murmura le plus jeune clerc, admiratif. Mais celle-ci est bien de notre Seigneur!

Avec une grimace, son compagnon ajouta:

— Il est vrai que les coptes inclinent à l'ostentation mystique.

— Mais ils n'en sont pas moins soldats du Christ ! se récria l'autre. Un moine, fût-il d'un ordre différent, ne se prêterait jamais à quelque traîtrise ou vilenie...

— Nous n'en sommes pas moins dans une impasse. Nous ne pouvons laisser lady Avalon ici, pourtant il nous est impossible de l'emmener. La situation ne pourrait être plus inconfortable...

— Si je peux vous offrir mes services, Votre Grâce...

Le magicien remit tranquillement en place les pans de sa robe et poursuivit :

— Je peux veiller sur lady Avalon pour vous. En votre nom, je serai son protecteur et le garant de son intégrité.

Les quatre hommes furent manifestement pris de court par cette proposition, mais aucun ne cria au scandale. Penchés l'un vers l'autre, ils se concertèrent quelques instants à mi-voix. En attendant leur verdict, Avalon posa le regard sur Balthazar. Elle eut l'impression qu'il lui adressait un clin d'œil, mais ce fut si fugitif qu'elle aurait pu avoir rêvé.

Enfin, le représentant de Malcolm se leva et contourna la table pour aller examiner Balthazar de plus près.

— Je ne vois pas pourquoi cela ne pourrait se faire, dit-il. C'est une solution satisfaisante pour tous. C'est un homme de Dieu. Il ne peut trahir sa parole.

Les autres se levèrent à leur tour.

— Vous oubliez une chose... objecta l'Anglais, loin d'être convaincu quant à lui. Il pourrait avantager le clan Kincardine dont il est le serviteur.

— C'est avant tout Dieu qu'il sert ! corrigea le jeune clerc. En tant que tel, il est aussi neutre et impartial que peut l'être l'Église. Comment vous appelez-vous, frère ?

— Balthazar, Votre Grâce.

— Un parfait nom chrétien ! se réjouit-il. Qui confirme mon impression. Au problème qui se pose à nous, il nous est impossible de trouver meilleure solution.

Acquiesçant d'un signe de tête, l'aîné des hommes d'Église s'approcha d'Avalon :

— Lady Avalon. Je suis désolé d'apprendre que vous avez été blessée. Mais vous avez reconnu ne pas avoir été violentée, et nous ne pouvons nous attarder ici. Nos ordres sont formels : il nous est interdit de passer la nuit à Sauveur, et nous devons rentrer au plus vite rendre compte de notre mission.

— Je comprends.

— Je prierai pour que rien ne vous arrive sous la garde de cet homme de Dieu qui accepte de se porter garant de votre sécurité. Lorsque nous aurons des nouvelles à vous communiquer, nous reviendrons.

— J'espère que cette pénible situation sera vite réglée.

— Moi également. Avant que nous nous en allions, avez-vous quelque message à transmettre à vos cousins ?

— Aucun, répondit-elle d'un ton égal. Dites-leur simplement que je prie pour que Dieu les ait en Sa sainte garde.

— Très bien.

Avalon fit une brève révérence et ajouta :

— Auriez-vous également l'amabilité de faire prévenir lady Maribel, à Gatting, que je vais bien et que je lui souhaite bonheur et paix ?

— Ce sera fait, lady Avalon. Comptez sur moi.

De nouveau, elle fit la révérence à chacun d'eux avant de se diriger vers la porte, suivie de Balthazar. En posant la main sur la poignée, elle marqua un temps d'hésitation, comme si elle avait oublié quelque chose, et se retourna.

— Mes bons messieurs, je suis confuse... j'ai encore une requête à vous soumettre.

Tous quatre la fixèrent avec bienveillance, attendant la suite.

— Pourriez-vous dire à mon cousin Bryce que j'aimerais récupérer ma garde-robe, ici à Sauveur, jusqu'à ce que je sois fixée sur mon sort ? Par la force des choses, mes malles sont restées à Trayleigh. S'il pouvait me les faire parvenir, je lui en serais infiniment reconnaissante.

Les hommes s'inclinèrent, mais, de peur de ne pas avoir suffisamment insisté, Avalon précisa :

— Dites à mon cousin qu'il me coûte de n'avoir autre chose à porter que ce tartan. Je suis sûr qu'il comprendra.

Avant que l'émissaire écossais ait pu réaliser l'affront qu'elle venait de faire sciemment au clan Kincardine et à son roi, elle s'éclipsa, laissant Balthazar refermer la porte derrière eux.

Parce qu'elle n'avait d'autre endroit où aller, Avalon regagna sa chambre. Elle avait besoin d'un peu de temps pour réfléchir à ce qui venait de se passer et en peser les implications. Balthazar lui emboîta le pas.

Rien n'avait changé dans sa chambre depuis qu'elle en était sortie. Le bol de ragoût à présent refroidi était toujours sur la table. Derrière l'étroite fenêtre, le ciel demeurait lourd de nuages chargés de pluie. Balthazar, qui lui avait ouvert la porte, s'attardait sur le seuil, comme s'il devinait qu'elle allait avoir besoin de lui.

— Je me demandais… commença-t-elle. Auriez-vous un autre de ces foulards à me prêter?

D'une poche dissimulée dans ses vêtements, il en sortit un aussitôt, d'un rose vibrant cette fois. Amusée malgré elle, Avalon ne put s'empêcher de sourire tandis qu'il le lui nouait autour du cou.

— Belle démonstration de bravoure, commenta-t-il.

— Je n'étais pas la seule à faire le spectacle. Qu'est-il arrivé à votre maître?

Un sourcil arqué, Balthazar la dévisagea un instant.

— Que voulez-vous dire? s'enquit-il enfin.

Avalon prit le temps d'ajuster son nouveau foulard jusqu'à avoir parfaitement positionné son bras. Puis elle releva les yeux et soutint son regard sans ciller.

— Il y a un démon en Marcus Kincardine, dit-elle.

Le visage du Maure se figea. En hâte, il alla refermer la porte pendant qu'elle enchaînait:

— N'essayez pas de me faire croire que vous n'êtes pas au courant. Vous êtes un homme sage, et vous avez voyagé avec lui.

— Qu'entendez-vous par là? Insinueriez-vous que mon maître s'est livré à un suppôt du malin?

Avalon se représenta mentalement sa chimère, créature insaisissable de brumes et de vapeurs, son alliée autant que son ennemie. Elle pouvait lui reprocher bien des choses, mais le mal n'était pas à l'œuvre en elle – pas plus que dans le serpent qui dominait Marcus.

— Ce n'est pas ce que je voulais dire, précisa-t-elle. Mais il y a *quelque chose* en lui. Un double intraitable et puissant. Je l'ai vu se dresser devant ces hommes, prêt à frapper.

— Soyez plus précise, l'encouragea le mage. Qu'avez-vous vu ?

— Un serpent, avoua-t-elle enfin. Un serpent qui le dominait corps et âme et l'avait réduit à sa merci.

Satisfait, Balthazar hocha la tête.

— Vous ne manquez pas de perspicacité, milady.

— Qu'est-ce que c'était ? insista-t-elle. Il était à ce point sous sa dépendance que j'ai eu peur pour sa vie. Il ne s'appartenait plus. Il aurait pu commettre le pire.

— En chacun de nous existe une tension entre la propension au bien et la propension au mal, expliqua-t-il d'un ton égal. Mais chez certains, l'équilibre est rompu et le mal peut, dans certaines circonstances, s'incarner et prendre le dessus.

— Que s'est-il passé pour qu'il en soit ainsi ?

— Ce déséquilibre résulte sans doute d'un traumatisme ou d'une grave atteinte de l'âme. Telle est mon hypothèse.

— Vous n'en êtes pas sûr ?

— Désolé, milady... Ce n'est pas à moi de vous conter cette histoire.

Après s'être incliné devant elle, Balthazar alla rouvrir la porte et s'apprêta à sortir.

— Rendez-moi un service... s'empressa-t-elle de lancer. Dites à votre maître que je voudrais lui parler.

— Ce sera fait, milady.

De nouveau seule, Avalon avala machinalement le ragoût refroidi, qui s'était épaissi. Tout en mangeant, elle observa les nuages aux ventres noirs et rebondis qui s'amassaient. Au loin le tonnerre grondait et quelques éclairs lézardaient déjà le ciel.

Elle sentit Marcus pénétrer dans la chambre, mais il ne lui signala d'aucune manière son arrivée. Elle se demanda s'il en serait toujours ainsi, si elle continuerait à deviner sa présence... avant de bien vite chasser cette pensée.

— Dorénavant, dit-elle sans se retourner, je refuse de rester prisonnière dans cette pièce.

En l'absence de réponse, elle compta jusqu'à vingt avant de pivoter.

Debout près de la cheminée, Marcus gardait les mains croisées derrière le dos. Ses cheveux dénoués cascadaient librement jusqu'à ses épaules, d'un noir plus pur que celui du tartan sur lequel ils retombaient. La tête légèrement penchée sur le côté, il la dévisageait avec curiosité. Et dans ses yeux d'un bleu glacier, Avalon ne distingua aucune trace du serpent.

Consciente qu'elle lui livrait une arme de choix contre elle, Avalon s'entendit lui confier :

— Je ne peux rester confinée. Cela m'est insupportable.

— Je vois, dit-il simplement.

Le temps pluvieux plongeait la pièce dans une semi-pénombre. Éclairé à contre-jour par le feu de bois brûlant dans l'âtre, Marcus paraissait plus impassible que jamais.

— Vous devez savoir, reprit-elle, que j'ai moi-même suggéré aux émissaires de me laisser demeurer ici, du moins pour le moment. Par conséquent, je ne vois pas la nécessité de me garder prisonnière.

Dans le dos d'Avalon, une brusque saute de vent fit voler ses cheveux contre sa figure. De sa main valide, elle les remit en place. En la regardant faire, Marcus constata :

— Je suppose que je devrais vous remercier de m'avoir sauvé la vie. Pour la seconde fois.

Il s'avança vers elle, et de nouveau Avalon perçut en lui le serpent, cet être indompté dont elle avait eu un aperçu. Comment avait-elle pu ne pas le remarquer ? Bien que tenu sous la férule d'une volonté de fer, le démon demeurait là, au fond de ses yeux.

Marcus ne s'arrêta qu'à deux pas d'elle. Avec un rictus sardonique, il scruta son visage :

— Après m'avoir tiré des pattes de mon étalon, voilà que vous me sauvez de ces cuistres qui prétendaient m'enlever ma femme !

— Je ne suis pas…

— Car ne vous y trompez pas ! coupa-t-il. Jamais je ne les aurais laissés faire. Ils peuvent lancer autant d'édits qu'ils le veulent, vous serez ma femme et vous resterez ici, avec moi et avec notre clan. Il faudra me tuer pour vous prendre à moi !

Marcus attrapa sa main sans prévenir, la retint dans la sienne et la contempla. Avalon suivit son regard. Dans la lumière blafarde, sa peau prenait une teinte laiteuse qui contrastait avec la paume sombre et calleuse de Marcus. Ses doigts longs et forts maintenaient délicatement leur emprise. C'était à peine si elle les sentait, et pourtant, elle fut tout de suite envahie par cette étrange sensation que lui seul était capable de faire naître en elle. Comme une onde, celle-ci remonta le long de son bras pour se répandre dans tout son être.

Marcus porta leurs mains jointes à ses lèvres et embrassa ses doigts sans cesser de la regarder. Avalon tentait de ne rien montrer du trouble qui l'avait saisie, mais elle se doutait que c'était inutile. Il savait parfaitement à quoi s'en tenir, comme il le lui avait déjà dit plus tôt dans la journée.

Un sourire sensuel étira les lèvres de Marcus.

— Avalon... dit-il à mi-voix. Je suis heureux que vous ayez décidé de rester. Cela va rendre les choses beaucoup plus faciles entre nous. Lorsque cette ambassade aura quitté le château, vous serez libre de vous y promener comme il vous plaira.

Elle ne sut que répondre. Et quand elle eut repris ses esprits, il avait déjà passé le seuil de la chambre, que le garde en faction verrouilla derrière lui.

Moins d'une heure plus tard, Avalon vit de sa fenêtre le groupe d'émissaires quitter le château. La tempête avait fini par se déchaîner sur Sauveur et leurs trois oriflammes, toujours aussi fièrement dressées vers le ciel, dégoulinaient de pluie.

Un déclic, dans son dos, attira son attention. Le cœur battant, Avalon gagna le seuil de la chambre et resta un long moment la main sur la poignée, sans se décider à la tourner. Mais quand elle le fit, la porte s'ouvrit.

8

La tempête transformait le cabinet de travail en une oasis de ténébreuse fraîcheur que Marcus s'était gardé d'atténuer en allumant quelque flamme que ce soit. Pour seule lumière, il se contentait du reflet occasionnel des éclairs sur les murs de pierre. Il ne se lassait pas de constater qu'il y avait autre chose en ce monde que sable, soleil et soif inextinguible. Cette contrée était aussi différente de la Terre sainte que le paradis peut l'être de l'enfer. Et s'il devait pleuvoir ici chaque jour jusqu'à la fin de sa vie, ce ne serait pas pour lui déplaire.

De ce goût pour le mauvais temps, Marcus était redevable au chevalier dont il avait été l'écuyer durant de longues années. Dès le plus jeune âge, sir Trygve avait reçu au sein de plusieurs monastères une pieuse éducation qui avait fait de lui un chrétien fervent dont la foi s'était transformée avec le temps en bigoterie. À l'époque où Marcus avait quitté l'Écosse pour le rejoindre, il exigeait de ceux qui entraient à son service pas moins de quatre prières quotidiennes. Ainsi le jeune garçon qu'il était encore avait-il passé des heures à genoux devant l'autel de pierre d'une chapelle, dans ce petit comté anglais qui était le berceau de la famille de son maître.

Accomplir un pèlerinage à Jérusalem, la plus sainte des cités, constituait pour celui-ci le rêve de toute une vie. Aussi avait-il été galvanisé d'apprendre que les infidèles renforçaient leur influence en Palestine, envahissant et pillant les temples chrétiens. Et lorsque l'Église avait lancé son appel à la croisade pour défendre les Lieux saints, sir Trygve avait enfin trouvé la cause qu'il cherchait.

Marcus n'avait que quinze ans quand ils étaient partis. Pour leur bonne action et grâce aux indulgences papales, lui avait expliqué le chevalier, une place au ciel leur était réservée. C'était cela, avait-il poursuivi, les yeux emplis d'une joie sincère, qui différenciait l'homme de l'animal. Cette guerre était une cause sacrée, une guerre sainte. Quelle chance ils avaient de pouvoir y prendre part, quel honneur c'était pour eux !

Marcus l'avait cru. Il n'avait aucune raison de ne pas croire ce que sir Trygve lui disait. Avec sa foi vibrante et courageuse, il lui offrait une alternative bienvenue à la vie de cauchemar que son père lui avait fait vivre jusqu'alors. Pour la première fois de son existence, un adulte lui faisait confiance et le félicitait de ses succès, plutôt que de le rabaisser sans cesse et de nier ses mérites.

Dans chaque domaine, Marcus s'était appliqué à imiter le zèle de son bienfaiteur. Son amour inconditionnel de l'Église et du Christ, il l'avait sans hésiter fait sien. Il avait crié « *Deus vult !** » avant de partir au combat, non par mimétisme, mais parce qu'il était réellement convaincu que Dieu désirait cela, et qu'Il n'avait qu'à commander pour que lui, humble créature, obéisse.

192

La foi du charbonnier ne suffisant pas à faire un homme d'armes, sir Trygve ne s'était pas particulièrement illustré sur le champ de bataille. Mais Marcus, lui, y avait fait montre de son habileté et de sa bravoure. En acquérant sa taille adulte sous l'éternel soleil de plomb du désert, il avait terrassé des hommes deux fois plus forts que lui et avait vite bâti sa réputation de « pourfendeur d'infidèles ».

Trygve avait surmonté la crainte mêlée d'effroi et l'envie que lui inspirait son protégé. Il avait paru se réjouir sincèrement de ses succès, qui à vrai dire rejaillissaient sur lui. Le chevalier avait si bien accepté cette gloire par procuration qu'il avait refusé de rentrer chez lui après la fin officielle de la croisade. Voir les Français et les Allemands faire défection ne l'avait nullement découragé. Et quand leurs serviteurs eux-mêmes les avaient abandonnés, emportant chevaux et chameaux, sa détermination à continuer avait paru se renforcer encore.

— Un véritable chrétien ne se décourage jamais ! avait-il lancé. Allons de l'avant ! Dieu, Lui, ne nous a pas abandonnés.

Sa dévotion avait été réelle. Il n'y avait dans l'esprit de Marcus aucun doute là-dessus. La fierté que lui inspirait l'habileté de son écuyer l'avait été tout autant. Quant à sa folie, tout aussi réelle, il avait fallu un crescendo de signes de plus en plus inquiétants pour qu'elle se manifeste pleinement. Cela avait commencé par des prières de plus en plus longues, de plus en plus ferventes, parfois ponctuées de cris, de supplications et de poings brandis vers les cieux. Par cinq fois au cours de leur dernière année passée ensemble, le chevalier s'était écroulé sur le sol, en proie à des crises mystiques qui le laissaient délirant et l'écume aux lèvres.

La dernière d'entre elles avait eu lieu à l'extérieur de la ville de Damas, tout juste reconquise et fermement reprise en main par les musulmans. Trygve était sorti de sa crise en proclamant que Dieu lui avait parlé par l'intermédiaire d'un de ses glorieux anges, tout spécialement descendu du ciel pour l'instruire de la conduite à tenir. Il lui avait confié une mission sacrée. Sir Trygve avait accepté et faisait une affaire personnelle de bouter hors de Damas tous les infidèles... Pour combattre et vaincre une armée de fanatiques, rien qu'un chevalier à la raison chancelante et son écuyer horrifié !

Un sourd grondement de tonnerre fit vibrer la table sur laquelle Marcus avait posé ses poings serrés, le ramenant à la réalité. Cette même table devant laquelle Avalon s'était tenue quelques heures plus tôt, face aux émissaires du pape. Pas un instant elle n'avait paru avoir peur. Sans doute n'avait-elle aucune idée de ce que ces prétendus serviteurs de Dieu étaient capables de lui faire.

Après avoir brièvement cogné à la porte, Balthazar entra dans la pièce et alla s'asseoir face à lui sur une chaise de bois sombre au capitonnage de cuir craquelé.

— Tiens-toi sur tes gardes ! lui conseilla-t-il sur le ton de la confidence. Elle se promène...

Bal étant la troisième personne à venir lui annoncer que la Promise avait quitté sa chambre, la nouvelle ne fut pas pour surprendre Marcus. Les yeux dans le vide, il hocha vaguement la tête.

— Elle ne peut pas aller bien loin, murmura-t-il. Au cas où tu ne l'aurais pas remarqué, la moitié de ce château est en ruine et il pleut des cordes.

— Certes, admit son ami.

La pluie battait la fenêtre, laissant de longues traînées sur les petits carreaux derrière lesquels se mêlaient les brillantes couleurs de l'automne et le vert des prairies. Au moins, songea Marcus, les parties habitables du château seraient à l'abri pour l'hiver. Ils avaient pu faire en sorte d'assurer ce minimum vital avant la mauvaise saison.

Sans quitter des yeux la fenêtre, il demanda à Balthazar :

— Sais-tu que mon père avait installé les chevaux dans l'ancien corps de garde, après l'effondrement des écuries ? Je m'en rappelle très bien. Il disait que les chevaux sont plus importants que les pierres.

— Un homme avisé, répondit Bal.

— On voit que tu ne le connaissais pas. Hanoch était tout sauf avisé.

— Les chevaux ont de la valeur. La pierre n'en a pas.

Une femme passa la tête par la porte entrebâillée, regarda un instant Marcus et dit :

— Pardonnez-moi de vous déranger, laird, mais la Promise a quitté sa chambre et explore le château.

— Je sais, répliqua-t-il d'un ton las.

La femme le dévisagea dans l'attente d'une suite, puis, ne voyant rien venir, s'éclipsa discrètement.

Passant une main nerveuse dans ses cheveux, Marcus reporta son attention sur l'éparpillement de lettres, de rouleaux de parchemin et de papiers épars qui recouvrait la table devant lui. Il y avait tant à faire... La tâche le dépassait complètement et lui donnait l'envie de tout oublier.

— Ta dame a demandé aux émissaires qu'on lui fasse livrer ses effets, reprit Bal. Je crois que tu peux t'attendre à les voir arriver d'ici peu.

— Des vêtements ? s'étonna Marcus.

Bal acquiesça d'un hochement de tête.

— Ils sont restés au château de Trayleigh. Ton ennemi va les faire livrer ici.

— Qu'a-t-elle besoin de ses vêtements ? Notre tartan ne lui suffit pas ?

Sans répondre, Balthazar détourna le regard vers le seuil de la pièce, sur lequel un garde venait d'apparaître.

— La Promise est en liberté, annonça-t-il avec inquiétude.

— Je sais, répondit Marcus en soupirant.

— Elle est à l'office, précisa le garde.

— Laissez-la aller où bon lui semble.

Manifestement surpris, le garde s'inclina et tourna les talons. Marcus retourna à la contemplation du travail qui l'attendait.

Les documents s'accumulaient en piles précaires sur la table. Nombre d'entre eux consistaient en notes brèves rédigées par son père dans une écriture presque illisible.

— Alors que comptes-tu faire à présent, Kincardine ?

Confortablement assis sur sa chaise, Bal dévisageait son ami. Ses paroles étaient affables, mais son regard scrutateur ne laissait rien passer.

— Qu'attends-tu pour l'épouser ? enchaîna-t-il. Que ton roi te donne l'autorisation de le faire ?

— J'ai déjà son autorisation ! lâcha Marcus, cassant malgré lui. Ce n'est pas ce que j'attends.

— L'autorisation du roi anglais, alors ? Ou du pape ?

— Qu'ils aillent au diable ! Je me fiche de leur approbation.

— Et pourtant, tu attends. Alors qu'attends-tu ?

Marcus haussa les épaules, mais Bal n'était pas décidé à lâcher prise.

— Ne crains-tu pas que ces Anglais reviennent te la prendre ? Elle a tout pour susciter la convoitise de n'importe quel homme sensé. Elle est une perle, un joyau de prix.

— Avalon n'est ni une récompense ni un lot attirant, maugréa Marcus. Elle est une femme avant tout.

Et quelle femme ! ajouta-t-il pour lui-même. Il était bien placé pour le savoir, lui qui avait goûté à ses lèvres douces et chaudes, à sa passion débordante, à ses baisers qui pour son âme étaient comme une illumination.

— Un joyau de prix, s'entêta Bal. Convoité par des hommes prêts à tout. Des hommes bien décidés à te la ravir, et qui se sont assuré pour cela le concours des saints et des puissants.

Marcus ne put s'empêcher de grimacer. Chaque mot de son ami faisait mouche. Le subtil Balthazar ne s'exprimait jamais pour ne rien dire, et nul doute que c'était à dessein qu'il le provoquait.

— Et pourtant, conclut celui-ci, c'est le bon vouloir de ta dame que tu attends.

— Il le faut.

Marcus, incapable d'exprimer ce qu'il ressentait, ne put rien ajouter. Il voulait gagner la confiance d'Avalon. Il voulait lui prouver qu'il en était digne. Il voulait éviter toute réaction, toute attitude qui aurait pu lui rappeler l'arrogance, la violence et l'autoritarisme de son père. Ce qu'il désirait, réalisat-il soudain, c'était faire sa conquête et non la vaincre.

Bal, qui ne l'avait pas quitté des yeux, avait suivi le tour pris par ses pensées, comme lui seul savait le faire.

— Gagner les faveurs d'une telle femme, commenta-t-il à mi-voix, requiert le courage et l'audace du plus brave des hommes...

Préférant ne pas relancer le débat, Marcus lâcha un autre soupir. Portant les mains à ses yeux fatigués, il frotta longuement ses paupières.

Quand il les rouvrit, la cuisinière s'avançait au-devant de lui. Un instant, il fut incapable de se rappeler son nom. Tara ? Tela ? Non : Tegan.

— Laird... dit-elle. La Promise vient de quitter l'office. Elle a dit qu'elle allait visiter la tour sud.

— Merci.

Les paperasses devraient attendre, décida-t-il. C'était ce qu'elles faisaient depuis longtemps déjà – certaines depuis des années. Elles pouvaient bien attendre un jour de plus. Ou une semaine. Qu'est-ce que son père avait bien pu faire, au cours de toutes ces années ? Sans doute n'était-il guère plus passionné que lui par ce travail de scribe...

Repoussant sa chaise, Marcus se dressa d'un bond.

— Où vas-tu ? demanda Bal, amusé.

— À la tour sud, répondit-il en sortant. Je ne pense pas avoir déjà admiré la vue qu'on découvre de là-haut.

La tour sud n'avait pas nécessité de réparation majeure. Peut-être Hanoch avait-il pris soin de l'entretenir parce qu'elle faisait face à l'ennemi héréditaire – l'Anglais. Ce souci d'y maintenir un poste de garde, Marcus l'avait perpétué. Les guetteurs qui s'y trouvaient en permanence avaient pour consigne de scruter l'horizon. Mais c'était tout autre chose qu'observaient les gardes quand Marcus déboucha sur le chemin de ronde.

La pluie avait cessé d'un coup, comme sur commande. Des pans de ciel étoilé apparaissaient entre les nuages en débâcle. À l'ouest s'attardaient encore des écharpes pourpres, roses et lavande abandonnées par le crépuscule. Et sur cette toile de fond glorieuse se détachait lady Avalon Farouche, parlant aimablement à un groupe d'hommes et de jeunes garçons au centre du chemin de ronde encore trempé par la pluie.

Marcus demeura figé sur place. L'ange qui était venu rendre visite à sir Trygve, s'il avait jamais existé, ne pouvait avoir été aussi radieux qu'elle lui apparaissait en cet instant. Ses cheveux ivoire accrochaient la lumière diffuse tombant du ciel étoilé. Ses yeux en amande, encadrés de longs cils noirs, étaient rieurs. Sur ses lèvres finement ourlées s'attardait un sourire tandis qu'elle répondait aux questions d'un des garçons.

C'était la première fois que Marcus la découvrait ainsi, totalement détendue. En parlant, elle fendit l'air de sa main valide, comme pour trancher en deux un ennemi invisible, d'un mouvement à la fois volontaire et éminemment féminin. Plus lentement, elle refit le geste pour en faire la démonstration. Un autre garçon émit un commentaire qui la fit rire, d'un rire contagieux qui se répandit autour d'elle.

Fasciné, Marcus s'approcha sans bruit. Il aurait pu rester là, à se gorger de sa splendeur. Mais dès qu'elle l'aperçut, le sourire s'effaça de ses lèvres, elle se mit sur ses gardes et la magie de l'instant disparut. *N'ayez pas peur de moi !* Sous son crâne, ces mots avaient fusé avec la ferveur d'une prière. Et en voyant les yeux d'Avalon s'écarquiller, il sut qu'elle les avait entendus.

À présent, les autres avaient noté sa présence eux aussi. Les gardes s'empressèrent d'aller reprendre leur poste. Les jeunes garçons le dévisagèrent un instant, bouche bée, indécis quant à la conduite à tenir, avant de reporter leurs regards sur Avalon.

— Bonsoir... lança-t-il, ne sachant que dire d'autre.

Les garçons lui firent écho. Avalon se contenta d'un signe de tête. Marcus s'avança. Les gamins se poussèrent pour l'inclure dans leur cercle. L'un des plus hardis se risqua à demander :

— Vous savez vous battre comme la Promise, laird ?

— Je sais me battre, mais pas comme elle. La Promise a une technique de combat qui n'appartient qu'à elle.

Avalon rougit et s'empressa de préciser :

— Elle n'appartient pas qu'à moi. Tout le monde peut l'apprendre.

Il n'en fallut pas davantage pour capter l'attention de ses jeunes admirateurs, portant leur excitation à son comble.

— Nous aussi ? s'enquit celui qui s'était adressé à Marcus. À nous aussi vous pouvez l'apprendre, milady ?

Avalon marqua un temps d'hésitation. Après avoir jeté un bref coup d'œil à Marcus, elle se hâta de détourner le regard et maugréa :

— Je le ferais, si je le pouvais.

Croisant les bras sur sa poitrine, Marcus fit mine de s'étonner :

— Et pourquoi ne le pourriez-vous pas, lady Avalon?

De nouveau, il lui lançait un défi. Décidément, songea-t-il, il paraissait incapable de faire autre chose. Piquée au vif, elle redressa la tête et le fixa d'un air décidé:

— Je le ferai, donc.

Tout à leur joie, les gamins commencèrent à discuter entre eux de l'endroit où devaient se tenir les entraînements, qui devait y participer et quand ils pouvaient commencer.

— Pas si vite, garnements! intervint Marcus. Vous oubliez que la Promise a été blessée. Vous devrez attendre qu'elle soit guérie.

Tous exprimèrent à grands cris leur désappointement. Un sourire au coin des lèvres, Avalon les écouta un instant avant de les faire taire en dressant une main devant elle.

— Nous commencerons dès demain si votre laird est d'accord, dit-elle. Je ne pourrai vous montrer comment faire, mais je vous l'indiquerai par la parole. Vous n'aurez qu'à suivre mes instructions, et je vous corrigerai.

Douze paires d'yeux pivotèrent vers Marcus, emplis d'une prière muette.

— Fort bien, conclut-il de bonne grâce. Qu'il en soit fait à votre guise.

Il parvint à grand-peine à ne pas laisser transparaître le sentiment de triomphe qui l'habitait. D'elle-même, Avalon venait d'accomplir un autre de ces petits pas qui peu à peu la liaient à Sauveur. Il pouvait remercier ces jeunes gens et leur entêtement.

Mais cet entêtement se révéla plus gênant lorsqu'ils refusèrent de s'éclipser malgré les regards sévères qu'il leur adressait. Entièrement focalisés sur Avalon, ils ne prêtaient plus aucune attention au laird et la harcelaient de questions. Finalement, il dut s'interposer pour les séparer d'elle et les prier de déguerpir. Sans demander leur reste, les gamins s'éparpillèrent comme une volée de moineaux dans la nuit.

Le regard tourné vers le sud et les montagnes pointant leurs flancs abrupts au-dessus du moutonnement des forêts, Avalon semblait décidée à ignorer Marcus. Du coin de l'œil, il nota le nouveau foulard qui lui maintenait le bras en écharpe, d'une couleur et d'un motif différents du précédent. Il ne gardait qu'un souvenir flou de la comparution d'Avalon devant les émissaires, dans son cabinet de travail, mais il se rappelait parfaitement qu'elle avait fait semblant d'avoir récupéré entièrement l'usage de son bras.

Pourquoi avait-elle fait cela? Ces hommes venus tout spécialement pour l'emmener avec eux se seraient emparés de ce prétexte, si elle ne leur avait pas joué cette comédie qui, sans aucun doute, avait dû se révéler fort douloureuse pour elle. Et pourtant, contre son désir proclamé de quitter Sauveur, elle avait agi en sa faveur en lui épargnant d'avoir à faire usage de la force.

— Vous avez trouvé un nouveau foulard? demanda-t-il.

— C'est votre mage qui me l'a offert, répondit-elle sans quitter des yeux l'horizon.

— Mon mage?

— Votre saint homme, si vous préférez. Balthazar.

Un large sourire fendit le visage de Marcus.

— Un mage, un saint homme – il serait flatté.

— Ce n'est pas ainsi que vous le voyez?

— Je ne l'aurais pas formulé ainsi, mais je vois ce que vous voulez dire. Et je suis d'accord avec vous. Vous l'avez vite percé à jour.

— Ce n'était pas difficile, répliqua-t-elle avec conviction. Il suffit de le regarder.

— Et moi ? ne put s'empêcher de demander Marcus. Que voyez-vous quand vous me regardez ?

Avec le plus grand sérieux, Avalon soupesa sa réponse, le front marqué de plis de concentration.

— Vous êtes... Vous êtes le laird, dit-elle enfin. Vous dégagez une impression d'autorité, et je pense qu'elle vous est naturelle. Vous avez également des yeux pour voir, vous aussi. Mais cela, vous le savez.

— Des yeux pour voir ? répéta-t-il, étonné.

— Une certaine acuité, du regard aussi bien que de la pensée. Ainsi qu'une grande réactivité. Ce qui va de pair en vous avec l'autorité naturelle, c'est la rapidité. La rapidité et la réactivité du faucon.

Ces mots ravivèrent un souvenir dans la mémoire de Marcus. En Égypte, jeune écuyer, il avait pu observer dans le désert un faucon de près. Perché sur la main du caravanier qui cherchait à le vendre, mais non encapuchonné, le rapace avait des yeux féroces, d'une couleur semblable à celle du sable, et des ailes aussi longues que des bras d'homme. Il avait été blessé, peut-être lors de sa capture, et tenait l'une de ses pattes aux serres impressionnantes près de son ventre. Marcus aurait voulu l'acheter pour le soigner, mais son chevalier s'y était fermement opposé, arguant qu'il ne s'agissait là que de sensiblerie. Ce qui, à la réflexion, aurait dû lui mettre la puce à l'oreille quant à la véritable nature de sir Trygve.

Marcus n'avait jamais oublié le faucon et sa fierté intacte, en dépit de sa patte abîmée.

À côté de lui, les yeux dans le vague, Avalon hocha la tête, perdue dans ses pensées.

— Un faucon, murmura-t-elle. C'est heureux. Un faucon peut combattre un serpent et avoir le dessus.

Marcus fronça les sourcils.

— Suis-je serpent ou faucon à vos yeux ?

Il avait posé la question d'un ton léger, mais c'était avec le plus grand sérieux – et une certaine angoisse – qu'il attendait la réponse.

— Faucon, répondit-elle sans hésiter. Ne l'oubliez pas.

Quiconque les aurait entendus se serait étonné – et peut-être moqué – de cette conversation. Pourtant, la réponse d'Avalon procura à Marcus un profond soulagement. Il eut l'impression qu'en un instant venait de disparaître en lui une crainte dont il n'avait jusqu'alors pas eu conscience. Et il lui en fut infiniment reconnaissant.

— Puisque je ne suis plus bouclée dans ma chambre, reprit Avalon, j'ai eu le temps de parcourir le château. Mais je ne m'attendais pas à soulever une telle ferveur sur mon passage.

— À quoi vous attendiez-vous donc ? s'amusat-il. Vous savez ce qu'ils pensent de vous, ce que vous représentez à leurs yeux. Leur ferveur et leur affection ne devraient pas vous surprendre.

— Mais il n'y a rien que je puisse faire pour eux ! s'emporta-t-elle. Rien ! J'ai pourtant essayé de le leur faire comprendre.

— Pour beaucoup d'entre eux, votre présence suffit. Ils ne vous en demandent pas plus.

— Pourtant, cela ne suffit pas, et vous le savez aussi bien que moi. Marcus…

Tournant la tête, il constata qu'elle le fixait avec intensité. Soutenant son regard, il résista à l'impulsion de la prendre dans ses bras.

— Votre clan vit dans une grande précarité, reprit-elle. Une fois encore, je vous le demande : acceptez les richesses qui m'appartiennent et que je vous offre. Elles pourraient tellement soulager leur misère…

— N'avez-vous pas encore compris ? s'étonna-t-il à mi-voix. Votre richesse n'est pas ce qu'ils recherchent. Ce qui les intéresse, c'est la Promise de la légende, pour mettre un terme à la malédiction qui les accable. Ce qu'ils veulent, c'est vous, Avalon. Uniquement vous.

Avalon se renfrogna et détourna le regard, apparemment incapable de trouver une réponse adéquate. Insensiblement, Marcus se rapprocha d'elle. Le cœur battant, il risqua une main autour de sa taille. Et à son grand émerveillement, elle ne fit rien pour se dérober.

Il n'aimait pas la sentir nerveuse, inquiète ou sur ses gardes auprès de lui. Il ne voulait pas susciter sa colère, la plonger dans le désarroi ou créer entre eux un antagonisme irrémédiable. Ce qu'il souhaitait, c'était faire naître son désir, comme elle savait si bien éveiller le sien. Cela, réalisa-t-il soudain, et davantage encore. Les sentiments et les envies qui se bousculaient en lui, et sur lesquels il n'aurait pu mettre de mots, lui faisaient presque peur. Mais tous ces sentiments, toutes ces envies se polarisaient autour d'un seul nom : Avalon.

— M'épouserez-vous ? demanda-t-il tout à trac.

La question lui avait échappé. La réponse d'Avalon fut tout aussi spontanée.

— Je ne le peux pas.

Il avait beau s'y être attendu, l'entendre le dire ne lui en était pas moins pénible. Il était même surpris d'en être aussi froissé. Mais cela ne changeait rien à sa détermination. Tôt ou tard, ils finiraient par se marier, même si Avalon refusait pour le moment de se plier à cette évidence.

Loin dans les montagnes, un loup solitaire hurla à la lune montante, grosse et ronde, de la couleur du bronze.

— Il est déjà tard, constata Marcus.

Mais il ne retira pas pour autant son bras de la taille d'Avalon. Elle ne répondit pas. Comme dans un rêve, ses cheveux se teintaient à présent de la couleur de l'astre lunaire et paraissaient plus dorés, plus éclatants. Sa peau captait cette lumière, elle aussi, et prenait le teint mat caractéristique des habitants de la Terre sainte. Ses yeux sombres étaient insondables. Tournant la tête sur le côté, elle les posa sur lui. L'espace d'un instant, il eut la certitude qu'un ange ne lui serait pas apparu plus radieux. Puis elle s'adressa à lui, et ses paroles le ramenèrent au cœur de leur pesante réalité.

— Dites-moi… comment avez-vous appris l'intention de Bryce de me marier à son frère ?

— Par une missive.

— Pourrais-je la voir ?

Marcus haussa les épaules et se résigna à retirer son bras. L'instant de grâce qu'ils venaient de connaître avait volé en éclats.

— Je ne vois pas pourquoi vous ne le pourriez pas.

Marcus ramena Avalon dans la pièce où elle avait comparu devant les émissaires. À l'amoncellement de parchemins et de documents sur la grande table, elle comprit qu'il devait s'agir de son cabinet de travail.

Pendant qu'il fouillait dans ce fatras, à la recherche de la missive dont il lui avait parlé, elle s'efforça de ne pas se laisser troubler par son profil de médaille à la noblesse inscrite dans chaque trait. Même dans ce tartan qu'elle détestait, il lui apparut soudain si beau, si désirable qu'elle ne put se défendre, l'espace d'un instant, des regrets qui l'assaillaient. Si seulement leurs vies avaient été différentes et s'il n'avait pas été le fils de Hanoch... Si seulement il n'avait pas cru en cette stupide malédiction, et si elle n'avait pas quant à elle fait le vœu de ne pas l'épouser...

Mais les faits étaient têtus et il ne servait à rien de les nier. Cet homme qui lui faisait battre le cœur était partie prenante de la légende qui l'avait dépossédée de son destin. Se laisser séduire par lui équivaudrait à accepter de se livrer corps et âme à la superstition qu'elle avait refusée toute son enfance et toute sa vie d'adulte.

— Je ne sais pas où elle est passée, maugréa-t-il avec découragement. Elle devrait être là.

— Qu'est-ce que c'est que tout ça ? s'étonna-t-elle en désignant les paperasses.

— J'aimerais bien le savoir, répondit-il d'une voix sourde. J'en ai hérité.

Ramassant un feuillet au hasard, Avalon se mit à le lire tout haut en le traduisant du gaélique à l'anglais.

— « Quatre barriques de bonne bière... Deux charrues et leurs socs... Semence d'hiver pour... vingt parcelles. Trente agneaux en paiement. »

Reportant son attention sur Marcus, elle demanda :

— Une quittance de transaction commerciale?

— Ça m'en a tout l'air. J'en ai ici des dizaines du même genre, griffonnées à la sauvette. Mon père n'avait sans doute ni le goût ni la patience de tenir des livres de comptes.

Avalon sut tout de suite que faire. Cinq années chez lady Maribel à apprendre l'art et la manière de se conduire en femme du monde n'avaient pas été gaspillées en pure perte.

— Vous avez grand besoin d'un intendant, dit-elle.

Marcus accueillit cette suggestion par un rire sans joie.

— Il y a tant de choses dont Sauveur aurait besoin, milady, et que je ne puis lui offrir... Un intendant en fait partie mais ne constitue pas une priorité.

Sans réfléchir, Avalon s'entendit suggérer:

— Je pourrais vous aider, si vous voulez.

Surpris, Marcus releva la tête et la dévisagea.

— Vous?

Avalon haussa les épaules.

— Pourquoi pas? répliqua-t-elle en laissant le document retomber sur la table. L'intendant de Gatting m'a donné des leçons pour que je ne sois pas ignorante des nécessités de l'administration d'un domaine. Selon lui, je suis assez douée pour les mathématiques.

— Vous voulez devenir l'intendante de Sauveur?

— Pas tout à fait, rectifia-t-elle. Je vous propose de former quelqu'un qui le deviendra. Choisissez un homme, ou une femme, et je lui transmettrai mon savoir.

Cette proposition laissa Marcus songeur. Avalon saisit sur la table un autre feuillet, puis un autre encore. Machinalement, elle commença à les rassembler en piles distinctes – factures, quittances, notes diverses, parfois comiques. Certaines concernaient des différends entre membres du clan soumis à l'arbitrage du laird. D'autres ne constituaient que de hâtives impressions sur certaines personnes.

— « Keith MacFarland, lut-elle. Froussard sournois et scélérat. »

— Du Hanoch dans le texte… commenta froidement Marcus.

— Il en était si convaincu qu'il a éprouvé le besoin de l'écrire. Mais il n'était pas du genre à écrire pour le plaisir. C'est Ian qui a dû insister pour que l'on m'apprenne à lire et écrire.

— Ian?

— Un ami de votre père. Ian MacLochlan. Celui qu'il avait chargé de m'apprendre à me battre. Vous ne l'avez pas connu?

— Non.

— Je vous envie…

Sans laisser à Marcus le temps de répondre, Avalon avisa un rouleau de parchemin et le déroula.

— J'ai l'impression que j'ai trouvé, dit-elle. N'est-ce pas ce que nous cherchions?

Marcus jeta un bref coup d'œil au message.

— C'est bien cela.

Avalon en étudia attentivement le contenu.

— C'est un messager du clan Murphy qui l'a amené ici, expliqua-t-il. Il a affirmé qu'il le tenait d'un clan voisin du sien, qui lui-même l'avait reçu d'Angleterre. Je n'en sais pas davantage.

Avalon lut à haute voix:

— « Avalon Farouche doit épouser son cousin, Warner Farouche, dès le mois prochain. La cérémonie aura lieu la deuxième nuit de la lune croissante au château de Trayleigh. »

L'écriture ne lui disait rien. Elle était surchargée des fioritures caractéristiques d'un scribe professionnel. Le papier était un vélin épais et luxueux.

La chimère, dans l'esprit d'Avalon, s'éveilla, s'étira paresseusement et bâilla, avant de l'introduire dans une pièce sombre. Une lampe à huile dispensait une maigre clarté sur une écritoire au-dessus de laquelle un scribe inscrivait à la plume les mots que lui dictait une femme encapuchonnée, penchée au-dessus de lui. Le visage de celle-ci ne lui était pas visible, mais Avalon ressentit son empressement, sa peur, son excitation, et comprit qu'il s'agissait de Claudia. Elle seule pouvait avoir la motivation et les ressources nécessaires pour chercher à prévenir le clan Kincardine de ce que tramait son mari.

Ce fut la voix profonde et bien timbrée de Marcus qui ramena Avalon à la réalité.

— Qu'avez-vous vu ? s'enquit-il.

Ces mots laissaient à penser qu'il savait à quoi s'en tenir quant à ses visions. Peut-être lui-même lisait-il dans les pensées.

S'efforçant de ne rien laisser paraître de son trouble, Avalon répondit :

— Rien de plus que vous. Une simple note.

— Vraiment ? insista-t-il. J'ai pourtant l'impression que vous savez qui m'a envoyé ce message.

— Je sais qui vous l'a envoyé, admit-elle en le reposant sur la table. Et je sais pourquoi. Il suffit d'y réfléchir pour le découvrir. Lady Claudia, la femme de mon cousin Bryce, avait tout à gagner en essayant de contrecarrer ce mariage.

— Pour quelle raison ?

— Elle m'a dit redouter de coûteuses représailles. C'est elle qui m'a prévenue des intentions de Bryce. Sans doute dans le but que je m'y oppose.

— De quelle manière ?

— Elle ne me l'a pas dit. Je suppose qu'elle s'attendait à ce que je m'insurge contre cette union devant tous les invités à la cérémonie, le moment venu.

— L'auriez-vous fait, Avalon ?

La jeune femme fut surprise de l'intensité avec laquelle Marcus avait posé cette question, comme s'il était anxieux de connaître la réponse. Incapable de soutenir son regard, elle détourna les yeux.

— J'avais un meilleur plan. Je faisais semblant de me prêter aux fiançailles voulues par Bryce pour mieux me sauver une fois les invités partis. Je n'avais pas réalisé que c'était un mariage contre mon gré qui était programmé cette nuit-là. Quand je l'ai appris, je me suis réfugiée dans le jardin pour réfléchir à la conduite à tenir.

— Et c'est là que je vous ai trouvée.

— Exactement.

Un sourire satisfait flotta sur les lèvres de Marcus.

— Ainsi, d'une certaine manière, je vous ai tirée des griffes de votre cousin.

Avalon comprit où il voulait en venir. Les poings serrés contre ses flancs, elle le foudroya du regard et s'insurgea :

— Si vous insinuez qu'en m'enlevant par la force, vous avez...

— Je n'insinue rien du tout, la coupa Marcus avec une délectation manifeste. Le fait est que je vous ai tirée d'une situation de laquelle vous n'auriez pu vous dépêtrer vous-même. Pour tout dire, je vous ai sauvée... Par conséquent, il me paraît évident que vous me devez une faveur, milady.

Avalon ouvrit la bouche, mais aucun son n'en sortit. Incapable de trouver les mots pour laisser libre cours à sa stupéfaction et à sa colère, elle tourna les talons et se hâta en direction de la sortie.

— Je vous souhaite une bonne nuit! lança Marcus dans son dos. Ne vous inquiétez pas, nous pourrons discuter demain de la faveur que je vous réclame.

Pour toute réponse, Avalon claqua la porte derrière elle.

9

— Ce qu'il faut te rappeler, c'est de toujours garder ton poignet bien tendu.

Penchée au-dessus de la jeune fille qu'elle entraînait, Avalon laissa courir ses doigts le long de son avant-bras et frappa d'un coup sec à la jointure avec la main.

— Tu vois ? reprit-elle. Si tu le laisses fléchir quand tu frappes, tu perds toute la force de ton coup et tu risques de te faire très mal.

Sa jeune recrue s'appelait Inez. Avec application, elle se remit en position, plaçant sa main comme Avalon le lui avait indiqué. Elle devait avoir treize ans et commençait donc à apprendre à se battre à l'âge où elle avait quant à elle à peu près terminé son entraînement.

Inez avait de doux yeux bruns et un sourire engageant. Elle était l'une des sept filles du groupe plutôt éclectique qui s'était porté volontaire pour apprendre les techniques de combat de la Promise. Elle avait vingt-huit élèves, tous très jeunes. Mais il y avait également des adultes qui s'attardaient autour du périmètre d'entraînement, hommes et femmes mélangés.

Quand Inez et ses amies étaient venues ce matin-là demander timidement si elles pouvaient participer au cours, les garçons avaient grondé et tenté de les chasser. Il avait fallu qu'Avalon menace de n'enseigner à personne si les filles étaient exclues pour qu'ils se fassent une raison.

De temps à autre, elle apercevait Marcus observant la séance à travers une fenêtre donnant sur le mur d'enceinte, déambulant dans la cour en compagnie d'un groupe d'hommes, ou s'approchant pour la regarder longuement, Balthazar à son côté. Son visage demeurait vide de toute expression, mais la chimère ne laissait rien ignorer à Avalon de la satisfaction qu'il éprouvait à la voir s'investir ainsi auprès de la jeunesse du château. Cela aurait sans doute dû l'énerver, mais ce n'était pas le cas.

Plus de deux semaines s'étaient écoulées depuis qu'il lui avait réclamé une faveur. Seize jours, en fait, et il n'en avait plus fait mention. Il n'avait pas non plus réitéré sa demande en mariage. Il semblait décidé à la laisser profiter pleinement de sa liberté retrouvée et découvrir Sauveur à son rythme et à sa guise. Sa parole qu'elle ne tenterait rien pour s'enfuir paraissait lui suffire. Pour le moment.

La porte des appartements d'Avalon n'était plus jamais fermée à clé. Cela lui allégeait l'esprit, la nuit, de savoir qu'elle pouvait sortir quand bon lui semblait. Il n'y avait plus non plus de garde en faction. Aux yeux de tous, elle constituait toujours une attraction qui faisait l'objet de toutes les conversations, mais la ferveur presque mystique qui avait suivi son arrivée au château s'estompait peu à peu. Elle s'ingéniait à démontrer, jour après jour, qu'elle était une femme ordi-

214

naire, menant une vie de femme ordinaire. Ce n'était peut-être pas suffisant, mais au moins elle essayait.

Elle était descendue à l'office rendre visite à Tegan et son équipe, et s'était même jointe à la préparation d'un repas. Faisant fi des protestations, elle avait pétri elle-même une pâte à pain. Les cuisinières, le premier instant de stupeur passé, l'avaient regardée travailler avec une sorte d'indignation ravie.

Elle était allée visiter l'atelier de tissage pour observer les tisserandes à leur métier. Leurs mains travaillaient habilement, à un rythme constant, transformant le fil de laine en couvertures, tuniques ou tartans. De jeunes enfants étaient assis à même le sol, près de leur mère, offrant parfois un peu d'aide ou se contentant la plupart du temps de jouer. Avalon avait eu la sagesse de ne pas s'essayer au tissage. Elle s'était contentée de complimenter sincèrement ces femmes pour leur savoir-faire. Peu à peu, mises en confiance, celles-ci lui avaient livré quelques bribes de leur existence.

Elle avait parlé aux sentinelles, ainsi qu'aux hommes qui l'avaient enlevée. Elle s'était rendue aux écuries – de ce qui en tenait lieu, du moins – et s'était mêlée aux lads pour soigner les chevaux. Posant leurs fourches, ceux-ci lui avaient fait faire la connaissance de tous les animaux présents, sans oublier les chats.

Quant aux leçons quotidiennes de combat au corps à corps qu'elle donnait, elles achevaient de l'humaniser en démystifiant ses « pouvoirs » de Promise.

Inez commençait à se fatiguer, ce qui n'était pas pour surprendre Avalon. Ils travaillaient depuis plus d'une heure et l'après-midi touchait à sa fin. Une heure, c'était bien moins que ce que Ian exigeait d'elle autrefois, mais elle n'avait pas l'intention d'être aussi impitoyable avec ses élèves qu'il l'avait été avec elle. Qui plus est, ils avaient encore certaines tâches à accomplir avant de pouvoir aller se reposer. Elle n'exigerait pas d'eux plus qu'il n'était raisonnable. Ils lui paraissaient déjà si fragiles...

Pas assez de grain... chantonna la chimère, comme si Avalon ne le savait pas déjà. *Pas assez de saumon...*

— Ça suffit pour aujourd'hui ! décréta-t-elle, plus sèchement qu'elle ne l'aurait voulu.

Pour adoucir ses propos, elle ajouta à la cantonade, avec un sourire :

— Vous avez tous très bien travaillé. Demain, je vous montrerai quelque chose de nouveau.

Les enfants s'égaillèrent. Certains coururent rejoindre leurs parents. D'autres s'éloignèrent lentement en discutant entre eux de ce qu'ils avaient appris.

Marcus, venu assister à la fin de la leçon, se tenait les bras croisés. Adossé à un mur, il ne regardait plus qu'Avalon, à présent. Son regard était si perçant qu'elle aurait juré qu'il discernait la chimère qui n'avait pas cessé de s'agiter en elle. Sous ses yeux, elle se sentait mise à nu, comme s'il percevait la moindre de ses pensées, le moindre de ses rêves. Comme s'il connaissait son âme.

Sous son crâne, la chimère tordit son cou sinueux et lui offrit un sourire grimaçant. *Pas assez...* chantonna-t-elle. *Pas assez...*

Fermant les yeux, Avalon leva son visage vers le ciel, laissant les rayons du soleil déclinant réchauffer ses joues et son front. Un souffle de vent amena à ses narines une odeur de feu de bois, peut-être venue de la grande salle, qui s'accordait parfaitement à l'atmosphère automnale. Les enfants avaient fini de se disperser, chaudement habillés de leurs tartans, prêts à achever la journée par leurs corvées du soir.

Pas assez... Pas assez...

Et quand bien même ils n'avaient pas assez pour vivre ? s'insurgea Avalon en son for intérieur. Que pouvait-elle y faire ? Était-elle supposée faire apparaître le grain qui leur manquait par miracle, d'un simple geste de la main ? Le saumon n'allait pas non plus, à son ordre, remonter en masse les rivières ! Alors pourquoi aurait-elle dû se sentir coupable de la pauvreté du clan Kincardine ?

Quand elle rouvrit les paupières, Avalon constata que Marcus ne l'avait pas quittée des yeux. Le soleil, avant de disparaître derrière un nuage, dardait sur lui un rayon oblique qui faisait luire ses cheveux noirs. Il soulignait le chaume de sa barbe du jour et le contour massif de sa mâchoire. Sa bouche, par contraste, n'en paraissait que plus sensuelle et parfaitement dessinée. Ainsi éclairés, ses yeux révélaient leur véritable couleur – pas tout à fait blancs, pas tout à fait bleus : de cette teinte intermédiaire que prennent les glaciers.

Leurs regards se rencontrèrent au-dessus de l'étendue d'herbe et de terre battue qui servait d'aire d'entraînement. Puis ils se tournèrent de concert vers la route sur laquelle apparut un instant plus tard, au détour d'un virage, un éclaireur galopant à toute vitesse.

Une brusque appréhension s'empara d'Avalon. De quelles nouvelles ce messager était-il porteur ?

Et si les émissaires étaient déjà de retour ? Si Bryce avait gagné la partie ? Si on lui ordonnait d'épouser Warner ? Qu'allait-elle bien pouvoir faire ?

Soulevant ses jupes, Avalon courut rejoindre la petite foule qui s'était assemblée pour attendre l'arrivée de l'éclaireur. Hommes et femmes s'écartèrent pour lui faire place et le groupe se referma autour d'elle, comme pour la garder en son sein et la protéger.

Avalon joua des coudes pour se frayer un passage jusqu'au premier rang où elle alla se placer à côté de Marcus. Celui-ci ne lui lança qu'un regard, avant de se retourner vers le cavalier qui venait de mettre pied à terre devant lui. Son cheval était couvert d'écume.

— Un convoi approche ! lança-t-il, hors d'haleine.

Des murmures s'élevèrent de la foule.

— Combien d'hommes ? s'enquit calmement Marcus.

— Pas beaucoup. Une demi-douzaine. Ils arborent la bannière de Malcolm. Et une autre encore, que je ne connais pas.

Avalon tenta de voir ce qu'il avait vu, mais la chimère, boudeuse, lui tourna le dos et se roula en boule.

— Quelles couleurs ? s'entendit-elle demander.

L'éclaireur porta son regard sur elle, puis sur son laird, qui acquiesça d'un hochement de tête.

— Vert et blanc, répondit-il. Avec une bête dessus.

— Un lion rouge ?

— Oui.

— Bryce... expliqua Avalon à l'intention de Marcus.

La foule fut agitée de remous. Les commentaires, de peur et de colère, fusèrent de tous côtés. Avalon se sentit tirée par la manche, happée par l'angoisse collective qui les saisissait. *Cacher la Promise... Ne pas les laisser la reprendre...*

— Attendez! ordonna Marcus en la libérant des mains qui l'agrippaient. Six hommes ne forment pas une armée. Et il faudrait une armée pour reprendre la Promise. Il doit s'agir de quelque chose d'autre.

— Qu'est-ce que ça peut être? s'enquit une femme.

— Un nouvel édit! cria une autre.

— Ils traversaient la vallée de Kale quand je les ai vus, révéla l'éclaireur. Ils ne vont pas tarder à arriver.

— Ramenez la Promise au château! suggéra un homme.

Plusieurs voix s'élevèrent pour lui donner raison.

— Pas question! s'insurgea Avalon. Je ne rentrerai pas.

Un grand silence s'ensuivit. Les regards convergèrent sur elle.

— J'ai dit que je resterai à Sauveur et je tiendrai parole, ajouta-t-elle d'un ton radouci. Mais je veux voir de quoi il retourne.

— Elle a raison... trancha Marcus. Elle a le droit d'entendre ce qui va se dire.

Le convoi était à présent visible au détour de la route. Juste une voiture, tirée par quatre chevaux, flanquée par quatre cavaliers et précédée de deux autres portant les oriflammes.

Le blason des Farouche ornait la capote de la voiture. Avalon la vit grimper la colline, le cœur serré. Il n'était pas possible que toutes ses malles aient tenu dans une seule voiture – ni même le tiers ou le quart.

Le convoi s'arrêta aux portes de Sauveur. En tête chevauchaient les hommes de Malcolm.

— Lequel d'entre vous est Kincardine ?

L'homme qui venait de s'exprimer était un guerrier grisonnant vêtu d'un tartan dont Avalon ne reconnut pas le motif.

— C'est moi, répondit Marcus en s'avançant d'un pas.

— Laird Kincardine, reprit le même homme. Je suis chargé de vous transmettre les chaleureuses salutations de notre souverain. Malcolm m'a chargé de vous dire que votre cause n'est pas perdue, et que votre dame vous est toujours promise.

Un soupir de soulagement collectif se fit entendre. Le chef de l'escorte mit pied à terre, suivi des trois autres Écossais. Les deux hommes qui conduisaient la voiture, vêtus aux couleurs de Bryce, observaient la scène d'un œil morne, le visage renfrogné.

L'homme qui s'était exprimé vint s'incliner devant Marcus.

— Je suis Gawain MacAlister, dit-il. Capitaine de la garde royale de Sa Majesté. Malcolm m'envoie vous assurer qu'il fait tout ce qui est en son pouvoir pour que votre bon droit soit reconnu.

— Je lui en suis reconnaissant, assura Marcus. Mais je suis également curieux. Que nous apportez-vous donc de Trayleigh ?

Cette question parut surprendre Gawain.

— Mais… la garde-robe de votre dame. Ainsi qu'elle le désirait, d'après ce que l'on m'a dit.

Déjà, Avalon se précipitait vers la voiture. Elle ne reconnut pas les deux hommes qui s'y trouvaient.

— Déchargez-les là, je vous prie! ordonna-t-elle en désignant un coin d'herbe dans la cour intérieure.

Les deux hommes de Bryce se consultèrent du regard avant de reporter leur attention sur elle. Leur manque d'enthousiasme était évident.

— Qu'attendez-vous donc? gronda l'un des hommes de Malcolm. Faites ce que vous demande milady!

En grommelant leur mécontentement, les hommes de Bryce descendirent de voiture et commencèrent à retirer la capote frappée aux armes de la famille Farouche.

Avalon eut tôt fait de compter les malles que transportait la voiture: sept, en tout et pour tout. Elle aurait été bien en peine d'affirmer si celle qui l'intéressait se trouvait dans le lot. Elle se rappelait à peine de ce à quoi elle ressemblait.

Les hommes de Bryce déchargèrent la première malle à l'endroit qu'elle leur avait indiqué. Avalon les rejoignit et tendit la main.

— Donnez-moi la clé.

L'un des deux fouilla dans une poche de la lourde ceinture qui ceignait sa taille. Il en tira un anneau sur lequel étaient rassemblées de petites clés de laiton ornementées qu'elle reconnut. Quand il l'eut déposé sur la paume d'Avalon, il tourna les talons sans un mot et emboîta le pas à son compagnon pour aller décharger la deuxième malle.

Insensiblement, le clan s'était rapproché et faisait cercle autour d'Avalon. Tous la regardaient avec curiosité. Sans doute se demandaient-ils ce qui motivait une telle hâte à ouvrir ses malles. Marcus, au premier rang, l'observait quant à lui sans trahir la moindre émotion. En faisant tourner la clé dans la première serrure, elle songea qu'elle aurait l'air d'une folle si jamais ce qu'elle cherchait ne se trouvait pas dans les bagages qui lui avaient été amenés.

Elle repoussa le couvercle d'un coup sec. Les gens tendirent le cou pour voir ce qui s'y trouvait, mais nul n'osa s'approcher – pas plus Marcus ou Balthazar, ni aucun des hommes de Malcolm.

Avalon ne put masquer sa déception. Oui, il s'agissait bien d'une partie de ses bliauds. En eux-mêmes, ils ne manquaient pas de valeur, mais ce n'était rien en comparaison de ce qu'elle cherchait. Elle avait pris soin de coudre ses plus grandes richesses dans ses vêtements les plus simples et les plus pratiques. Ne sachant dans quelles circonstances ni par quel temps elle s'enfuirait, elle avait voulu ne prendre aucun risque.

Et c'était effectivement ce type de vêtements que Bryce lui avait fait parvenir. Peut-être avait-il gardé les autres, plus coûteux, en prévision de son retour à Trayleigh. Mais ce n'était pas la malle qu'elle avait espérée qu'elle venait d'ouvrir. Pour être prête à partir à tout instant, elle avait placé sur le dessus de celle-ci les vêtements dans lesquels elle avait caché ses trésors.

Par acquit de conscience, Avalon commença néanmoins à fouiller, rejetant au fur et à mesure sur le côté les vêtements dépliés. Les envoyés de Trayleigh déposèrent la deuxième malle à côté de la première. Ils la regardèrent avec curiosité mettre celle-ci sens dessus dessous, mais ne firent pas de commentaire et retournèrent à la voiture.

Après avoir achevé ses fouilles sans succès, Avalon trouva la clé de la malle suivante et connut en l'ouvrant une nouvelle déception. Il en alla de même avec les quatre autres malles qu'elle fouilla successivement. Et plus s'accumulaient les déconvenues, plus son agitation allait croissant. À présent, elle remuait les vêtements et les rejetait avec une rage qui n'était pas sans causer quelque inquiétude dans l'assistance, surtout parmi les femmes.

Enfin, les hommes de Bryce déposèrent la dernière malle devant elle. Après avoir reculé de quelques pas, ils la regardèrent s'agiter avec autant d'attention que tous les autres spectateurs. Avalon pouvait sentir le désarroi et l'inquiétude grandir autour d'elle. Pourquoi la Promise se conduisait-elle si étrangement ? Était-elle victime de quelque fièvre, de quelque folie ?

Abandonnant la fouille qu'elle venait à peine d'entreprendre dans l'avant-dernière malle, Avalon se redressa et s'essuya le front d'un revers de manche. Quel risque stupide elle avait pris en se lançant tête baissée dans cette recherche devant tout le monde ! Comment avait-elle pu parier sur le fait que se trouverait dans les quelques bagages envoyés par Bryce ce dont elle avait besoin ?

La dernière fut la bonne. En l'ouvrant, Avalon aperçut tout de suite le bliaud couleur tourterelle, d'une trompeuse simplicité. Avec un cri de triomphe, elle le plaqua contre elle et virevolta jusqu'à Marcus, sous le regard médusé des membres du clan. Les bras croisés, il la fixa sans rien dire, impassible.

— Votre dague, s'il vous plaît… dit-elle, la main tendue vers lui.

Ses pensées lui étaient inaccessibles. Comme chaque fois qu'une émotion violente le tourmentait, l'expression de son visage demeurait indéchiffrable. Mais en entendant sa requête, il se contenta d'incliner la tête, de dégainer son arme et de la lui tendre, la poignée en avant.

Balthazar, debout à côté de lui, semblait être le seul à comprendre ce qu'elle faisait. Avant qu'elle ne s'éloigne, il lui adressa un signe de tête approbateur.

Allant se placer devant la longue rangée de malles, Avalon se retourna pour faire face aux femmes et aux hommes interloqués.

— Clan Kincardine ! lança-t-elle, haussant la voix pour se faire entendre de tous. J'ai ici ce qui vous sauvera de la misère !

La dague de Marcus était tranchante et juste à la bonne dimension. Défaire l'ourlet du bliaud fut un jeu d'enfant. Quand elle eut terminé, Avalon maintint le vêtement à bout de bras et lui donna quelques brèves secousses. Une pluie de pierres précieuses, de broches, de boucles d'oreilles, d'anneaux, de pendentifs s'abattit dans l'herbe accompagnée d'un bruit de grêle percutant le sol. Il y avait là, pêle-mêle, des perles et des saphirs, des émeraudes, des rubis et de l'or, des topazes et des améthystes. Tout cela avait appartenu à Gwynth, la mère d'Avalon. Et tout cela était à présent à elle de plein droit.

Après une exclamation de stupeur, un grand silence était retombé sur la foule. Avalon se baissa et ramassa une broche ornée de deux perles, l'une blanche, l'autre noire. Elle la brandit à bout de bras, pour que tous puissent la voir, puis ramassa un anneau serti d'une émeraude et le fit admirer à son tour. Son regard balaya les visages médusés qui l'entouraient. Celui de Marcus restait de marbre. Balthazar et Gawain MacAlister souriaient ouvertement. Avalon marcha à grands pas jusqu'au mage et lui fourra les deux bijoux dans les mains, sachant que son maître, lui, ne les accepterait pas.

De retour devant la malle, elle en tira une robe bleu nuit à laquelle elle fit subir le même sort qu'au bliaud. D'autres joyaux tombèrent et allèrent rejoindre les autres dans l'herbe. Tous la regardaient. Personne ne pipait mot.

— C'est pour vous ! expliqua-t-elle en désignant le trésor à ses pieds. Vous pourrez acheter le grain, les bêtes, les métiers à tisser, et tout ce dont vous avez besoin.

Puis, cherchant le regard de Marcus, elle ajouta :

— Vous pourrez reconstruire les écuries et effectuer les réparations dont Sauveur ne peut plus se passer.

Un son enfla peu à peu dans l'assemblée, monta en puissance jusqu'à devenir cri d'allégresse. Hommes et femmes, hilares ou en pleurs, s'embrassaient, tombaient à genoux, levaient au ciel des yeux éperdus de gratitude. Leur émotion frappa Avalon de plein fouet. Il lui fut impossible de ne pas en reconnaître la nature. Ce que tous voyaient dans ce qui venait de se passer, c'était la concrétisation d'un second miracle annoncé par la légende du Bel Amour.

Quelques-uns s'approchèrent et se baissèrent pour baiser l'ourlet de sa jupe.

— Vous ne comprenez pas ! protesta-t-elle vainement. Cela n'a rien d'un miracle. C'est du réel, du concret ! Rien à voir avec cette stupide prophétie...

Spontanément, une chaîne humaine s'était formée. Les joyaux passaient de main en main, jusqu'au laird, à qui ils étaient respectueusement offerts. Marcus fut bien obligé de se départir de son impassibilité. Dans un premier temps, il secoua la tête et repoussa ces offrandes, mais la ferveur et l'insistance de son clan étaient telles qu'il dut finir par accepter. Dans ses mains s'accumulaient les bijoux, l'or, les joyaux, mais au fond de ses yeux Avalon lisait que cela ne lui suffisait pas, que ce n'était pas cela qu'il voulait.

Au centre d'elle-même, la jeune femme entendit retentir un rire sauvage. Le rire de la chimère.

Elle n'avait pas cherché à entretenir la légende, mais à la ridiculiser. Elle avait souhaité faire comprendre à ces gens qu'ils ne souffraient pas à cause d'une quelconque malédiction, et que seuls des remèdes bien réels pouvaient leur venir en aide. Au lieu de cela, ils avaient récupéré son initiative pour nourrir leurs croyances. Aussi facilement que Ian lorsqu'il repoussait les assauts malhabiles de son élève, les membres du clan Kincardine l'avaient jetée au tapis sans effort. Le résultat était le même : elle se retrouvait aussi impuissante et effondrée.

Avalon se passa les mains sur le visage avec lassitude. Quand elle les retira, Marcus la regardait, le sourire aux lèvres, sachant à n'en pas douter quelle tempête faisait rage sous son crâne, goûtant la satisfaction de la voir un peu plus empêtrée dans les rets qu'elle cherchait à fuir.

Aussi dignement que possible, Avalon prit dans la malle un troisième vêtement aux ourlets bourrés de pierreries, un manteau à la doublure truffée de pièces d'or, et les plia sur son bras.

Sans cesser de sourire, Marcus la regarda approcher de lui. Avalon aurait souhaité le haïr, mais il offrait à ses yeux une vision trop troublante pour qu'elle puisse ressentir à son égard autre chose que de l'admiration et du désir. Sa masculine présence et l'aura de puissance qui émanait de lui se trouvaient encore accentuées par les richesses que ses mains recélaient. Il offrait l'apparence d'une créature céleste descendue un instant sur terre pour répandre sur les mortels la manne divine.

Avalon se campa devant lui et soutint fermement son regard, refusant de s'avouer vaincue.

— Ce n'est pas fini, dit-elle en laissant tomber les deux vêtements à ses pieds. Voilà le reste.

Mais ce n'est pourtant pas assez... ricana la chimère.

Le sourire de Marcus s'élargit, comme s'il l'avait entendue. Il rengaina la dague qu'Avalon lui tendait et lança à la cantonade :

— Pour cet accomplissement, remercions la Promise !

Des rangs de la foule s'éleva un retentissant cri d'allégresse.

Les cuisines étaient désertes. En y pénétrant, Avalon songea que tous devaient être encore dans la cour intérieure du château, à se féliciter de la prétendue réalisation de leur stupide légende. Sans doute leur cher laird soudain cousu de richesses restait-il parmi eux, à se faire admirer de tous. Grand bien lui fasse ! songea-t-elle avec acrimonie. Qu'il soit donc leur bien-aimé sauveur à sa place, puisqu'il croyait comme eux à ces superstitions.

Au cellier, elle trouva un morceau de fromage et un croûton de pain. Cela devrait suffire pour l'instant. Avalon les emporta avec elle et se mit en quête d'un coin isolé pour les manger. Après avoir déambulé dans la partie du château qui tombait en ruine, elle porta son choix sur ce qui avait dû être un corps de garde autrefois. Ronces et hautes herbes y poussaient dorénavant, et dans ce qui restait du toit, de petits oiseaux avaient installé leur nid. Ils l'accueillirent de leurs gazouillis joyeux.

Une pierre taillée rectangulaire, depuis belle lurette tombée des hauteurs, lui fournit un siège approprié. Après s'y être confortablement installée, Avalon commença son repas improvisé.

Son épaule allait de mieux en mieux. Même après les efforts de l'entraînement du jour, c'était à peine si elle ressentait une faible douleur. Quant à ses côtes, elles ne la faisaient plus souffrir et n'avaient plus besoin d'être bandées. Bientôt, elle serait parfaitement rétablie, et lorsque les émissaires reviendraient, elle n'aurait plus aucune excuse pour ne pas les suivre.

Mais voudrait-elle les suivre ?

Avalon soupira en constatant qu'elle n'en savait rien. Il y avait peu encore, elle savait à quoi s'en tenir et s'accrochait à ses rêves. Désormais, elle était perdue et il lui semblait dériver en plein brouillard. Elle ne parvenait plus à discerner le bien du mal, le désirable du détestable, et cela la plongeait dans le désarroi. L'étrange attirance qui la poussait dans les bras de celui qu'elle aurait dû fuir comme la peste n'arrangeait rien.

Cette attirance était un piège plus dangereux encore que la légende dans laquelle on la condamnait depuis l'enfance à jouer le premier rôle. Un piège susceptible, si elle se laissait faire, d'avoir raison de sa détermination et de la condamner à rester à Sauveur. Ce n'était tout de même pas ce qu'elle désirait ?

Bien sûr que non ! Si elle se résignait à être la Promise qu'attendait le clan Kincardine, c'en serait fini de sa liberté. La légende l'avalerait tout entière. Alors, du fond du purgatoire où il devait croupir, Hanoch aurait toutes les raisons de rire et de se moquer d'elle. Elle se condamnerait à être ce qu'il avait voulu faire d'elle : une créature sans autre identité, sans autre personnalité que celles déterminées par cette fable ridicule. Sa vie ne serait plus qu'une farce sinistre.

De plus, si elle se résignait à rester à Sauveur, elle n'aurait sans doute jamais l'opportunité de faire payer à Bryce ce qu'il avait fait. Si Marcus finissait par apprendre que c'était lui qui avait amené les Pictes à Trayleigh, il ne lui permettrait pas d'assouvir elle-même sa vengeance et se chargerait de le faire pour elle. Or c'était à elle, non à lui, qu'il revenait de venger la mort de son père.

La conclusion s'imposait d'elle-même, et Avalon ne pouvait plus l'ignorer. Il lui fallait partir. Pourtant, si elle s'y résignait, sans doute ne reverrait-elle jamais plus Marcus Kincardine. Et pour une raison qui lui échappait, cette perspective l'emplissait de désespoir.

Rassuré par l'immobilité dans laquelle l'avaient plongée ses pensées, un oiseau se posa près d'Avalon. Amusée, elle le vit s'approcher d'elle à petits sauts prudents, la tête penchée, ses yeux noirs fixés sur elle. Arrachant un morceau de pain, Avalon le lança dans sa direction. Effrayé, l'oiseau recula précipitamment, avant de revenir à la charge, sans la quitter des yeux.

— Je ne te ferai pas de mal… assura-t-elle à mi-voix. Vas-y, prends-le. Il est à toi.

Sautant d'un dernier bond sur l'offrande, le merle s'en saisit et s'envola dans un froissement d'ailes.

— Ainsi, les habitants de Sauveur ne vous suffisent plus, milady, lança derrière elle une voix qu'elle reconnut tout de suite. Il vous faut également nourrir les animaux.

Avalon tourna la tête. Comme s'il lui avait suffi de penser à lui pour le voir apparaître, Marcus s'encadrait dans l'ouverture de la porte. Le soleil, dans son dos, l'éclairait à contre-jour, couchant son ombre immense sur le sol. Les oiseaux abrités dans le toit se firent soudain très silencieux. Un court instant plus tard, ils s'envolèrent à grand bruit vers des hauteurs plus sûres, celles du ciel.

— Ne devriez-vous pas être en train de compter vos richesses ? demanda-t-elle froidement.

Pour mieux feindre l'indifférence, Avalon se retourna et entreprit de grignoter son bout de fromage.

— Considérez que c'est déjà fait.

Elle l'entendit s'approcher, louvoyant habilement entre les ronciers pour ne pas s'y piquer.

— J'ai découvert une méthode infaillible pour vous localiser, reprit-il d'un ton léger. Je n'ai qu'à penser à l'endroit le plus isolé pour être sûr de vous y trouver.

— Comme c'est commode pour vous ! répliqua-t-elle d'une voix lasse.

— C'est surtout apaisant. Je me sens plus tranquille de savoir où vous trouver.

Il choisit pour s'asseoir une pierre assez semblable à celle sur laquelle elle s'était installée. Le hasard avait voulu qu'elle tombe juste en vis-à-vis, dans un fouillis de hautes herbes sauvages. Et juste derrière, un peu sur la gauche, une haute fenêtre donnant un aperçu de la campagne environnante semblait être une toile colorée accrochée au mur.

Avalon s'efforça de poursuivre son repas sans lui prêter attention, mais il parut mettre un point d'honneur à contrecarrer ses plans. Il n'eut pas pour cela à prononcer la moindre parole. Il lui suffit de la fixer attentivement, un peu boudeur, comme s'il cherchait à comprendre toutes les facettes d'un fascinant mystère.

À la fin, n'y tenant plus, Avalon s'impatienta.

— Pourquoi me regardez-vous ainsi ? Y a-t-il quelque chose que vous attendez de moi ?

Ces paroles innocentes provoquèrent un brusque changement en lui. Ses yeux s'assombrirent. Elle y vit luire une lueur de convoitise. Ses lèvres sensuelles s'incurvèrent lorsqu'il répondit :

— Il y a bien des choses que j'attends de vous.

Avalon se garda de demander lesquelles. Il n'y avait pas à se tromper sur la nature du sous-entendu. Il lui fallut baisser les yeux pour masquer sa réaction, mais sans doute la brusque rougeur qui lui monta aux joues ne passa-t-elle pas inaperçue.

— Dites-moi, Avalon… reprit-il d'une voix qui n'avait rien perdu de ses inflexions sensuelles. Qu'allez-vous faire du reste de vos vêtements, à présent que vous avez trouvé ce que vous y cherchiez ? Les porter, à la place du tartan ?

Elle n'y avait pas réfléchi. Quand elle avait affirmé aux émissaires qu'elle souhaitait porter autre chose, cela n'avait été qu'une ruse pour convaincre Bryce de lui faire parvenir ses malles. Mais le refus de porter le tartan pourrait être interprété comme un rejet du clan lui-même. Ce qui n'était pas son intention. Une autre partie d'elle-même, plus rebelle, lui susurrait qu'elle n'avait pas à se laisser dicter sa manière de se vêtir.

— Prenez-les également, s'entendit-elle cependant répondre. Vendez-les. Vous en tirerez un bon prix.

À ces mots, Marcus arqua un sourcil. Un genou serré entre ses mains, il se pencha en arrière.

— J'aime vous imaginer sans vos vêtements, mais ce n'est pas pour cela que je les vendrais.

Résolue à ignorer cette fois le double sens contenu dans ses paroles, Avalon haussa les épaules.

— Pourquoi? rétorqua-t-elle. J'en ai bien d'autres.

— Pour la bonne raison que je n'en ai pas besoin. Vous venez de remplir abondamment nos coffres.

Avalon laissa son regard dériver vers la fenêtre, derrière l'épaule de Marcus. On y voyait une rivière sinuer dans un paysage idyllique avant d'aller se jeter dans un *loch**.

— Est-ce pour entrer en possession de vos bijoux que vous teniez tant à récupérer vos bagages? s'enquit-il.

— Naturellement. Je pouvais difficilement demander à Bryce de me les envoyer afin que je puisse vous les offrir!

Marcus garda le silence, méditant cette réponse. Ses yeux demeuraient obstinément fixés sur elle. Bientôt, Avalon ne put plus le supporter et se leva, brossant les miettes de pain accrochées à sa robe. Elle marcha jusqu'à la fenêtre et s'abîma dans la contemplation du paysage.

— Me voici donc réduit à supputer ce que seront les prochaines actions de ma Promise... poursuivit Marcus dans son dos. Vous pensez avoir sauvé le clan, n'est-ce pas? Vous imaginez vraiment pouvoir vous débarrasser de la légende à si bon compte ? Une pluie de diamants pour échapper à vos obligations envers Sauveur. Une rançon pour prix de votre liberté.

Avalon ne répondit pas, mais c'était effectivement cela, plus ou moins, qu'elle avait eu en tête. Elle se demanda pourquoi, dans ce cas, elle ne se sentait pas aussi bien qu'elle l'aurait dû. À son malaise se mêlait une colère naissante. De quel droit Marcus se moquait-il de ses efforts ? Comment osait-il tourner en dérision sa conduite, alors qu'elle n'avait fait que venir en aide à son clan ?

— Vous voilà prêts à affronter l'hiver rigoureux qui s'annonce, objecta-t-elle. Cela, vous ne pouvez le nier. Et au printemps, vous aurez du blé en herbe dans vos champs et du bétail dans vos étables. Je vois mal en quoi ma présence ici vous est encore nécessaire.

La réponse de Marcus fusa.

— Vous ne voyez pas en quoi j'ai encore besoin de vous ? Laissez-moi en douter.

Avalon se mordit la lèvre.

— Je pense que vous voyez tout à fait clairement en quoi vous êtes indispensable ici, précisa-t-il. Vous savez à quel point mon clan a besoin de vous. Et vous savez combien j'ai moi aussi besoin de vous.

Avalon pivota sur ses talons.

— Ce que je sais, répliqua-t-elle vivement, c'est que vous avez dorénavant les moyens de sortir de la misère. En gérant ces fonds avec prudence, votre clan pourra prospérer au cours des générations à venir. C'est le seul cadeau que je puisse lui faire. Et je ne vous permets pas de le traiter avec dédain.

Avalon n'eut pas le temps de le voir se lever et bondir près d'elle avec autant de souplesse et de rapidité qu'un fauve. Ils étaient si proches qu'elle pouvait sentir son souffle sur son visage. Le cœur battant, elle s'efforça de ne rien laisser paraître de son trouble et de soutenir sans ciller son regard de glace rivé au sien.

— Ai-je dit que je le dédaignais ? murmura-t-il.

— Fort bien. Alors, cette discussion est close.

Mais Marcus, qui lui barrait toute retraite, ne paraissait pas décidé à en rester là. Ce fut d'un ton espiègle qu'il lui demanda :

— Vous pensez toujours à vous retirer au couvent ?

Avalon réalisa alors qu'elle n'en avait plus la moindre envie. Le vieux rêve de se réfugier chez les nonnes avait fait long feu. Des jours sans fin, à effectuer les mêmes routines assommantes, en compagnie des mêmes femmes austères, stoïques et pieuses, mais dans une solitude infinie. Une telle existence avait pu lui paraître supportable, autrefois, et d'une certaine manière attrayante après l'agitation et la mesquinerie de la vie à Londres. Mais plus aujourd'hui.

Aujourd'hui, face à cet homme si grand et sûr de lui, si séduisant qu'il lui fallut détourner le regard pour ne pas rougir une nouvelle fois, la vie monastique lui paraissait pire que l'enfer. Et pourtant, c'était le seul choix qu'il lui restait. En essayant de paraître plus convaincue qu'elle ne l'était en réalité, elle répondit :

— Rien ne pourra m'empêcher de partir. Dans un couvent, je pourrai me retirer en paix.

— Ah oui ? dit-il d'une voix dangereusement calme. Il me semblait pourtant vous avoir convaincue du contraire.

Ils étaient si près l'un de l'autre que Marcus n'eut pas à se pencher beaucoup pour l'embrasser.

Il le fit sans brusquerie, mais avec suffisamment d'autorité pour ne lui laisser aucune échappatoire. Sous ses lèvres, avec gourmandise, il explora la forme et le modelé des siennes. Et quand ce baiser prit fin, il but jusqu'au petit soupir étouffé qui lui échappa.

Refermant ses bras autour d'Avalon, Marcus l'attira contre lui. Aussitôt, venue de nulle part, la passion s'enflamma en elle. Comme d'eux-mêmes, ses bras se verrouillèrent sur les épaules de Marcus. Les courbes de leurs corps se mêlèrent. Avalon eut l'impression de se noyer en lui. Elle sentit sa main caresser sa nuque, ses doigts suivre paresseusement le contour de son menton, effleurer son cou, puis ses épaules.

Avalon était perdue, délicieusement et désespérément perdue. Mais le pire, c'était qu'elle s'en moquait, du moment que Marcus l'embrassait ainsi, plus rudement cette fois, avec plus de fougue et une urgence plus grande.

— Avalon... chuchota-t-il contre sa gorge, où il déposa un baiser. Je ne veux pas me disputer avec vous.

Il allait gagner, réalisa-t-elle soudain. Il allait l'emporter sur elle parce qu'elle était incapable de lui résister. Non seulement elle n'avait pas la force de s'opposer à ses baisers et à ses caresses, mais elle n'en avait pas l'envie. Elle ne pouvait plus se passer du contact enivrant de son corps dur et chaud. Elle était ivre du goût de miel de ses lèvres, de sa bouche. Plus rien ne comptait. Seul importait le fait que cette étreinte ne cesse jamais.

Le chaume de sa barbe vint lui râper la joue, délicieuse torture. En un dernier effort pour lutter contre sa faiblesse, elle tenta de le repousser.

— S'il vous plaît... murmura-t-elle sans conviction. Laissez-moi !

— Je ne peux pas, répondit-il tout bas. Je ne peux pas !

Marcus se laissa glisser sur le sol, l'entraînant avec lui. Il se servit de son corps pour amortir la chute d'Avalon, sans jamais relâcher la pression de ses bras autour d'elle. Un instant plus tard, elle se retrouva allongée dans l'herbe, les yeux fixés sur le bleu du ciel.

Le poids inattendu du corps de Marcus sur elle alarma la jeune femme. Non parce qu'il l'écrasait ou lui faisait mal, mais parce qu'il l'immobilisait totalement, lui interdisant toute possibilité de fuite. Une des jambes de Marcus reposait entre les siennes, sa cuisse frottant doucement cet endroit secret de son corps où commençait à sourdre une douce chaleur. Ce contact intime faisait naître en elle un désir inconnu, effrayant, autant par sa nature que par son intensité.

Avalon tourna la tête sur le côté pour échapper au regard scrutateur de Marcus. Il en profita pour déposer un chapelet de baisers le long de sa joue, jusqu'à son oreille. Une sorte de rythme obsédant envahissait la jeune femme. Une pulsion sourde qui prenait naissance en cet endroit de son corps que la cuisse de Marcus continuait de caresser avec obstination.

Elle s'arc-bouta pour mieux profiter des caresses qu'il déposait d'une main sur son corps. Passant de ses seins à son ventre, il s'aventura toujours plus bas, jusqu'à s'immiscer sous ses jupons. Et quand ses doigts se posèrent enfin entre les jambes d'Avalon, elle tourna la tête pour lui faire face, les yeux écarquillés. Sans doute aurait-elle dû lui demander d'arrêter, mais c'était de ne surtout pas en rester là qu'elle mourait d'envie de le supplier.

En réponse au petit cri inarticulé qu'elle émit, Marcus s'empara de ses lèvres et l'embrassa avec passion, tandis qu'il commençait à la caresser au plus intime de son être. Le miel qu'elle avait goûté sur sa bouche, c'était au plus secret d'elle-même qu'il coulait à présent. Marcus savait parfaitement quel effet ses audacieuses caresses produisaient sur elle.

— Vous resterez avec moi... susurra-t-il au creux de son oreille.

La gorge nouée, incapable de prononcer la moindre parole, Avalon secoua négativement la tête.

— Vous ne me quitterez pas... insista-t-il.

Il introduisit un doigt en elle, et Avalon ne put retenir un cri, de surprise autant que de plaisir. Avec urgence, elle se pressa contre lui. Elle serait morte, lui semblait-il, s'il s'était brusquement retiré.

— Vous resterez, Bel Amour...

Tout ce qu'elle ressentait, ce flot de sensations qui la submergeait, parut se concentrer en un point infiniment dense en elle. Bientôt, celui-ci explosa en une déflagration libératrice qui la laissa faible et pantelante.

Le cercle de ciel bleu au-dessus d'elle l'éblouissait. Elle dut fermer les yeux pour se protéger de la lumière.

Posément, Marcus retira sa main et remit ses jupons en place.

— Vous resterez, conclut-il d'une voix sans appel.

Sur ses lèvres, il déposa un baiser léger et ajouta :

— C'est ici que vous êtes chez vous. Avec moi. *Je vous aime.*

Ces mots avaient fleuri spontanément dans son esprit. Avalon ne savait s'ils émanaient d'elle, de lui, ou s'ils n'étaient qu'un écho relayé par la chimère.

Marcus l'aida avec un luxe de précautions à se remettre sur pied. Tournant autour d'elle, il épousseta avec soin ses vêtements du plat de la main, jusqu'à ce que rien d'autre que ses joues empourprées n'indique ce qui venait de se passer.

Pour terminer, il passa les doigts dans ses cheveux, ôtant les brindilles qui s'y accrochaient. Quand il eut terminé, il la fixa au fond des yeux et Avalon devina dans les siens une frustration qui confinait à la souffrance.

— Allons-y, dit-il en lui présentant son bras. Il est temps de rentrer.

10

La réserve d'huile de la lampe était presque épuisée. La mèche commençait à brasiller, empêchant Avalon de déchiffrer le livre de comptes qu'elle survolait.

— Sept... anges reproducteurs ? s'étonna-t-elle.

— Je crois qu'il faut lire *angus**, milady.

Penchée au-dessus de l'épaule d'Avalon, Ellen fronça les sourcils pour déchiffrer l'écriture dont l'encre avait pâli.

— Je n'en suis pas tout à fait sûre, reprit-elle. Mais...

— Tu as raison, l'interrompit Avalon. J'avais mal lu.

S'adossant au fauteuil de Marcus qu'elle occupait, elle renversa la tête en arrière et se frotta les paupières.

Ellen était l'épouse d'un des guerriers du clan. Après avoir cherché le meilleur candidat pour devenir l'intendant du château, c'était sur elle que le choix d'Avalon s'était porté. Étant donné l'aura que lui conférait sa spectaculaire contribution aux finances collectives, nul n'avait osé protester contre le fait qu'elle ait choisi une femme pour occuper ce poste convoité.

Brillante, volontaire, enthousiaste, Ellen avait un remarquable esprit de synthèse et une certaine facilité pour le calcul mental. Aucun des autres candidats ne lui était arrivé à la cheville. Marcus, lorsque Avalon lui avait fait part de son choix, s'était contenté d'acquiescer, disant qu'il était persuadé qu'elle savait ce qu'elle faisait. S'il l'avait vue penchée sur ces paperasses à la nuit tombante, prenant pour des anges des angus reproducteurs, peut-être aurait-il changé d'avis…

— Et si tu allais te coucher, à présent ? suggéra Avalon à son élève.

— Me coucher ? se récria celle-ci en se redressant. Mais, milady… il y a encore tant à faire !

— Nous en avons déjà fait beaucoup en deux jours. N'as-tu pas remarqué comme tout est calme, Ellen ? Tout le monde s'est déjà retiré dans ses quartiers.

Les yeux écarquillés, la jeune femme porta le regard sur la fenêtre presque totalement obscurcie, puis sur la lampe.

— Nathan ! s'exclama-t-elle.

— Vas-y, l'encouragea Avalon. Ton mari t'attend.

Le dénommé Nathan semblait très amoureux, totalement dévoué à sa femme, et très fier qu'elle ait été choisie. Soucieux de la voir réussir dans sa tâche, il était allé jusqu'à leur apporter leur repas dans le cabinet de travail du laird.

Après une brève révérence, Ellen s'empressa de gagner la porte. Avalon, qui n'avait aucun mari à rejoindre en courant, s'accorda un moment de détente. Les coudes sur la table, le front posé sur ses mains jointes, elle ferma les yeux.

Cinq jours s'étaient écoulés depuis que Marcus l'avait rejointe dans le corps de garde abandonné. Et depuis cinq jours, à cause de lui, sa vision du monde avait changé. Elle avait appris qu'elle pouvait être l'esclave de ses sens, quelle que puisse être sa force de caractère. Cela, et tant d'autres choses secrètes la concernant, le laird des Kincardine le savait. Tout comme il savait en user pour la contrôler.

Il lui avait suffi de la coucher sur le sol et de la combler de caresses et de baisers pour que les défenses d'Avalon disparaissent. Dès que ses lèvres, dès que ses mains s'étaient posées sur son corps, il n'y avait plus eu que le désir bouleversant qu'il lui inspirait, l'appétit sensuel que lui seul savait éveiller. Qu'il savait utiliser pour lui prouver qu'elle avait tort de lui résister. Et qu'il utiliserait encore, à n'en pas douter, si elle le laissait faire.

Après avoir brasillé une dernière fois, la mèche de la lampe s'éteignit tout à fait. La pièce n'était plus éclairée que par le mince croissant de lune visible à travers la fenêtre. Avalon songea qu'elle ferait mieux de suivre le conseil donné à son élève et d'aller se coucher, mais sa chambre n'offrait plus pour elle aucun attrait.

Depuis cinq jours, c'était une autre pièce du château, qu'elle n'avait jamais visitée, qui l'attirait. Les pensées les plus incongrues la tourmentaient. À quoi la chambre de Marcus pouvait-elle bien ressembler ? Quelle vue découvrait-on depuis ses fenêtres ? De quelle couleur était la literie, et de quelle étoffe étaient les tentures du baldaquin ?

Agacée, Avalon soupira et se dressa d'un bond, renversant une pile de documents qui alla se répandre sur le tapis.

— Splendide ! grommela-t-elle en se penchant pour les ramasser.

Rapidement, elle rassembla les feuillets épars en un tas approximatif qu'elle reposa sur la table. Le dernier avait glissé jusqu'à l'âtre, où ne subsistaient plus que quelques braises. La lumière argentée dispensée par la lune éclairait une écriture penchée qu'elle connaissait à présent parfaitement – l'écriture de Hanoch.

Intriguée, Avalon scruta le document et se mit à lire.

C'est Keith MacFarland qui a organisé la rencontre. Et c'est également lui qui a veillé au paiement. Il prétend ne rien savoir d'autre. Le chef des Pictes s'appelait Kerr. Le prix fixé était d'un shilling d'or par tête. Cinquante shillings pour le baron. Vingt pour la fille. Payables après exécution du contrat, en pièces françaises. C'est à Aelfric, fils de Kerr, que Farouche a remis l'argent.

Avalon dut lire une deuxième fois le billet avant que sa signification ne lui apparaisse clairement. Hanoch avait découvert qui avait lancé les Pictes sur Trayleigh. Il savait tout. Ce document en apportait la preuve.

— Encore debout, milady?

Enfouissant en hâte le papier dans le décolleté de son bustier, Avalon fit volte-face. Balthazar se tenait juste derrière elle. Levant les mains devant lui en signe de paix, il recula d'un pas.

— Du calme, dit-il. Vous n'avez rien à craindre de moi.

Le cœur battant, Avalon sentit ses poings se crisper.

— Je vous supplie de ne pas me faire de mal, reprit le mage en s'inclinant humblement. J'implore votre pardon pour vous avoir surprise ainsi.

Il badinait pour la détendre, et cela fonctionna. Laissant retomber ses poings contre ses flancs, Avalon desserra les doigts.

— Vous êtes plus silencieux qu'un chat ! s'exclama-t-elle.

— Un chat errant, dans ce cas. Un immonde bâtard indigne de votre pardon et qui...

— Cessez ce badinage ! Je vous trouve bien facétieux, pour un moine.

— Sans doute parce que je n'en suis pas un.

Avalon crut avoir mal entendu.

— Mais... vous avez dit aux émissaires que...

— Que j'avais rejoint le monastère de Saint-Siméon, oui.

— Pour devenir moine.

— Je ne le suis pas resté. Je me suis défroqué avant de suivre mon maître.

Avalon ne put retenir un petit rire ravi.

— Vous auriez pu leur mentir, mais vous avez su vous arranger pour ne pas le faire, n'est-ce pas ? Vous ne leur avez dit que la stricte vérité, en les laissant tirer leurs propres conclusions.

Soudain, il lui apparut que ce n'était pas drôle du tout. C'était une chose grave, pour un homme, de revenir sur sa parole, et pour un homme de Dieu, de tourner le dos à son ordre. Sans doute Balthazar ne l'avait-il pas fait de gaieté de cœur et lui avait-il fallu une bonne raison pour s'y résoudre.

— Désolé... murmura-t-elle, mortifiée. Cela ne me concerne en rien. J'espère que vous pourrez...

Posant l'index sur ses lèvres, Balthazar l'interrompit.

— Chut... Écoutez bien, milady. Entendez-vous ?

Avalon se figea et se fit aussi silencieuse et attentive que possible. Mais tout ce qu'elle entendit, ce fut le bruit du vent à l'extérieur.

— Quoi donc? chuchota-t-elle, sans oser bouger. Je n'entends rien qui…

— Un rêve, milady! la coupa-t-il. Entendez-vous ce rêve qui passe près de nous?

De plus en plus confuse, Avalon répéta:

— Un rêve?

Balthazar étendit les bras, doigts écartés. Ses robes s'ouvrirent comme les ailes d'une chauve-souris. La peur d'Avalon était de retour, plus intense que lorsqu'il l'avait surprise. Elle faisait bouillonner le sang dans ses veines et battre son pouls à ses tympans.

— Écoutez! ordonna le mage.

Ses bras – ses ailes – s'écartèrent plus largement encore, englobant toute la pièce, et Avalon avec…

Elle avait chaud. Terriblement chaud. Mais le pire, c'était la soif qui était en train de la tuer. Une soif telle qu'elle n'en avait jamais connu. Une bête hideuse à côté de laquelle la chimère elle-même avait l'air d'un gracieux animal de compagnie.

À cette soif intense se résumait son être. Le soleil du désert flamboyait au-dessus d'elle. Sa langue était collée à son palais. Il lui semblait qu'elle ne pourrait jamais l'en extraire. Dans sa poitrine, il n'y avait plus que du sable. Ses poumons étaient deux sacs de sable tels que ceux que portaient les nomades. Sauf qu'il s'agissait de sacs percés se vidant peu à peu de leur contenu. C'était son sang, transformé en poudre d'or, qui s'écoulait par ces blessures.

Elle lutta pour respirer à travers tout ce sable, mais chaque inspiration ne servait qu'à nourrir l'implacable monstre de la soif qui la tourmentait.

Il n'y avait rien, ni en elle ni autour d'elle, pour adoucir cette agonie. Il lui suffisait de penser à l'eau qui aurait pu la soulager pour que la bête se torde de fureur et plante plus profondément ses crocs dans sa chair.

Avalon porta la main à ses yeux pour les protéger du soleil, sachant parfaitement qu'il faisait nuit et que c'était la lune qui habitait le ciel. Elle eut pourtant l'impression que les rayons de l'astre du jour lui brûlaient la peau.

Elle se sentit tomber, et ses deux bras vinrent rencontrer ce qui devait être la table du cabinet de travail de Marcus, même si elle ne s'y trouvait plus tout à fait, même si elle était perdue en plein désert. Assise dans le fauteuil du laird, elle laissa son front retomber sur ses mains croisées.

— Écoutez !

La voix entêtante du magicien, à laquelle se joignait celle de la chimère, lui parvenait de très loin, déformée par l'écho. Le vent qu'elle entendait à présent était celui d'une tempête de sable qui s'engouffrait dans la pièce, dans ses poumons, au centre même de son crâne.

Il lui fallait fuir ! Elle lutta pour se remettre sur pied et tituba au hasard, les yeux fermés. Il lui fallait fuir cet endroit, échapper à ce piège infernal, trouver de l'eau.

L'office ! Là, elle pourrait se procurer à boire. Mieux encore : sa chambre était plus proche, et il s'y trouvait toujours un pichet d'eau qui l'attendait.

Dans le corridor, elle rebondit comme une bille d'une paroi à l'autre. La tempête de sable devenait assourdissante et l'aveuglait. Pour se guider, elle tâtonnait le long des murs, surprise de découvrir sous ses paumes la pierre rendue brûlante par le soleil.

L'astre du jour brillait toujours. Il réduisait tout en poussière, même les pierres. Et depuis une éternité, toute l'eau s'était évaporée. Il n'en restait plus aucune trace.

Faisant fi de la douleur cuisante que lui causait sa peau brûlée, Avalon couvrit son visage de ses mains et tenta de se mettre à courir pour chercher un abri. Sans eau pour se désaltérer, quel refuge pourrait-elle trouver ? Et pourquoi ne pouvait-elle pas mourir ? Pourquoi refusaient-ils de l'achever ?

Lorsqu'elle retira ses mains, elle ne reconnut rien. Elle était perdue, dans un endroit qu'elle ne connaissait pas. Une pièce exiguë, au sol couvert de sable, au centre de laquelle un homme était attaché à une table – du moins, ce qui restait d'un homme. Sa peau ravagée était cramoisie, brune et même noire par endroits. Ses lèvres boursouflées, encroûtées de sang séché, étaient celles du monstre de la soif. Ses cheveux étaient sales et emmêlés. Une barbe drue lui mangeait le visage.

Le temps d'un clignement de paupières, et ce fut Avalon elle-même qui se retrouva ligotée à cette table. Ses liens étaient serrés, elle ne pouvait faire le moindre geste. Elle n'avait plus la force de tenter de les desserrer. Une seule question la hantait encore : pourquoi ne se décidaient-ils pas, enfin, à l'achever ? Pour le seul plaisir de la faire souffrir indéfiniment ? La mort était à ses yeux un paradis dont on lui interdisait l'accès.

Soudain, une goutte vint percuter ses lèvres, coula le long de sa langue, et disparut, asséchée par le désert qui s'était logé dans sa bouche, avant qu'elle ait pu vraiment y goûter.

— Encore ?

La voix s'était exprimée dans une langue qu'elle ne connaissait pas, mais dont elle percevait clairement le sens. C'était de l'eau qu'on lui proposait. Encore plus d'eau !

Oui ! voulut-elle crier. Mais aucun son ne sortit de sa gorge. Pas un soupir. Pas un murmure. Il lui était même impossible de remuer la tête, elle aussi ligotée à la table. La corde lui entamait cruellement le front.

— Oui ! cria Marcus, allongé sur le grand lit.

Tant il s'était agité dans son sommeil, les couvertures s'étaient entortillées autour de lui, entravant ses mouvements.

Le sable s'insinuait inexorablement dans les fissures des murs blancs. Il poudrait même le grand crucifix de bois sombre pendu au mur faisant face à la table, s'accumulant sur la couronne d'épines du Christ.

— *Renonce...*

C'était la même voix insidieuse, persuasive, s'exprimant dans cette langue qu'elle ne connaissait pas. Avalon aurait donné son consentement, si elle avait pu extraire sa langue de la gangue de sable qui la paralysait. Oui... Oui ! Je renonce. Tout ce que vous voudrez... Mais donnez-moi seulement un peu d'eau.

Les mains de Marcus tressaillirent. Dans son sommeil, il émit un gémissement sourd. La lumière de la lune tombait sur son visage, révélant à Avalon ses traits grimaçants. Mais pas de barbe, pas de cheveux emmêlés, et aucune trace de sable dans cette autre pièce, plongée dans le noir, où elle reprenait peu à peu ses esprits.

Pour s'en assurer, elle laissa son regard courir autour d'elle. Pas de crucifix, pas de voix tentatrice. Il faisait nuit noire. Elle se trouvait à Sauveur, dans ce qui ne pouvait être que la chambre du laird.

— Mon Dieu! s'exclama sourdement Marcus, d'une voix empâtée par le sommeil.

Son corps s'arc-bouta sur le lit, tourmenté par la douleur ou par le cauchemar qui le tenait dans ses griffes. Debout près de la porte, la main posée sur le mur – sur les pierres froides du mur –, Avalon haletait doucement, s'efforçant de reprendre pied dans la réalité.

Quelque chose, dans la pénombre, accrocha son regard. Un pichet se trouvait sur une table, à l'autre bout de la chambre, sous une fenêtre. Un pichet sans doute empli d'eau.

Se résignant à lâcher le mur, Avalon courut jusqu'à la table et étouffa un cri de ravissement en voyant la lune se refléter à la surface du liquide contenu par le récipient. D'une main tremblante, elle emplit le gobelet d'étain à côté du pichet. Le bruit de l'eau s'écoulant la combla de bonheur. Jamais aucun son ne lui avait paru plus délectable.

Avalon vida d'un trait le gobelet, laissant avec bonheur l'eau se répandre sur son menton et dans son cou. Après l'avoir rempli une nouvelle fois, elle prit le pichet dans son autre main et gagna le lit de Marcus.

Il était en sueur. Avalon approcha le gobelet de ses lèvres, mais il détourna la tête. Alors, trempant deux doigts dans le liquide, elle les porta à la bouche de Marcus. Les quelques gouttes qui tombèrent suffirent à le rendre plus coopératif.

Dans son sommeil, il se laissa soulever la nuque et but avidement quand elle lui présenta une nouvelle fois le gobelet. Dès qu'il l'eut vidé, elle le remplit à nouveau, et il but alors plus lentement. Les traits de son visage s'étaient détendus. Ses muscles avaient cessé de se tétaniser.

La fièvre diminuait peu à peu. Le monstre de la soif était vaincu.

Doucement, Avalon laissa retomber la tête de Marcus dans l'oreiller. Du bout des doigts, elle écarta de son front les mèches trempées qui y étaient collées. Puis elle s'assit et laissa échapper un long soupir de soulagement.

Alors seulement, elle s'aperçut que ses joues étaient mouillées. La transpiration n'y était pour rien. À un moment ou un autre de cette étrange transe dans laquelle elle avait été plongée, des larmes avaient coulé de ses yeux. Elle avait pleuré sa propre mort. Pourtant, elle s'en rendait compte à présent, ce n'était pas sur son agonie qu'elle avait versé des larmes, mais sur celle de Marcus. C'était lui, le rêveur possédé par cet atroce cauchemar. Les tourments qu'elle avait endurés étaient les siens.

Et à présent qu'elle avait pu sans trop savoir comment pénétrer dans sa chambre pour le soulager, elle n'aurait pas dû s'attarder à son chevet. Pourtant, elle ressentait l'étrange besoin de rester près de lui, trouvant du réconfort à le sentir détendu et plongé dans le sommeil auprès d'elle. C'était un ange noir à la beauté divine qu'elle veillait ainsi. Ou plus exactement, un simple mortel tourmenté par de mauvais rêves. Cette vulnérabilité et cette profonde humanité le rendaient à ses yeux d'autant plus touchant.

Tout doucement pour ne pas le réveiller, Avalon se remit sur pied et posa le pichet et le gobelet à son chevet. Puis, après un dernier coup d'œil au dormeur, elle traversa la pièce et se résigna à l'idée de devoir le quitter.

Ses fenêtres, elle pouvait le constater à présent, donnaient sur les verdoyantes vallées au-dessus desquelles culminaient les pics des Highlands. Sa literie, autant qu'elle avait pu en juger à la lumière fantomatique de la lune, était quant à elle d'un bleu foncé.

D'une certaine manière, sa curiosité était donc satisfaite. Mais cela ne suffit pas à la laisser en paix. Et lorsqu'elle eut retrouvé sa chambre après avoir erré un moment dans les couloirs, il lui fallut très longtemps pour trouver le sommeil.

Avalon dormait avec ses longs cheveux dénoués, qui semblaient former autour d'elle des draps de soie d'un blond ivoire. Dans la lumière chiche de l'aube, sa beauté n'était pas moins éclatante. Immobile près de la porte, Marcus admirait l'arc délicat des sourcils, les cils recourbés, les lèvres légèrement entrouvertes. Il serait bien resté ainsi des heures, mais le jour allait bientôt se lever, et ce qu'il avait en tête nécessitait qu'ils partent tôt.

Après s'être approché du lit, il lui posa la main sur l'épaule et murmura :

— Avalon… réveillez-vous.

Il n'eut pas à insister. Avant qu'il ait pu se rendre compte de quoi que ce soit, elle avait jailli de son lit comme une panthère, lui avait saisi le bras et l'avait retourné dans son dos.

— Avalon ! protesta-t-il en gémissant de douleur.

Elle fixa sur lui des yeux écarquillés, comme si on la tirait d'un rêve et qu'elle comprenait seulement ce qui venait de se passer. Aussitôt, elle lui lâcha le bras et, sans le quitter des yeux, alla se réfugier de l'autre côté du lit.

— C'est votre faute ! lui reprocha-t-elle d'une voix ensommeillée. Vous ne devriez pas me réveiller ainsi.

— C'est ce dont je viens de m'apercevoir... marmonna-t-il en massant son bras.

Les yeux d'Avalon dérivèrent jusqu'à la fenêtre, à peine éclairée par les premiers feux de l'aube, avant de revenir se fixer sur lui.

— Que faites-vous dans ma chambre ? s'enquit-elle.

— J'avais une proposition à vous faire.

Ses yeux s'arrondirent davantage.

— Ce n'est pas ce que vous croyez, précisa Marcus en riant. Je voulais vous inviter à une partie de pêche.

— Une partie de pêche ? répéta-t-elle avec incrédulité. Maintenant ?

— Exactement.

Avec un soupir exaspéré, Avalon se passa la main sur les yeux.

— Non, merci ! répondit-elle fermement. Je suis encore fatiguée. Je n'ai pas assez dormi cette nuit.

— Allons... protesta-t-il. Pas vous ! Vous êtes faites d'une autre étoffe que celle-ci.

Avec un regard noir, elle lui lança pour toute réponse :

— Allez-vous-en !

Marcus n'était pas décidé à se laisser faire. Il désigna du regard la fenêtre.

— Ça va être une journée magnifique ! Regardez : le soleil est en train de se lever. C'est la meilleure heure pour aller taquiner le goujon... Allons, laissez-vous tenter.

— Je n'ai aucune envie de taquiner le goujon ! Tout ce qui m'intéresse, c'est de regagner mon lit.

— Fort bien ! dit-il en dressant les mains devant lui, comme pour se rendre. Je ne voulais pas en arriver là, mais puisque vous m'y forcez...

La méfiance d'Avalon revint aussitôt. La guerrière en elle, tout de suite éveillée, l'observa à travers ses yeux mi-clos. Ses cheveux cascadant autour de ses épaules, elle paraissait frêle et délicate comme une rose, mais Marcus savait qu'il ne fallait pas s'y fier. Comme il avait pu le constater, ses épines pouvaient être acérées...

— Cette sortie constituera la faveur que vous me devez, déclara-t-il le plus tranquillement du monde. Vous venez pêcher avec moi, et nous sommes quittes.

— Quoi ? protesta-t-elle vivement. Mais... je ne vous dois aucune faveur !

— Ce n'est pas ce dont je me rappelle, répondit-il avec le plus engageant des sourires. Ce serait de votre part une indignité de ne pas honorer votre dette.

— Ah oui ? répliqua-t-elle vertement. Vous qui n'avez pas honoré la vôtre à mon égard, vous en savez quelque chose.

— Nous savons tous les deux que vous êtes bien plus une lady que je ne suis un gentleman. Ce qui constitue un argument de plus pour que vous acceptiez mon invitation.

Cette fois, Marcus vit sur le visage d'Avalon l'ombre d'un sourire fendiller le masque d'impassibilité.

— Laissez-vous faire... insista-t-il, tentateur. Je connais un coin fantastique. On y pêche des truites énormes !

Aussi radieux que le soleil transperçant les nuages, un franc sourire illumina le visage d'Avalon.

— Alors ? demanda-t-il, plein d'espoir. Vous venez ?

Marcus se rendit compte en prononçant ces mots qu'ils étaient bien moins innocents qu'ils ne le paraissaient, et que ce qu'il attendait d'elle excédait de beaucoup une simple partie de pêche. Le ton de sa voix avait dû le trahir, car Avalon s'en était aperçue aussi. Son sourire avait fait place à une expression d'attente anxieuse.

— Très bien, dit-elle enfin. Accordez-moi un instant.

Marcus l'attendit dans le couloir, mais il n'eut pas à patienter longtemps. Même sans le secours d'une femme de chambre, Avalon se prépara en un temps record. Il ne lui fallut qu'une poignée de minutes pour émerger de sa chambre, le tartan bien en place et les cheveux nattés dans son dos.

Côte à côte, ils se dirigèrent vers la grande salle, où beaucoup dormaient encore sur les bancs. Dans la cour intérieure, il lui tendit une des deux cannes à pêche qu'il avait préparées avant de monter la voir. En chemin, ils croisèrent nombre d'habitants du château qui vaquaient déjà à leurs occupations. Ils adressèrent gaiement leurs salutations au laird et à la Promise.

Après avoir passé le pont-levis, Marcus entraîna Avalon le long d'un sentier en pente enfoui dans les arbres qu'il connaissait depuis l'enfance. Il espérait que son coin de pêche existait toujours, car il n'avait pas eu le temps de s'en assurer.

Sa canne sur l'épaule, Avalon marchait d'un pas léger à côté de lui. Il s'était quant à lui chargé de tout le reste, mais puisqu'elle avait accepté de le suivre, il l'aurait portée elle aussi s'il l'avait fallu. Une part de lui-même désirait lui prouver qu'il était un gentleman, en dépit de ses actes qui faisaient penser le contraire. Mais ce qu'il désirait vraiment, réalisa-t-il soudain, c'était se faire aimer d'elle. Là se trouvait la véritable motivation de cette invitation surprise. Il voulait passer du temps avec Avalon et lui faire apprécier sa compagnie. Il voulait la regarder rire, et rire avec elle.

Ces derniers jours avaient été une véritable torture pour lui. Il ne pouvait oublier ce qui s'était passé entre eux dans le corps de garde en ruine. Quel supplice cela avait été de ne pas lui faire l'amour tout de suite, dans l'herbe, alors qu'il l'avait à sa merci, conquise et consentante ! Il ne parvenait pas à chasser de sa mémoire les images de cet instant de folie qui les avait jetés l'un contre l'autre, à corps perdu.

Avalon avait sur lui l'effet d'une drogue. Il craignait d'avoir besoin d'elle bien plus qu'elle n'aurait jamais besoin de lui. Cela le mettait dans une position de faiblesse qu'il ne pouvait se permettre. Son rôle lui imposait de rester seigneur et maître.

La lumière de l'aube qui perçait par endroits sous le couvert des arbres faisait resplendir la jeune femme sur le fond de verdure qui les entourait. Sa démarche était gracieuse et naturelle, sans aucune de ces afféteries typiques des dames de la noblesse. Sa peau perlée de gouttes de rosée resplendissait. Ses yeux couleur lilas brillaient. Elle le rendait fou.

C'était d'ailleurs sa plus grande peur. Car il y avait autre chose en elle que sa grande beauté. Une faculté obscure liée à cette légende qui les unissait et qui entrait en écho avec sa propre part d'ombre. Le don qu'elle possédait semblait dix fois plus puissant que les maigres capacités qui étaient les siennes, mais il les intensifiait, ce qui avait fait resurgir ses vieux cauchemars.

Marcus avait pourtant cru s'être débarrassé à jamais des souvenirs de ce qui s'était passé à Damas. Chaque fois qu'il se sentait sur le point d'être rattrapé par eux, il se concentrait sur les vergers d'orangers d'un petit village perdu en Espagne où il avait repris goût à la vie. Il n'avait jamais rien vu de plus beau que ces merveilleux arbres odorants et pleins de couleurs, leurs grandes silhouettes alignées, leurs petites feuilles pointues, leurs fleurs blanches et, la saison venue, les lourds globes orangés qui faisaient ployer les branches. Il essayait de se rappeler la saveur unique de ces fruits sur sa langue chaque fois que le cauchemar tentait de s'imposer à lui. Mais désormais, cela ne suffisait plus.

La nuit précédente, le rêve l'avait rattrapé avec une violence et une intensité incroyables. Il ne se rappelait pas tous les détails, mais le peu qu'il se remémorait suffisait à lui donner la nausée. Heureusement, un ange était venu le sauver. Cet ange, qui ressemblait de manière troublante à Avalon, avait dénoué ses liens et lui avait offert de l'eau. Il n'en avait pas fallu davantage pour terrasser le monstre de la soif et pour mettre un terme au cauchemar.

Ce matin, à son réveil, sa première pensée avait été pour elle. Suivant son instinct, il était allé la rejoindre dans sa chambre, pour la persuader de passer un peu de temps avec lui. Et par un miracle inespéré, elle avait accepté de se conformer à ce plan hâtivement mis sur pied. Une partie de pêche matinale était tout ce qu'il avait pu trouver pour justifier le fait de la réveiller. Mais en réalité, s'il s'y était risqué, c'était parce qu'il n'aurait pu patienter jusqu'au petit déjeuner pour la revoir.

Inconsciente du tumulte qu'elle provoquait en lui, elle marchait à présent à son côté en pleine nature, vers un but dont elle ignorait tout. Elle lui avait fait suffisamment confiance pour le suivre, ce qui constituait sans conteste un signe encourageant. Marcus estima qu'ils ne devaient plus être très éloignés du ruisseau. Ou alors, ils étaient complètement perdus...

Mais bientôt, le bruit de l'eau courant sur les rochers leur devint perceptible. Ils approchaient du but. Après avoir passé des années dans des contrées où l'eau était rare et les ruisseaux quasi inexistants, ce simple bruit restait pour lui très émouvant.

Désormais, il n'avait plus aucun doute quant au chemin à suivre, même si la végétation était à ce point envahissante qu'il était facile de le manquer. En s'y engageant, la jeune femme sur ses talons, il se sentit plus léger qu'il ne l'avait été depuis longtemps. Avalon était là, près de lui, toujours réservée mais sans aucune hostilité à son égard, simplement songeuse comme elle l'était souvent.

— Par ici... dit-il, la tirant de ses pensées.

Écartant quelques branches, Marcus désigna un coin d'herbe au bord de l'eau, entouré d'un rideau d'arbres et de buissons. Un tapis de mousse recouvrait la berge d'un ruisseau assez large. Il attendit qu'elle veuille bien s'avancer avant de la suivre et de laisser retomber les branches. Le rideau végétal se referma, les masquant à la vue de quiconque aurait pu passer sur le chemin.

Debout au centre de la petite clairière, Avalon observait les alentours.

— À mon avis, ce n'est pas ici que nous trouverons ces truites énormes dont vous rêviez, commenta-t-elle.

— Qui sait?

Marcus posa dans l'herbe sa canne, le panier de pique-nique et la couverture dont il s'était muni.

— Les eaux les plus calmes peuvent être les plus profondes, ajouta-t-il.

Avalon marcha lentement jusqu'au bord du ruisseau et contempla ses eaux miroitantes et sombres. Un peu plus loin, celui-ci formait un coude et le courant plus rapide affleurait sur des rochers.

— C'est un très joli coin, admit-elle.

Le cœur de Marcus se gonfla de joie. C'était un petit compliment, mais c'était le premier qu'elle lui faisait.

— Je suis heureux que vous l'aimiez.

Sur la berge, la mousse était sèche et suffisamment épaisse pour former un confortable coussin. La couverture n'était pas vraiment nécessaire, mais après avoir choisi l'endroit idéal, Marcus l'étendit néanmoins et y plaça le panier d'osier.

Avalon le regarda disposer sur cette nappe improvisée leur déjeuner. Il le fit avec soin et méticulosité, disposant les aliments dans un certain ordre. Elle ne put s'empêcher d'admirer la souplesse et la rapidité de ses gestes, et l'élégance que lui conférait un simple tartan. Le soleil matinal habillait son corps d'ombre et de lumière. Il faisait naître des reflets cristallins dans la glace de ses yeux.

Alarmée par la tournure de ses pensées, Avalon détourna le regard. Oui, Marcus Kincardine était un bel homme. C'était un fait indéniable, avec lequel elle allait devoir composer. Il ne correspondait en rien au portrait repoussant qu'elle s'était autrefois fait de lui. Comme il lui aurait été plus facile, si cela avait été le cas, de lui résister... Mais le pire, c'était qu'il n'y avait pas chez lui que cette grande beauté.

Sous ses dehors farouches se cachaient une sensibilité certaine et une grande profondeur d'esprit. Et depuis la nuit précédente, elle savait qu'il avait aussi une âme, forgée au feu de la souffrance la plus extrême. Cet aspect-là de sa personnalité, plus que tous les autres encore, ne pouvait laisser Avalon indifférente. Il avait souffert, il avait été blessé, et il s'en était remis. De plus, il y avait en lui de la compassion, chose qui avait cruellement fait défaut à son père. Même le serpent qui parfois le dominait n'était qu'un trait dévoyé de sa générosité – un trait certes effrayant et dangereux, mais noble tout de même.

Après avoir achevé ses préparatifs, Marcus se redressa et vint vers elle, une part de tourte dans chaque main. Avalon prit celle qu'il lui tendait, et ils mangèrent en silence, debout face au ruisseau. Quand il eut terminé, Marcus alla préparer leurs deux cannes. En le voyant sortir les appâts qu'il avait prévus, Avalon les examina avec surprise.

— Des plumes ! s'exclama-t-elle. C'est avec ça que vous espérez attraper du poisson ?

Sans relever la tête, Marcus poursuivit sa tâche et répondit :

— Ne vous ai-je pas dit que nous allions taquiner le goujon ?

Bientôt, les lignes furent à l'eau et dérivèrent, portées par le courant. Le temps parut suspendre son cours. Avalon appréciait beaucoup cet intermède bucolique. Au bout d'un moment, ils allèrent s'asseoir et achevèrent leur repas en silence. Elle ne se résolut à parler que lorsque le soleil, dans un ciel à présent d'azur, eut grimpé suffisamment haut pour émerger de la cime des arbres.

— Milord?

— Marcus... corrigea-t-il.

Avalon regarda une libellule effleurer la surface de l'onde, bientôt rejointe par une autre en un ballet aérien.

— Marcus, reprit-elle. Pourriez-vous me dire ce qu'est devenue une femme de votre clan qui s'appelait Zeva?

— Zeva... répéta-t-il en fermant un instant les paupières. Elle travaillait pour mon père, n'est-ce pas?

— C'était elle qui tenait le cottage dans lequel il me retenait prisonnière.

— Je crois qu'elle est morte il y a environ trois ans. C'est du moins ce qu'on m'a dit.

— Oh... Je vois.

Avalon lutta contre la déception que lui causait cette nouvelle, même si elle s'y était attendue. Si Zeva avait été encore en vie, elle serait venue la voir. Il y avait trop de morts autour d'elle, depuis trop longtemps. Pourquoi tous ceux qui avaient compté pour elle dans son enfance avaient-ils disparu?

La matinée, soudain, avait perdu beaucoup de son attrait à ses yeux, même si le soleil brillait toujours avec autant d'éclat sur ce charmant petit coin de nature. Glissant la main dans son tartan, elle en tira la note découverte la veille.

— Hier, dit-elle, j'ai trouvé ces quelques lignes écrites de la main de votre père.

L'attention de Marcus se focalisa entièrement sur elle. Dans sa main, la feuille de papier était sèche et jaunie par le temps. Elle l'avait pliée en deux pour cacher les mots accusateurs qui y étaient inscrits. Sans se laisser le temps d'hésiter, elle la lui tendit.

Calmement, Marcus déplia le billet. Il le lut deux fois de suite, avant de commenter sobrement :

— Bryce !

— Cette vieille femme à qui j'étais allée rendre visite, à l'auberge de Trayleigh… elle m'a raconté la même chose. C'est Bryce qui a fait venir les Pictes.

Marcus releva la tête. À son regard d'aigle, elle comprit qu'il était redevenu entièrement le laird.

— Pourquoi ne m'en avez-vous pas informé plus tôt ? s'enquit-il d'une voix ferme.

Posant sa canne dans l'herbe, Avalon s'appuya sur ses deux mains placées derrière elle et soutint son regard sans ciller.

— Tout simplement parce que cela ne vous regardait en rien.

Marcus marqua une pause.

— Dans ce cas, pourquoi me montrer ce billet ?

— Je n'en sais rien, avoua-t-elle dans un soupir. Sans doute parce que j'aimerais avoir votre avis.

Les yeux plissés, le regard scrutateur, Marcus semblait lire en elle à livre ouvert.

— Vous aviez l'intention de vous venger seule de votre cousin, n'est-ce pas ? C'est pour cela que vous ne m'avez rien dit. Mais ce billet n'accuse pas Bryce nominalement. Il mentionne juste votre nom de famille.

— C'est bien mon problème, reconnut-elle. Et c'est pour cela que je souhaitais avoir votre avis.

— Hanoch indique que les pièces étaient françaises, commenta Marcus d'un ton rêveur. Et cela fait presque vingt ans que Warner Farouche habite en France.

Avalon acquiesça d'un signe de tête.

— Je vois que nous tirons les mêmes conclusions.

— Hanoch n'est jamais parvenu à capturer aucun de ces Pictes, reprit-il. Ce n'est pourtant pas faute d'avoir essayé, d'après ce que j'ai appris.

— Il a cependant réussi à démasquer ce MacFarland, objecta-t-elle.

— Les terres des MacFarland touchent nos terres au sud-est. Je peux y envoyer un de mes hommes en trois jours.

Avalon réfléchit un instant avant de secouer la tête.

— Ne vous donnez pas cette peine, dit-elle enfin. J'imagine qu'il doit être mort, lui aussi.

Soudain, la canne d'Avalon tressaillit dans l'herbe. Elle eut à peine le temps de la retenir pour l'empêcher de filer dans l'eau.

— Les poissons eux-mêmes ne peuvent vous résister, commenta Marcus, amusé. On dirait bien que votre plume va nous valoir notre dîner.

11

Marcus envoya tout de même un émissaire chez les MacFarland. En dépit de la certitude d'Avalon que Keith MacFarland n'était plus de ce monde – et son instinct lui disait qu'elle ne se trompait pas –, il ne pouvait négliger cette piste. L'accusation était grave, et toute indication recueillie serait précieuse.

C'était de bonne grâce qu'Avalon lui avait accordé cette faveur – car il ne doutait pas qu'à ses yeux c'en était une. Elle était bien la vierge combattante de la légende, capable de poursuivre ses propres buts et de dresser ses propres plans. Pourtant, pour une raison connue d'elle seule, elle avait partagé avec lui des informations touchant à la motivation la plus intime d'un guerrier : la vengeance. Et ce, non parce qu'elle y était obligée mais par choix.

Marcus avait interprété cette confiance inattendue comme un autre compliment. À présent, il lui restait à faire en sorte de la protéger contre elle-même et de l'empêcher d'aller se fourrer entre les griffes de ses cousins, qui ne se priveraient sans doute pas de l'éliminer comme ils avaient déjà éliminé son père.

Son instinct lui dictait de l'enfermer de nouveau dans sa chambre. À leur retour au château ce matin-là, alors qu'elle portait fièrement sa prise devant elle, il lui avait fallu faire preuve de volonté pour la laisser aller librement.

Finalement, il était arrivé à surmonter cette réaction en envoyant une escouade en ambassade chez les MacFarland. À bien y réfléchir, Avalon venait de lui fournir ce qui pouvait être pour lui un avantage décisif. S'il parvenait à prouver que l'un ou l'autre des frères Farouche était le commanditaire du raid meurtrier sur Trayleigh, cela signerait leur défaite et la fin de leurs prétentions sur la jeune femme. Marcus aurait gagné. Avalon serait définitivement et irrévocablement sienne. Elle devrait l'épouser.

Déjà, il la sentait faiblir dans sa détermination à partir. Il avait trouvé des failles dans ses défenses, et c'était d'elle-même qu'elle les élargissait à présent. Peu à peu, elle s'attachait au clan et s'habituait à la vie et aux coutumes de Sauveur. Bientôt, elle y serait chez elle autant que n'importe lequel d'entre eux. Avec le temps, elle finirait par comprendre qu'ici était sa place. À ses côtés.

Pendant qu'il remuait ces pensées, il la savait dehors, en train d'effectuer une promenade sur le chemin de ronde. Personne n'était venu le lui dire. Tout simplement, il le *sentait*. À tout instant, il pouvait deviner où elle se trouvait et cela suffisait à calmer son angoisse de la perdre.

Avalon tourna la tête pour offrir son visage au vent qui soufflait du sud. Fermant les paupières, elle le laissa rafraîchir son visage et s'emparer de ses cheveux. Le jour touchait à sa fin, mais elle n'avait pas envie de regagner sa chambre, qui lui semblait de plus en plus petite chaque fois qu'elle y mettait les pieds.

Après leur partie de pêche, malgré sa fatigue, elle avait été incapable de faire une sieste. Elle avait passé son temps à se retourner sur son lit, luttant pour chasser Marcus de ses pensées.

Au dîner, ce soir-là, il avait semblé à mille lieues de leur complicité matinale. Et l'arrivée sur la table de la grosse truite qu'il l'avait aidée à sortir de l'eau n'avait pas suffi à le dérider. Il était redevenu le laird, imposant et austère, s'informant poliment auprès d'Ellen des progrès de son apprentissage. Avalon savait qu'il avait envoyé quelques hommes chez les MacFarland. Peut-être était-il tracassé par le résultat de cette ambassade. Mais cela justifiait-il qu'il lui ait à peine jeté un regard au cours du repas ?

Sauveur était vraiment un château imposant, songea-t-elle en reprenant sa promenade le long du chemin de ronde. L'alternance de pierres taillées noires et grises conférait à son architecture une impression de puissance et de dignité tout à fait adaptée au berceau d'une famille aussi ancienne et respectée que celle des Kincardine. Çà et là, grâce à la petite fortune qu'elle venait d'offrir au clan, on se hâtait de terminer avant l'hiver les réparations les plus urgentes. Avalon était heureuse et fière que l'héritage venu de sa mère ait pu rendre possibles ces travaux.

Les gardes la saluaient au passage, et elle leur répondait en les appelant par leur nom. De cela également, elle était fière. Mais ce qu'Avalon aimait par-dessus tout, c'était se trouver là, sur les hauteurs de Sauveur, dominant les arbres et le paysage en contrebas, avec le ciel sans limites au-dessus de sa tête. D'ici, elle y voyait à des miles à la ronde, ce qui lui donnait une sensation de liberté qu'elle savait trompeuse, mais qui n'en était pas moins excitante.

Un peu plus loin, elle avait rendez-vous chaque jour avec une famille d'alouettes qui avait fait son nid dans un creux du mur. Déjà, elle les entendait chanter. Mais ce fut avec Balthazar qu'elle tomba nez à nez au détour du chemin. C'était lui qui sifflait. Les oiseaux, fascinés, se contentaient de l'écouter. Il poursuivit sur sa lancée quelques instants, avant de s'arrêter et de s'incliner vers elle.

— Je ne m'étais pas trompée, dit-elle spontanément. Vous êtes *vraiment* un magicien.

Un sourire mystérieux apparut sur les lèvres du Maure.

— Vous me surestimez, milady.

En s'approchant de lui, Avalon croisa les bras et les serra contre elle. Avec la nuit tombante, il commençait à faire plus froid.

Peut-être le sentiment de liberté qu'elle ressentait lui donna-t-il confiance. À moins que l'obscurité qui tombait sur eux ne l'ait aidée à faire fi de leurs différences. Toujours est-il qu'elle s'entendit lui répondre :

— Pas tant que ça. La nuit dernière, c'est bien vous qui m'avez incitée à écouter un rêve qui passait...

— C'est vrai, reconnut-il. L'avez-vous fait ?

— Ne faites pas l'innocent. Vous devez savoir ce qui s'est produit...

— Je ne suis qu'un humble serviteur, milady. Je ne sais rien, ou si peu de choses.

Avalon laissa fuser un rire caustique.

— Un humble serviteur, vraiment! Gardez vos sornettes pour ceux qui peuvent y croire. Moi, je vous vois tel que vous êtes.

— Vraiment? Et que voyez-vous?

Consciente de s'être trahie, Avalon marqua un temps d'arrêt avant de répliquer en détournant le regard :

— Simplement que vous n'êtes pas un simple serviteur.

Balthazar reporta son attention sur le nid d'alouettes.

— Il est vrai que peu de gens peuvent se targuer d'avoir une vue aussi perçante que la vôtre, dit-il. Et pourtant, vous dédaignez votre don. Vous vous cachez de lui. C'est très étonnant...

— Vous vous trompez! Je ne vois rien de plus que le commun des mortels.

Avalon se tenait sur la défensive. Peut-être parce qu'elle se retrouvait transie jusqu'à l'os. Ou parce que cet homme l'entraînait sur une pente dangereuse qu'elle ne voulait pas suivre.

— Vous n'avez pas vu le serpent? insista-t-il d'une voix insidieuse. Pas senti la goutte d'eau dans votre gorge desséchée? Pas erré dans le désert?

— Non, mentit-elle. Un tel pouvoir n'existe pas.

— Il est bien triste de voir le plus riche et le plus doué dénigrer sa richesse et ses dons...

Saisie par un frisson, Avalon serra plus fort les bras autour d'elle et déclara avec colère :

— Tout ce que j'ai pu voir ou entendre ne relève de rien d'autre que de la plus stricte logique! Rien de plus que ce qu'une personne intelligente et attentive aurait pu déduire.

Balthazar, sans répondre, reprit son concert à l'intention des oiseaux. L'un d'eux lui fit écho, laissant flotter dans l'air du soir une succession de doux trilles.

— La superstition est pour les ignorants, ajouta Avalon dans un murmure.

— Certes, admit-il. Mais il y a bien des choses que la simple logique ne peut expliquer. Le monde est vaste. Et Dieu est grand. C'est vanité que de prétendre comprendre intégralement l'un et l'autre.

Avec le sentiment amer qu'il s'était joué d'elle, Avalon se tourna vivement vers lui.

— Mais… ne m'avez-vous pas dit avoir renoncé à vos vœux ?

— Je l'ai fait. Mais je n'ai pas renoncé à Dieu. J'ai juste renoncé à l'Église qui prétend Le servir.

Un rire franc le secoua avant qu'il ne continue :

— Le voudrais-je, d'ailleurs, que Dieu ne se laisserait pas faire… Il est partout, en toute chose.

Le mage la rejoignit. Ils étaient si proches l'un de l'autre qu'Avalon pouvait suivre des yeux, dans l'obscurité grandissante, les lignes contournées des tatouages sur son visage.

— C'est Lui qui vous a offert votre don, milady.

Sa voix profonde semblait irréelle, hypnotique.

— Il ne vous laissera pas dédaigner ce présent. Vous succomberez à Sa volonté. C'est votre destinée.

— Non !

En hâte, Avalon contourna Balthazar et se rua vers la tourelle la plus proche, pressée de couper court à cette conversation. La pénombre de l'escalier en colimaçon suffit à ramener le calme en elle, et elle ralentit l'allure. Elle s'en voulut d'avoir laissé ses craintes la dominer et de s'être enfuie ainsi, comme une fillette apeurée d'écouter des histoires effrayantes. Un instant, elle envisagea de revenir sur ses pas, mais elle se sentait trop frigorifiée et épuisée pour s'y résoudre. Ce qu'il lui fallait, c'était une bonne nuit de sommeil.

Sachant qu'elle rentrerait tard de sa promenade, Avalon avait pris soin de laisser de la lumière dans sa chambre. Pourtant, à sa grande surprise, elle la trouva plongée dans le noir à son retour. Seul le feu de tourbe brûlant au ralenti dans l'âtre jetait dans la pièce une lueur rougeoyante. Ce fut grâce à celle-ci qu'elle comprit pourquoi.

Accoudé à l'étroite fenêtre, comme elle le faisait si souvent elle-même, Marcus l'attendait. Avalon hésita sur le seuil, surprise sans l'être tout à fait. Elle ne pouvait nier qu'elle avait espéré, dans un coin secret de son cœur, le découvrir là.

Laissant la porte grande ouverte, elle se résolut à entrer.

— Milord ? s'étonna-t-elle. Vous vouliez me voir ?

Marcus avait repoussé le lit d'Avalon sur le côté, afin de pouvoir s'installer à la fenêtre.

— Je me demandais, répondit-il sans se retourner, ce qui peut bien vous plaire dans une vie de nonne…

Peu désireuse de s'engager dans une conversation qu'elle savait piégée, Avalon soupira.

— Milord… dit-elle aussi calmement qu'elle le put. Je dois vous demander de me laisser. Je suis trop fatiguée pour me disputer avec vous.

— Et moi, répliqua-t-il, je n'ai aucune envie de me disputer avec vous.

Enfin, il fit volte-face et prit appui sur le rebord de la fenêtre avant d'ajouter :

— Cela vous surprendra peut-être, Avalon, mais cela ne m'amuse pas du tout.

Brièvement, Avalon reporta son attention sur le feu qui mourait dans l'âtre.

— Donc, conclut-elle, vous allez partir.

— Vous ne me laissez pas d'autre choix ? Soit je pars, soit nous nous battons ?

— Vous pouvez voir les choses ainsi.

Dans la semi-pénombre, elle vit son sourire se faner.

— Suis-je donc si désagréable, à vos yeux ?

Malgré la porte ouverte, Avalon se sentit prise au piège.

— Vous l'êtes, si vous vous obstinez à mettre en cause mon souhait d'entrer au couvent.

— Et si je m'obstine à discuter de notre mariage, suis-je aussi désagréable pour vous ?

— Il n'y a rien à discuter, puisqu'il n'y aura pas de mariage entre nous.

— Et si je désirais plutôt parler de l'accomplissement d'une prophétie, insista-t-il, est-ce que vous...

— Qu'êtes-vous venu faire ici ? le coupa-t-elle.

La tête penchée sur le côté, Marcus la dévisagea un instant.

— Manifestement, vous être désagréable.

— C'est réussi.

— Il est bon de savoir que je parviens au moins à quelque chose avec vous.

Quittant la fenêtre, Marcus marcha jusqu'à la cheminée. L'épaule appuyée contre le jambage, il observa les courtes flammes d'un air pensif avant de préciser à mi-voix :

— Je pensais pouvoir vous laisser autant de temps qu'il vous en faut, mais je commence à croire que je n'y arriverai pas.

Avalon ressentait une étrange tendresse à son égard. Il était presque douloureux pour elle d'avoir à le regarder. La lueur rougeoyante du feu dans l'âtre soulignait les traits virils de son visage. Une mèche rebelle de cheveux noirs lui caressait le front, qu'elle aurait voulu du bout des doigts remettre en place. C'était une souffrance pour elle de ne pouvoir se laisser aller à ce simple geste, de ne pouvoir le toucher.

— Tout ce que je vous demande, répliqua-t-elle d'une voix lasse, c'est de me laisser aller au lit.

Un mince sourire flotta sur les lèvres de Marcus.

— Aller dormir est plus facile qu'aller au combat, n'est-ce pas ?

Avalon n'avait rien à répondre à cela. Le bref élan de tendresse qu'elle avait ressenti pour lui avait déjà fait place à l'agacement qu'il savait si bien provoquer. D'un pas décidé, elle le rejoignit et se campa devant lui.

— Milord, dit-elle d'un ton glacial. À présent, je vous serais reconnaissante de me laisser.

Lentement, Marcus redressa la tête et soutint son regard.

Avalon, Bel Amour, allons au lit ensemble...

Elle sentit sa bouche s'entrouvrir et ses yeux s'arrondir sous l'effet de la surprise. La force de son désir, la clarté de cette injonction l'avaient heurtée de plein fouet et la tétanisaient.

Figé sur place, aussi immobile que s'il avait voulu ne pas effrayer un animal sauvage, Marcus regarda Avalon reculer à petits pas. Elle secouait la tête obstinément.

Enfin, comme libérée d'un sort, elle tourna les talons et se précipita vers la porte en courant. Le cœur serré, Marcus songea qu'elle n'aurait pas fui le diable avec plus de hâte. Il se lança à sa poursuite. Il lui était impossible d'en rester là, sur cette impasse, et de laisser un malentendu les séparer.

Dans le couloir, il eut vite fait de la rejoindre. D'instinct, il tendit le bras pour la retenir... et l'instant d'après, il se retrouva étendu sur le sol, le choc de sa chute sur les dalles se répercutant douloureusement dans tous ses membres.

Les mains d'Avalon enserraient toujours son bras. Il comprit donc que c'était bien elle qui l'avait terrassé ainsi, mais il n'aurait su dire comment elle s'y était prise.

— Je... Désolée! s'exclama-t-elle en lâchant son bras. Je ne voulais pas faire ça. J'ai juste...

Incapable de trouver ses mots, tordant ses mains dans son giron, Avalon reculait lentement. Lorsqu'elle constata que, sans l'avoir voulu, elle était de retour dans sa chambre, elle lui adressa une dernière grimace d'excuse et rabattit le vantail précipitamment.

Marcus se redressa sur les coudes et fixa la porte close. Derrière lui, un petit rire s'éleva, qu'il connaissait bien. Réprimant un gémissement de douleur, il entreprit de s'asseoir sur le sol et ne prit pas la peine de se tourner vers Balthazar.

— J'ai entendu dire, Kincardine, que la patience est une vertu qui vaut la peine d'être cultivée.

Bal vint s'accroupir devant lui avant de poursuivre:

— Peut-être pourrais-tu envisager d'enrichir ton âme d'une ou deux vertus supplémentaires? Sans doute en tirerais-tu le plus grand bénéfice.

Se redressant de toute sa hauteur, il tendit la main pour aider Marcus à se relever.

— Si cela t'intéresse, ajouta-t-il, j'ai un baume excellent pour soulager cette bosse qui est en train d'apparaître.

— Ce n'est pas ma tête qui me fait souffrir.

— Ah... Dans ce cas, je ne peux rien pour toi. Je n'ai pas de baume contre les blessures d'amour-propre.

Côte à côte, ils remontèrent le couloir, laissant la porte d'Avalon derrière eux.

— Si ce n'était que ça... marmonna Marcus en se massant le crâne.

Bal, qui ne manquait jamais de le comprendre à demi-mot, éclata de rire.

— Je n'ai pas de baume pour les cœurs brisés non plus.

Deux jours de plus passèrent, dans une gangue de brume qui se referma sur le château et les terres environnantes. Avalon dut donner ses leçons à l'intérieur, avec l'aide de nombreux volontaires qui l'aidèrent à repousser tables et bancs de la grande salle pour faire de la place. Ses élèves comptaient à présent, outre les enfants du début, six hommes et deux femmes dont l'une était Ellen. D'autres assistaient au cours sur le côté, en spectateurs attentifs, commentant entre eux les différentes phases de l'entraînement et applaudissant les progrès des participants.

Il était gratifiant pour elle de voir tant de gens se passionner pour ce qu'elle avait à leur apprendre, et prendre du plaisir à accomplir ce qu'elle-même avait acquis dans l'humiliation et la souffrance.

Il arrivait encore régulièrement à Marcus de passer au cours des entraînements, même s'il ne paraissait pas décidé à y participer. Avalon savait cependant qu'il mémorisait tout ce qu'il voyait et qu'il saurait le réutiliser. Elle essayait de ne pas se laisser distraire par l'attention dont elle était l'objet de sa part. Après tout, il ne faisait rien d'autre que la regarder. Même si elle surprenait parfois l'ombre d'un défi dans son regard ou son attitude…

Ce qui s'était passé entre eux le soir où il était venu l'attendre dans sa chambre continuait de l'obséder. Ce message clair et sans équivoque issu directement de son esprit – bien plus une injonction qu'une supplique – ne s'effaçait pas de sa mémoire. Sous la force de son désir, elle avait senti ses jambes la trahir et ses genoux s'entrechoquer. En retour, son propre désir avait bondi vers lui, et elle ne doutait pas qu'il l'avait perçu.

Marcus l'observait avec une intensité qu'elle ressentait constamment, même quand il n'était pas physiquement présent. Ce n'était pas un petit jeu qu'il jouait avec elle. Il était diablement sérieux. Ces deux derniers jours, il lui avait demandé deux fois encore de l'épouser – par la parole, non par la pensée. Et chaque fois qu'elle lui disait non, il devenait à son égard plus froid, plus hostile. Elle regrettait d'avoir à blesser ses sentiments, mais dans un coin secret de son cœur, ce qui dominait, c'était une certaine peur qu'elle ne pouvait plus se cacher.

Avalon aurait voulu pouvoir encore se croire sans craintes et sans faiblesses, mais Marcus ne lui en laissait plus la possibilité. Ce n'était pas tant qu'elle avait peur *de* lui, mais plus exactement *pour* lui. Car les refus à répétition qu'il l'obligeait à lui opposer avaient sur lui des effets subtils mais que la chimère ne manquait pas de

relever. Elle sentait en lui une tension grandissante. Le serpent n'avait été que provisoirement
terrassé, et il ne demandait qu'à redresser la tête
pour régler le problème à sa manière.

Avalon ne pouvait que prier pour que Marcus
se montre plus fort que lui. Mais en le voyant
plus sombre et fermé de jour en jour, la peur
grandissait en elle. Il était manifeste qu'il supportait de moins en moins son attitude. Il lui
avait déjà permis de le rejeter plusieurs fois, mais
qui pouvait prévoir ce qui se passerait à la prochaine ? Et si le serpent finissait par l'emporter et
le convainquait que la seule façon de la faire plier
était d'employer la manière forte ? Ce n'était pas
à exclure. Marcus restait le fils de son père.

Avalon préférait ne pas y penser. Tout comme
elle préférait ne pas se demander ce qui la poussait à s'attarder à Sauveur. En lui offrant ses
richesses, elle avait fait ce qu'elle pouvait pour
le clan. Quant aux leçons de combat qu'elle donnait, elles pouvaient durer indéfiniment, si elle
le voulait.

Le tutorat qu'elle assurait auprès d'Ellen n'était
pas non plus une raison valable. Celle-ci avait
fait de tels progrès que bientôt elle pourrait assu-
mer seule son rôle d'intendante du château.
Alors, Avalon serait libre comme l'air et n'aurait
plus aucun motif de s'attarder. Toutes ses obligations remplies, il lui serait possible de tourner
le dos à l'homme aussi bien qu'au serpent qu'il
abritait en lui. Mais le voulait-elle vraiment ?

Chaque fois qu'elle s'efforçait de revenir à ses
plans d'avenir, une voix la mettait au défi de partir. *Vous m'appartenez…* Avalon n'y croyait pas.
Elle n'appartenait à personne ! Mais en lui
demandant une fois encore quel attrait elle pou-

vait bien trouver à la vie conventuelle, il avait mis le doigt sur son point faible. La réponse était qu'elle n'en trouvait aucun. Pourtant, si elle renonçait à cette partie de son plan, quel choix lui restait-il ? Marcus, et uniquement lui. Tellement magnifique qu'il l'effrayait, avec ses yeux d'un bleu de cristal qui avaient réussi à faire main basse sur son cœur. *Allons au lit ensemble…*

C'était à tout cela, encore et encore, que pensait Avalon en se reposant dans une charmante pièce du château qu'elle avait récemment découverte. L'après-midi avait été pour elle particulièrement épuisant. En une bravade un peu puérile, elle avait choisi d'enseigner à ses élèves, lors de la leçon, la prise qui lui avait permis de se débarrasser de Marcus quand il avait cherché à la rattraper.

Par un sourire en coin un peu amer et dénué d'humour, il lui avait fait comprendre que la pique ne lui avait pas échappé. Elle avait essayé de l'ignorer tout le temps qu'il était resté là et de se consacrer uniquement à son travail, mais il lui avait fallu pour cela déployer beaucoup d'énergie. Si bien que dans ce boudoir confortable où elle était venue chercher refuge, elle se retrouvait exténuée.

C'était Greer, l'une de ses dames de compagnie, qui lui avait fait découvrir cette pièce retirée. En apprenant de sa bouche qu'il s'agissait du salon à couture de la femme du laird, Avalon avait mieux compris son empressement à lui en montrer le chemin. Mais, après tout, devait-elle se priver du charme de l'endroit uniquement pour ne pas se prêter aux attentes insistantes du clan à son égard ?

De lumineuses et magnifiques tapisseries décoraient les murs. Un vaste tapis couvrait le sol, élimé par endroits mais toujours très beau avec ses motifs floraux dans des teintes lavande et bleues. L'habillage de cheminée était en marbre rose. Mais plus appréciables encore étaient les larges fenêtres qui occupaient presque tout un mur. Et, comble du luxe pour un château écossais, chacune d'elles était équipée de verres biseautés.

Avalon n'avait aucun ouvrage auquel consacrer son temps dans cet endroit prévu pour cela. Lady Maribel lui avait bien donné des leçons de couture, mais elle détestait coudre ou broder. Elle se contentait de rester allongée sur la couche, laissant ses yeux errer du feu pétillant dans l'âtre aux animaux fabuleux des tapisseries. La gangue de brume qui enserrait Sauveur, visible derrière les fenêtres, lui donnait l'impression apaisante que dans ce refuge rien ne pourrait l'atteindre. La nuit précédente, à l'insu de tous, elle s'était même endormie là, émerveillée de découvrir la voûte étoilée sous ses yeux chaque fois qu'elle s'éveillait.

— Elle est ici, je crois.

Tirée brutalement de sa rêverie, Avalon reconnut la voix de Nora et se tourna vers la porte. Après s'être effacée sur le seuil, Nora céda le passage à Marcus, lui-même suivi d'une petite troupe de curieux. La chimère en elle s'éveilla aussitôt, apeurée. Avalon se redressa vivement et s'assit sur la couche. Marcus marqua une pause quand il la vit, puis s'avança de nouveau vers elle, la bouche tordue par un étrange rictus.

— Avalon... dit-il doucement.

— Que se passe-t-il ?

Son cœur s'était mis à battre à tout rompre. Plus fort, même, qu'au terme de l'entraînement de l'après-midi.

— J'ai reçu des nouvelles de Trayleigh, poursuivit-il en la fixant.

Incapable de la moindre parole, Avalon soutint son regard sans rien dire, la main posée sur le cœur. Et lorsque Marcus se décida à parler, elle devina ce qu'il avait à lui dire.

— Votre cousin Bryce… il a été tué.

La chimère remua la tête énergiquement, secouant sa crinière de lion et lâchant un grondement sourd qu'elle seule pouvait entendre.

— Comment est-ce arrivé ?

— Une flèche lui a transpercé le cœur au cours d'une partie de chasse. Nul n'a vu d'où elle venait. Il s'agirait apparemment d'un accident, ou du crime d'un braconnier.

Comme s'il hésitait à poursuivre, Marcus se tut. En lui, le loup à l'affût était de retour.

— Warner, conclut-il enfin d'une voix grondante. C'est lui qui a hérité du titre.

Ce qui coulait de source, réalisa Avalon. Bryce disparu, son frère héritait de tout : le titre, Trayleigh, les terres. C'était lui, le nouveau baron. Quelles conséquences ces événements inattendus allaient-ils avoir sur elle-même ? Et plus important encore : que devenaient dans ces conditions ses rêves de vengeance ?

À n'en pas douter, Warner n'allait pas perdre de temps pour revendiquer le droit de l'épouser. En tant que baron, il aurait un pouvoir d'influence équivalent à celui de Marcus. Et s'il arrivait à ses fins, les émissaires seraient bientôt de retour – accompagnés d'une armée cette fois. À l'idée que tous ces gens qui l'entouraient, et qu'elle avait commencé à aimer, pourraient se battre pour elle, Avalon sentit l'épouvante la gagner.

Marcus pivota et congédia d'un geste ceux qui se trouvaient là. Avalon les vit s'éclipser sans bruit, refermant soigneusement la porte derrière eux. Ils étaient seuls à présent, dans la lumière cotonneuse du jour déversée par les fenêtres qui baissait de minute en minute.

— Ce n'est pas tout, reprit Marcus en se retournant vers elle. On m'annonce que depuis qu'il est baron, Warner est plus décidé que jamais à obtenir votre main.

D'un haussement d'épaule gracieux, Avalon tenta de dissimuler sa crainte.

— Cela n'a aucune importance, dit-elle.

— Aucune importance ?

Marcus laissa fuser un rire caustique.

— Êtes-vous sérieuse ? Rien n'a plus d'importance, au contraire ! Il a à présent les moyens de ses ambitions et pourra offrir plus d'argent à l'Église.

— Ces documents qu'il prétend détenir ne peuvent être véridiques, objecta-t-elle. Je suis certaine que mon père n'a signé aucun contrat de fiançailles avec...

— J'en suis persuadé moi aussi, la coupa-t-il sèchement. Mais peu importe. Warner produira des documents assez bien imités pour paraître authentiques. Et s'il s'élève ici ou là quelques objections, il saura les faire taire avec son or. Il ne reste qu'une solution pour le contrer. Demain soir, nous serons mariés.

Avalon se dressa d'un bond.

— *Quoi ?*

— Demain ! répéta-t-il, inébranlable.

Avalon vit briller au fond de ses yeux l'éclat du serpent. Son pire cauchemar semblait sur le point de se réaliser.

La chimère, prise de panique, s'agitait plus que jamais sous le crâne d'Avalon. Il lui fallut faire abstraction de ses cris d'alerte pour garder son sang-froid.

— Marcus Kincardine... dit-elle à voix haute et claire, en soutenant bravement son regard. Écoutez-moi bien ! Peu importe les preuves que Warner Farouche pourra fournir ou les pressions qu'il exercera sur l'Église. Jamais je ne l'épouserai. Vous n'avez pas à craindre cela.

Marcus arqua un sourcil, en une expression d'arrogance et de pur dédain.

— Le craindre ? Mais je ne le crains pas, milady. Je sais fort bien que vous ne pouvez être sa femme, puisque vous êtes déjà mienne.

— Je ne suis la femme de personne ! protesta-t-elle. Vous n'écoutez rien de ce que...

— J'écoute parfaitement, l'interrompit-il. J'écoute les appels de ceux de mon clan. J'écoute les diktats d'une imparable légende. J'écoute, chère lady Avalon, ce que me dit mon cœur et ce que me dit le vôtre. Et tout ce que j'entends me conduit à la même conclusion.

Avalon ne vit rien venir. Sans crier gare, Marcus lui prit les bras et l'attira contre lui.

— Avalon... murmura-t-il en déposant un chapelet de baisers le long de sa joue, de son menton, de son cou. Vous ne voulez donc pas m'épouser ?

Lorsqu'elle détourna la tête pour se soustraire à ses baisers, il accompagna le mouvement et captura ses lèvres en une farouche revendication de propriété.

Avalon ne fit rien pour y mettre un terme. Elle en était incapable. Elle ne le voulait pas. Ce fut lui qui s'arracha à ses lèvres. Il s'accrochait à elle, le souffle court, comme pour ne plus la laisser partir. Ce fut d'une voix suppliante qu'elle l'entendit gémir dans ses cheveux :

— Avalon, s'il vous plaît…

Mais dans les corridors de sa mémoire, c'était une autre voix, plus brutale, qui retentissait.

— *Tu épouseras mon fils ! Tout ce que tu peux croire ou penser m'indiffère. Mais cela, c'est une réalité à laquelle tu n'échapperas pas !*

Grimaçant un sourire cruel, la chimère planta ses dents dans son esprit et lui renvoya en écho ses propres paroles.

— *Je ne l'épouserai jamais. Jamais ! Aujourd'hui, j'en fais le serment. Jamais je n'épouserai votre fils !*

Avalon n'avait pas le choix. Elle ne pouvait laisser Hanoch triompher par-delà la tombe. Elle lui avait déjà cédé sur bien des points. Impossible de reculer sur celui-là.

Elle chercha le regard de Marcus pour lui répondre.

— Je ne peux pas vous épouser.

Il ferma les yeux. Elle perçut sa peine aussi intensément que si elle avait été sienne.

— Je suis désolée… dit-elle d'une voix sourde. Désolée. Je vous supplie de me comprendre. *Je ne peux pas.*

Marcus fournit un effort manifeste pour se ressaisir. Après avoir pris une profonde inspiration, il s'écarta d'Avalon, ne laissant que ses mains sur ses épaules.

— Très bien ! fit-il. Je suis désolé, moi aussi. Désolé qu'il faille en passer par là.

— Que voulez-vous dire ?

Au moins, ce changement d'attitude avait eu le mérite de faire taire la chimère en elle.

— Je vous demande de regagner votre chambre, Avalon.

Craignant de saisir ce qu'il avait en tête, elle demanda :

— Pour quelle raison ?

— Je veux que vous y restiez jusqu'à demain soir.

Au cours de leur étreinte, le serpent était retourné à son sommeil léthargique. Mais le laird, qui avait repris la main, n'était pas plus accommodant.

— Quand nous serons mariés, précisa-t-il, vous aurez de nouveau la liberté d'aller où bon vous semble.

La chimère se mit à hurler en elle. *Fuis ! Va te cacher ! Ne les laisse pas t'attraper !* L'écho de sa voix se répercuta dans tout son corps et fit trembler ses mains. Il lui fallut serrer les poings pour ne pas le montrer.

— Vous ne contrôlez pas mon existence ! lança-t-elle, luttant contre la panique qui menaçait de la submerger.

— Venez… répliqua-t-il tranquillement, aussi sombre et implacable que la nuit tombante.

Au désespoir, Avalon laissa courir son regard autour d'elle. La charmante pièce qui avait fait ses délices semblait minuscule à présent. Les fenêtres étaient hermétiquement closes. Une petite troupe patientait derrière la porte. Son cœur s'affolait comme un oiseau en cage. Le tremblement de ses mains se communiqua à ses bras, à son torse, à sa gorge. Elle savait que cette peur qui la tétanisait n'avait rien de rationnel, mais elle se retrouvait livrée à elle, pieds et poings liés.

— Avalon ?

Marcus, manifestement, attendait qu'elle sorte de cette pièce avec lui pour aller d'elle-même s'enfermer dans sa chambre, où elle n'aurait rien d'autre à faire que s'asseoir et attendre que son destin s'accomplisse. Cette chambre était exactement comme le cellier de son enfance, cet espace resserré et étouffant, obscur, empli de monstres chuchotants...

— Non !

Ses pieds entrèrent en action de leur propre volonté, la faisant reculer à petits pas jusqu'au mur.

Il faisait à présent quasiment noir dans la pièce. La pénombre ne lui permettait pas de distinguer le visage de Marcus et de deviner ses intentions. Avalon sentit un courant d'air froid venu des fenêtres. La nuit noire était sur le point de l'engloutir. Elle la guettait dans les coins, dans les angles morts de sa vision. Une suffocante obscurité sans fin, qui se refermerait sur elle telle une brume maléfique, s'insinuant dans ses poumons, l'empêchant de...

Marcus venait de bouger. Elle vit sa silhouette noire se découper brièvement sur la tache pâle de la cheminée. Il s'approchait d'elle, prêt à l'assaillir. D'instinct, elle se mit en garde, les poings dressés devant elle.

— Ne cherchez pas à me combattre ! lança-t-il d'un ton menaçant. Je ne vous le conseille pas...

— Ne me touchez pas ! répliqua-t-elle vivement. Je ne retournerai pas là-dedans !

— Il s'agit juste d'une journée...

... et d'une nuit au cachot !

— Non ! Je...

L'air commençait à lui manquer. Elle ne parvenait pas à emplir ses poumons. Des tremblements parcouraient tout son corps. La difficulté de discerner Marcus dans le noir rajoutait à la panique qui la tétanisait.

— Vous n'avez pas le choix ! reprit-il sèchement. Vous ferez ce que je vous dis.

— *Tu resteras là-dedans jusqu'à demain matin !*

Les gobelins attendaient Avalon dans sa prison. Elle avait l'impression de les entendre déjà. Même la chimère tournait ses oreilles vers eux, aux aguets. Ils n'existaient que dans les ténèbres. Ils la guettaient au fond du cellier. Chaque fois qu'on l'y enfermait, ils étaient là avec leurs haches, leurs couteaux, leurs massues. Sous leurs coups, Ona mourait encore et encore. Son sang éclaboussait l'écorce du bouleau dans les branches duquel Avalon s'était réfugiée.

L'homme, dans le noir, fit mouvement de nouveau. Elle ne put le voir, mais la chimère la prévint de son approche. Instinctivement, elle se mit en position pour le terrasser. Mais il semblait avoir deviné son plan et manœuvra de telle sorte qu'elle se retrouva bientôt immobilisée contre lui, incapable du moindre geste.

— J'apprends de mes erreurs, dit-il au creux de son oreille. Vous avez enseigné cette prise à vos élèves. Vous voyez, j'ai profité de vos leçons, moi aussi.

Avalon laissa échapper un cri de rage et de frustration. Elle ne pouvait voir qui se trouvait derrière elle. Ce pouvait être n'importe qui – Ian, Hanoch, ou pire encore l'un de ces gobelins venus la dévorer.

Sans lâcher prise, l'homme parut changer d'attitude. Elle sentit qu'il prenait conscience de son souffle précipité, du tremblement qui s'était emparé de tout son corps.

— Avalon?

Sa voix était plus basse, très humaine. C'était la voix de Marcus... Elle la reconnut avec soulagement.

— Qu'est-ce qui se passe? s'inquiéta-t-il. Qu'est-ce qui vous arrive?

Captive, à sa merci, Avalon se mordit la lèvre pour réprimer un sanglot. Ce qu'il lui demandait demeurait à ses yeux insupportable. Elle ne pouvait endurer l'enfermement dans cette petite pièce, avec sa fenêtre étroite, les ténèbres qui gagnent, l'attente...

— Dites-moi ce qui vous bouleverse... insista Marcus.

Cette fois, dans sa bouche, ce n'était pas un ordre mais une invite. Il relâchait son emprise graduellement. Bientôt, elle réalisa qu'il ne la retenait plus prisonnière, mais se contentait de la serrer contre lui. Son contact, dans son dos, était rassurant. Son souffle chaud contre sa nuque, réconfortant.

— Dites-le-moi... répéta-t-il à mi-voix.

— Je ne veux pas être enfermée là-dedans.

Avalon s'était exprimée d'une voix blanche. Le sanglot demeurait bloqué dans sa gorge.

— Où ça? s'étonna-t-il.

— Dans ma chambre.

Elle sentit Marcus se raidir. Il garda le silence un instant, comme s'il cherchait à discerner sous ses paroles les secrets qui s'y cachaient.

— Elle vous fait peur? questionna-t-il enfin. Votre chambre vous fait peur?

Dans un éclair de lucidité, Avalon comprit qu'en se conduisant de manière déraisonnable et puérile, elle ne faisait qu'aggraver la situation.

— Quand j'étais petite, expliqua-t-elle en s'efforçant de se reprendre, il y avait un cellier dans le cottage où votre père me retenait prisonnière. Il avait l'habitude de m'y enfermer, dans le noir, pendant des jours et des nuits. Depuis, je ne supporte plus de me retrouver dans des endroits obscurs ou...

Avalon ne put achever sa phrase. Le sanglot bloqué dans sa gorge se libéra d'un coup. Avec une grande douceur, Marcus la fit pivoter entre ses bras et la serra tendrement contre lui. Laissant libre cours à ses pleurs, Avalon se laissa faire.

En lui caressant les bras, le dos, les cheveux, il murmura à son oreille des mots de consolation qu'elle entendit à peine, tant son chagrin trop longtemps contenu la secouait tout entière. Elle se sentait vidée, exténuée.

Lorsqu'elle s'apaisa, Marcus lui souleva le menton. Du bout des doigts, il essuya ses dernières larmes.

— Bel Amour... dit-il en la fixant au fond des yeux. Vous n'aurez pas besoin de retourner dans votre chambre.

À ces mots, Avalon ressentit un intense soulagement. Marcus se pencha pour cueillir ses lèvres, doucement, tendrement.

— Vous auriez dû me raconter tout cela bien avant, lui reprocha-t-il. Jamais je ne vous aurais fait enfermer si je l'avais su.

Avalon ne répondit pas. Elle se sentait soudain si lasse qu'elle avait du mal à garder les yeux ouverts. Une grande faiblesse s'était emparée de tout son corps.

Passant un bras autour de sa taille, Marcus l'entraîna hors de la pièce en la soutenant. Dans le corridor, fort heureusement, il n'y avait plus personne pour les attendre.

— Où allons-nous ? s'enquit-elle.

— Dans ma chambre, répliqua-t-il simplement.

12

Le lit à baldaquin de Marcus était aussi grand et aussi confortable qu'Avalon en gardait le souvenir. Elle ne s'étonnait pas qu'il l'eût amenée ici, et s'en effrayait encore moins. Dès qu'il l'eut confortablement installée sur les fourrures et qu'il s'allongea près d'elle, elle se contenta d'apprécier le bien-être qui l'envahissait. Cela lui sembla parfaitement naturel de se lover contre lui, de laisser reposer sa tête au creux de son épaule, de poser un bras sur sa poitrine et une jambe en travers d'une des siennes. C'est dans cette position, tout habillée dans le lit du laird, qu'elle s'endormit.

Sans jamais sortir tout à fait du sommeil, il lui arriva de reprendre suffisamment conscience pour s'apercevoir d'une présence, d'une chaleur inhabituelle auprès d'elle, d'un souffle sur son visage. Mais rien de tout cela n'était inquiétant. Bien au contraire, il était doux et réconfortant d'en faire pour la première fois l'expérience. Il lui semblait avoir recherché ces sensations toute sa vie sans oser se l'avouer.

Aussi, lorsqu'elle finit par s'éveiller tout à fait, elle ne s'effraya pas de découvrir un bras d'homme posé sur sa taille. Elle était allongée sur le dos, et ce poids inhabituel sur son ventre n'était pas désagréable. Et au bout de ce bras, derrière l'épaule sur laquelle cascadaient ses brillants cheveux noirs, elle distinguait le visage de Marcus, détendu par le sommeil. La lumière chiche de l'aube faisait paraître bleu le chaume de barbe qui lui ombrait le menton et les joues.

Avalon reprit alors tout à fait ses esprits. Elle se trouvait dans la chambre de Marcus. Il l'y avait amenée la veille. Elle y avait dormi toute la nuit près de lui, contre lui.

Comme alerté par l'attention dont il était l'objet, Marcus ouvrit brusquement les yeux. Avalon ne détourna pas le regard. Dans les profondeurs hivernales de ses prunelles, un étrange phénomène attira son attention. Tandis qu'il prenait conscience de sa présence, une certaine chaleur réchauffa le bleu glacier de ses yeux. Alors, elle se rendit compte qu'elle pourrait facilement s'y perdre, si elle n'y prenait garde. Se noyer dans cette chaleur secrète, dans ces mystérieuses flammes bleues.

En réponse à cette lueur dans les yeux de Marcus, Avalon sentit son cœur s'envoler vers lui. Parce que, en cet instant privilégié, dans cette intimité nouvelle qu'ils partageaient, plus aucune barrière ne la séparait de lui. Elle aurait voulu que ce moment dure toujours. Soulevant la main qu'il avait posée sur sa taille, Marcus porta ses doigts jusqu'aux lèvres d'Avalon, qu'il caressa tendrement, solennellement, comme si le sort du monde en dépendait.

Une mèche de ses cheveux caressa la joue d'Avalon lorsqu'il se pencha vers elle, ses lèvres prenant le relais de ses doigts. D'abord, son baiser fut à peine marqué, presque hésitant. Mais bientôt, la passion l'emporta et sa bouche se fit experte et exigeante.

Le corps d'Avalon s'enflamma sur-le-champ. Elle savait désormais à quoi ces préliminaires allaient aboutir, et il lui tardait de revivre ce moment de pure extase, de brûlant oubli. Elle se pressa désespérément contre lui, enfouit l'une de ses mains dans ses cheveux pour mieux l'attirer à elle. Sur les lèvres de Marcus, elle découvrait un goût unique, enivrant, purement masculin. Du bout de la langue, il dessina le contour des siennes.

— Oui… chuchota-t-il contre sa bouche. C'est bien.

Eût-elle pu parler, Avalon ne l'aurait pas contredit. Tout son être n'était plus qu'un intense consentement à tout ce qu'elle ressentait, à tout ce qu'il lui faisait. Le corps de Marcus, dur et dominateur, était à présent allongé sur le sien. Il s'était installé entre ses jambes d'une manière à la fois inconvenante et délicieusement troublante. Le tartan qui comprimait ses formes devenait insupportable à la jeune femme. Peut-être Marcus le comprit-il, car il entreprit de défaire la broche d'argent qui retenait le plaid à l'épaule et fit glisser la lourde étoffe de laine.

Le souffle d'air froid qui assaillit Avalon fut de courte durée. Les mains de Marcus, déjà, s'emparaient de ses seins à travers la toile noire de la tunique. Rejetant la tête en arrière, elle laissa échapper un râle venu du fond de sa gorge, du creux de son ventre, où se répandaient des fleuves de miel brûlant.

— Bel Amour… murmura Marcus d'une voix déformée par le désir.

Ses mouvements se firent plus pressants et déterminés. Ses mains couraient le long de son corps, au contact duquel elles semblaient ne pouvoir se rassasier. Au cœur de son être, Avalon sentait grossir un noyau de pur désir. Elle savait à présent, grâce à lui, à quoi menaient ces prémices. Et il lui tardait d'en goûter de nouveau les délices. Plus rien n'existait pour elle que Marcus et ce rythme obsédant, vital comme un battement de cœur, impérieux comme un roulement de tambour, qu'il imprimait à son corps. Elle s'arc-boutait pour mieux s'y prêter.

Le tartan de Marcus s'était desserré et avait glissé sur son torse. D'un brusque mouvement d'épaules, il fit glisser la tunique aussi. Pour la première fois, Avalon découvrit la forte colonne de son cou, les muscles saillants de ses pectoraux, la toison noire et bouclée qui s'étalait en forme d'étoile entre eux. Levant la main, elle remonta le long de son bras jusqu'à son épaule, caressa sa peau nue, laissa ses doigts s'égarer dans la douceur de ses poils.

C'était lui, à présent, qui gémissait de plaisir. Dressé au-dessus d'elle sur ses bras tendus pour mieux se prêter à ses caresses, il était toujours installé entre ses jambes, son entrejambe rigide plaqué contre elle.

Avalon regarda avec surprise ses mains partir à l'aventure, comme si elles appartenaient à une autre. Elle s'émerveillait d'éprouver sous ses paumes la douceur de sa peau, sa chaleur, ses reliefs. Marcus avait les yeux clos, le visage extatique. Elle vit sa bouche se pincer et son visage se crisper lorsqu'elle laissa ses doigts descendre plus bas, toujours plus bas.

Avec la souplesse, la vitesse et la grâce d'un félin, il se redressa brusquement pour écarter les mains d'Avalon et lui saisir les épaules afin de l'asseoir sur le lit. Le souffle court, il s'activa à déboutonner sa tunique. Ses mains tremblaient si fort qu'il ne put aller plus loin que la troisième boutonnière. D'un geste rageur, il écarta les pans du vêtement, faisant s'abattre sur le lit une pluie de boutons. Puis, sans laisser à Avalon le temps de s'y opposer, il fit glisser la tunique le long de ses épaules et de ses bras, la dénudant jusqu'à la taille.

Figée, elle émit un petit cri de surprise. Marcus, sans se laisser distraire, l'incita à se rallonger.

— Oh, mon Dieu ! s'exclama-t-il.

Les bras pris dans les manches de la tunique, Avalon ne put croiser pudiquement les mains sur ses seins. Les yeux de Marcus, émerveillés, couraient sans relâche sur cette partie de son anatomie qu'il venait de mettre à nu. Avalon se sentit rougir. Elle détourna le regard.

— Avalon...

Marcus avait murmuré son nom d'une voix rauque. Avec une extrême douceur, comme s'il lui fallait cueillir deux fruits fragiles, ses mains vinrent se poser en coupe contre ses seins. À ce contact, les pointes des mamelons se dressèrent.

Lorsque enfin Avalon eut le courage de tourner son regard vers Marcus, il gardait les yeux fixés sur ses mains. Avec fascination, il les observait dispenser leurs caresses. Du bout des pouces, il titillait les aréoles, et ses paumes, aussitôt après, venaient s'y poser. Levant enfin les yeux, il croisa son regard. Dans la pénombre, le sien était d'un bleu lumineux.

— Vous êtes...

Ses mots le trahirent. Renonçant à poursuivre, il secoua la tête et se pencha pour capturer dans sa bouche l'un de ses mamelons.

Avalon ne put étouffer le cri de plaisir qui lui échappa. Son corps, de lui-même, s'offrait de manière impudique aux caresses de Marcus. Il savait exactement quoi faire pour la rendre folle. Sa langue, ses lèvres, avec une habileté diabolique, lui infligeaient une délicieuse torture. Et quand il releva la tête pour souffler sur la pointe humide de son sein, elle crut défaillir.

— ... parfaite, susurra-t-il, achevant sa phrase avec un temps de retard. Vous êtes parfaite.

Avec impatience, Avalon parvint enfin à libérer ses mains des manches de la tunique. Il l'y aida en souriant, puis se pencha lentement de manière à venir caresser sa poitrine avec son torse. La sensation qui en résulta fut pour Avalon une révélation. Comment avait-elle pu ignorer si longtemps le plaisir de ce contact ?

Levant les bras, elle les noua autour de ses puissantes épaules. Marcus l'embrassait de nouveau fougueusement, tout en l'aidant à se débarrasser du tartan et de la tunique qu'elle put, à force de contorsions, repousser avec ses pieds au bout du lit. Quand ce fut fait, il se dressa pour se défaire à son tour de ses vêtements. Au contact de l'air froid, Avalon eut juste le temps de sentir la chair de poule hérisser sa peau. Déjà, Marcus reprenait sa place au-dessus d'elle.

Cette fois, ils étaient entièrement nus, et le contact du corps de Marcus au-dessus du sien finit par alarmer Avalon. Pour la première fois depuis qu'ils s'étaient réveillés, elle sentit l'ombre d'un doute s'insinuer en elle, atténuant son désir.

294

Qu'était-elle en train de faire, exactement ? Sans la moindre hésitation, elle rendait à Marcus caresse pour caresse, baiser pour baiser. Elle s'était laissé subjuguer par lui. Elle était devenue l'esclave de ses sens. La raison lui dictait de faire marche arrière. Il lui fallait l'arrêter avant qu'il ne soit trop tard.

Ne comprenait-elle pas ce qui était en train de se passer ? Elle se trouvait dans le lit de Marcus Kincardine, nue et consentante. Son corps viril se pressait tout contre elle. De son plein gré, elle s'apprêtait à faire l'amour avec l'homme qu'elle s'était juré de ne jamais épouser.

Ce n'était pas le fait de se donner à lui en dehors des liens du mariage qui la faisait hésiter. C'était pour sa liberté qu'elle craignait. Car Avalon savait que si elle ne mettait pas un terme immédiatement à cette étreinte, ils seraient amants et elle ne pourrait plus lui échapper. Il resterait dans son cœur à jamais.

Mais peut-être, tout compte fait, y était-il déjà...

Marcus perçut le trouble qui s'était emparé d'Avalon. Ses mains s'étaient immobilisées sur ses bras. Elle ne le repoussait pas encore, mais elle n'acceptait plus sa présence avec autant d'enthousiasme. La stupeur se lisait sur son beau visage, comme si quelqu'un était venu brusquement la réveiller d'un doux rêve.

Par peur de l'effrayer, Marcus se tint parfaitement immobile et chuchota d'un ton suppliant :

— Avalon... Bel Amour... mon adorée...

Les lèvres entrouvertes, le souffle court, elle releva les yeux et soutint son regard. Le violet de ses prunelles s'était assombri.

— N'ayez pas peur… reprit-il. Tout va bien.

Ces paroles rassurantes ne produisirent pas l'effet escompté. Avalon paraissait plus troublée encore. Ses yeux dérivèrent derrière lui, par-dessus son épaule. La tension qui l'habitait s'accentua au point que Marcus la ressentit dans tout son corps.

— Avalon… répéta-t-il.

Il ne savait que faire pour la ramener vers lui. Ses mains tremblantes vinrent encadrer son visage. Il ne savait que dire d'autre que répéter son prénom. Ils s'étaient à ce point rapprochés l'un de l'autre que cela le tuait de devoir hésiter ainsi, si près de conclure leur union. Pourtant, il le fallait.

Contre toute attente, elle ne s'était pas dérobée à cette étreinte. Elle s'y était même prêtée avec une ardeur qui n'avait pas manqué de le surprendre. Devoir y mettre un terme prématurément constituerait pour lui un véritable supplice.

Il l'attendait depuis si longtemps – il n'avait fait que l'attendre durant toute sa vie, en réalité. Mais il ne pouvait pas la prendre ainsi, sans son consentement plein et entier. Il ne pouvait pas faire d'elle sa femme sans que tous les doutes entre eux aient été levés.

Et soudain, tout se modifia. Marcus ne comprit pas ce qui avait provoqué ce changement, ni pourquoi il s'était produit. Avalon, brusquement, s'était détendue entre ses bras. Son visage s'était départi de sa terrible absence. Ses doigts, sur ses bras, avaient retrouvé leur légèreté.

— Je n'ai pas peur, dit-elle en le fixant au fond des yeux.

Il y avait davantage qu'une simple acceptation dans ces paroles. Marcus y perçut une invite, l'expression d'un appétit sensuel qui fit flamber son propre désir et lui fit oublier ses craintes et ses scrupules.

Il était toujours installé entre les jambes d'Avalon. Il ne changea pas de position, mais ne chercha plus à lui épargner, comme auparavant, l'évidence de son désir. Contre son pubis, il laissa battre son sexe érigé, impérieux. Elle lui répondit en ouvrant les jambes, avec confiance et spontanéité. Les dents serrées, Marcus trouva sans difficulté le chemin étroit, tout en moiteur, de son intimité.

Saisie par une brusque appréhension, Avalon se raidit en sentant augmenter entre ses jambes la pression exercée par le sexe de Marcus. En dépit de ce qu'elle venait de lui assurer, la perspective de ce qui allait suivre l'effrayait un peu.

Cette part si impressionnante de lui-même qui cherchait à s'introduire en elle l'emplissait d'une vague crainte. Pourrait-elle le supporter ? Comparativement, les caresses qu'il lui avait prodiguées l'autre jour semblaient bien innocentes…

Figée dans une attente anxieuse, elle se prêta sans résister à cette invasion, qui cessa quand se fit sentir au creux de son ventre une douleur sourde, à peine perceptible.

Au-dessus du sien, le visage de Marcus, éclairé par la lumière grandissante qui pénétrait dans la pièce, lui parut plus beau que jamais. Il gardait les paupières closes, et ses cheveux noirs caressaient les doigts d'Avalon ancrés dans ses robustes épaules. Lorsque ses yeux s'ouvrirent, elle fut surprise d'y lire une forme de regret.

— Je suis désolée, mon aimée…

Sans laisser le temps à Avalon de lui demander pourquoi, il glissa les mains sous elle pour s'emparer de ses fesses et plongea en elle d'un coup de reins.

Une douleur aiguë, d'autant plus cuisante qu'inattendue, déchira le ventre d'Avalon, lui arrachant un petit cri. L'instant de surprise passé, elle tenta de le repousser, mais Marcus l'immobilisa en laissant le poids de son corps reposer sur elle. Le visage enfoui dans ses cheveux, il se répandait à mi-voix en excuses.

— Avalon...

Sur ses lèvres, son nom était un murmure.

— C'est ainsi qu'il doit en être. Je suis désolé. Oh, Seigneur ! Tellement désolé...

Unis l'un à l'autre, ils se maintenaient dans une parfaite immobilité, le souffle suspendu. Avalon fut surprise de constater que la douleur cédait du terrain. Elle s'engourdissait peu à peu et n'était plus si terrible à présent. Reprenant son souffle, la jeune femme s'efforça de se détendre, explorant cette sensation nouvelle, essayant de la domestiquer. Marcus était enfoui en elle. Cette intimité inédite qu'ils partageaient fit renaître son désir et sa curiosité. Au creux de ses veines, le fleuve de miel se remit à couler.

Elle leva un genou, juste un peu, et sentit Marcus pénétrer plus profondément en elle. Poussant un gémissement rauque, il protesta :

— Pas si vite !

Mais Avalon ne l'entendit pas de cette oreille. Le feu qui couvait dans son ventre se répandait dans tout son corps. La douleur s'était muée en un besoin impérieux qui l'incita à verrouiller ses jambes autour de celles de Marcus, pour mieux se prêter à cette étreinte et l'empêcher de s'y soustraire.

Serrant le visage d'Avalon entre ses mains, il commença à aller et venir doucement, imprimant un rythme à leur union. Instinctivement, elle se calqua sur ce tempo en ondulant du bassin.

De petits gémissements de plaisir se mêlaient à ses halètements. Le miel dans ses veines se transformait en lave incandescente. C'était avec une urgence accrue qu'ils se jetaient l'un contre l'autre. Plus rien ne comptait que cette promesse de bonheur, à portée de main.

Marcus pencha la tête pour l'embrasser et elle lui rendit son baiser avec passion. Avalon aurait voulu ne plus faire qu'un avec lui. La lave se diffusait dans ses veines, elle n'était plus qu'un feu liquide. Lui seul avait encore une réalité pour elle – son contact, ses mouvements. Et tout ce qu'il faisait avivait le feu béni qui était en train de la consumer.

Le rythme de leur union se fit frénétique. Leurs souffles précipités s'entremêlaient. Éperdus, ils s'accrochaient l'un à l'autre. Enfin, Avalon sentit déferler sur elle le raz-de-marée si ardemment désiré. La tête rejetée en arrière, elle accueillit le déferlement de lumière et de chaleur qui l'embrasait corps et âme.

Le cri de délivrance de Marcus se mêla au sien. Ils se perdirent l'un dans l'autre, et Avalon eut l'impression d'être montée si haut dans le ciel que jamais plus elle ne pourrait redescendre sur terre.

Anéanti, Marcus retomba sur le côté pour ne pas l'écraser sous son poids. Sa tête se nicha dans le cou d'Avalon. Une vague de chaleur émanait de lui, qui la réchauffait. Son odeur – si nouvelle, si excitante et surprenante – était partout autour d'elle.

Encore sous le choc de ce qui venait de se passer, Avalon ferma les yeux, émerveillée. Pour ne pas rompre la magie, elle posa une main sur son avant-bras. Et lorsqu'elle rouvrit les paupières, Marcus la fixait, l'air grave et solennel. Dans ses yeux, il y avait une lumière qu'elle n'avait jamais vue.

Je t'aime!

Nul n'avait prononcé ces mots. Ils émanaient directement de l'esprit de Marcus. Sans aucun doute possible. Ce n'était pas la chimère qui les lui avait transmis. Aucun écho ne les avait portés.

En proie à la confusion, Avalon s'écarta et s'assit sur le lit, serrant une couverture contre sa poitrine. Il ne pouvait l'aimer, songeait-elle. Comment aurait-il pu être amoureux d'elle? C'était une figure de légende qu'il aimait; pas une femme de chair et d'os – pas elle. C'était la Promise de sa satanée prophétie qu'il croyait aimer!

Cette prise de conscience lui transperça le cœur. Comment avait-elle pu l'oublier? Ce n'était pas à elle que Marcus venait de faire l'amour avec tant de passion. C'était à une idole.

— Avalon?

Le front soucieux, Marcus se redressa à son tour, le bras tendu vers elle. Quand elle se poussa pour échapper à son contact, il se renfrogna:

— Que se passe-t-il? Vous ai-je fait mal?

— Non! répondit-elle d'une voix tremblante, baissant la tête pour lui cacher son visage.

La souffrance était dévastatrice, mais il lui fallait faire bonne figure. S'efforçant de se reprendre, elle chercha son regard avant de répéter fermement:

— Vous ne m'avez pas fait mal. Je vais bien.

Ce qui dominait en elle, c'était le remords. Comment avait-elle pu se livrer à lui aussi imprudemment? À quoi s'était-elle attendue, exactement? Il aurait fallu un miracle pour le faire renoncer à sa légende, et Avalon n'avait aucun miracle dans sa manche. Tout ce qu'elle avait à lui offrir, c'était elle-même, banalement faillible et humaine.

D'une voix distante, elle annonça:

— Je dois regagner ma chambre.

— Pour quelle raison?

Avalon s'accrocha au premier prétexte qui lui traversa l'esprit.

— Votre valet va bientôt arriver.

Marcus lui décocha un sourire sensuel, qui se ficha dans le cœur d'Avalon comme une flèche.

— Désolé de vous décevoir, dit-il, mais j'ai l'impression qu'il a déjà dû se présenter et repartir... Habituellement, je me lève avant l'aube.

Les yeux d'Avalon se fixèrent sur la porte.

— Ne vous inquiétez pas... poursuivit-il, amusé mais s'efforçant de ne pas le montrer. Je l'ai verrouillée hier. Mais je suis sûr qu'à présent, tout le monde sait pourquoi.

Avalon se précipita hors du lit, entraînant la couverture avec elle. Vif comme l'éclair, Marcus bondit et tenta de la retenir par le bras. La couverture glissa, accrochée en équilibre précaire à la pointe de ses seins.

— Bel Amour... murmura-t-il d'une voix suppliante. Ne me laissez pas.

Ses yeux se portèrent sur la couverture qui ne demandait qu'à tomber, avant de revenir se river aux siens. Avalon sentait sa résistance fondre comme neige au soleil. Ses sens, une fois encore, étaient sur le point de la trahir. Tout son corps ne demandait qu'à rejoindre l'abri sûr et confortable des bras de Marcus. Elle s'efforça d'y opposer la force de sa volonté et perdit le combat.

— Avalon... insista Marcus. Nous devons parler.

Avec ce sourire irrésistible qui n'appartenait qu'à lui, il l'attira doucement vers le lit. Vaincue, elle se laissa faire. Avec un frisson, elle regagna le cocon de couvertures, de fourrures et de peau douce et chaude qu'il lui offrait. Ils s'installèrent face à face, étendus.

Marcus, d'un air rêveur, caressa les cheveux d'Avalon, les souleva et les laissa filer entre ses doigts.

— Êtes-vous heureuse ici? demanda-t-il au bout d'un moment, d'une voix qui ne trahissait rien de ses intentions.

La main de Marcus ne cessait pas son manège, et ses yeux regardaient les mèches de cheveux d'Avalon s'élever et retomber. Elle savait qu'elle aurait dû ne pas lui dire la vérité et répondre par la négative. Si elle lui mentait, il lui serait difficile de deviner ce qui se passait réellement dans son cœur. Pourtant, elle ne put s'y résoudre et se contenta d'une demi-vérité.

— Je... D'une certaine manière, oui.

— Que voulez-vous dire?

Chaque fois qu'il élevait ses cheveux entre ses doigts, Avalon apercevait le visage de Marcus à travers un voile blond.

— Je veux dire que je le suis autant que possible.

— Étant donné les circonstances?

— Oui.

Marcus interrompit un instant son petit jeu. Ses prunelles de glace se voilèrent, comme s'il réfléchissait à ce qu'elle venait de dire.

— Dans ce cas, reprit-il, pensez-vous que vous pourriez l'être davantage ?

Les cheveux d'Avalon filaient de nouveau entre ses doigts, comme un sable insaisissable. Elle fixait cet incessant va-et-vient qui la fascinait. Une sensation d'engourdissement commençait à la gagner.

— Je ne sais pas, répliqua-t-elle d'un ton absent. Peut-être…

— Que faudrait-il, Avalon, pour faire de vous une femme comblée de bonheur ?

Cette question lui posait un problème insoluble. Elle ne savait comment répondre. Engourdie comme elle l'était, il lui était même difficile d'y réfléchir.

— Je ne sais pas, répéta-t-elle d'une voix qui lui parut étrangère. Je ne sais pas…

— Un foyer. Une famille. Un endroit où vous sentir chez vous, pour toujours.

À chacune de ces propositions, comme pour les énumérer, Marcus avait soulevé et laissé retomber les cheveux d'Avalon.

Quelqu'un qui m'aime, s'entendit-elle ajouter dans le secret de ses pensées. Vous qui m'aimez.

— Oui, approuva-t-il avec un sourire. Voilà ce que je veux vous donner : tout ce qui vous manque pour être tout à fait heureuse.

Sa main avait cessé de jouer avec les cheveux d'Avalon. Redevenu grave et sérieux, Marcus enchaîna :

— Mais d'abord, vous devez m'épouser. Avalon, voulez-vous…

— … m'épouser, *Treuluf*, et être mienne à jamais. Vous feriez de moi l'homme le plus heureux au monde.

Pour contenir sa joie, elle couvrit sa bouche de ses deux mains. Toujours agenouillé devant elle dans l'herbe haute, il leva la tête et ouvrit grands les bras.

— Je vous offrirai les étoiles sur un plateau d'or, reprit-il. J'attraperai le soleil pour l'enfouir dans votre poche, car son éclat paraît bien terne comparé au vôtre.

Debout dans les fleurs sauvages que le vent faisait osciller autour d'elle, Treuluf étouffa un petit rire sous ses mains.

— Pour vous, poursuivit le laird, je dessalerai les océans, afin que les larmes de la mer jalouse de votre beauté n'offensent pas votre visage.

Un nouveau rire secoua Treuluf. Un large sourire aux lèvres, le laird agenouillé s'inclina vers elle. Tous les membres du clan, elle en était certaine, pouvaient l'entendre.

— Pour vous prouver mon amour, ajouta-t-il avec emphase, j'escaladerai toutes les montagnes jusqu'au paradis ! J'en rapporterai pour vous les gemmes les plus précieuses, les plus belles, les plus rares, car seules celles-ci s'accordent à votre beau...

Elle riait tant, à présent, qu'il dut s'interrompre. Tous ceux qui s'étaient assemblés en bordure de la pâture ne tardèrent pas à la suivre et le laird, bon prince, se joignit à l'hilarité générale. Puis il bondit si rapidement sur elle qu'elle ne le vit pas venir. Tous deux roulèrent, enlacés et riants, dans les herbes sauvages.

Le rire de Treuluf finit par se tarir, mais son sourire demeura sur ses lèvres. Celui du laird était aussi radieux. Ses yeux brillaient. Jamais il ne lui avait paru aussi attirant. Il était allongé sur elle, de manière on ne peut plus inconvenante. Elle ne fit rien pour le chasser, mais quand il essaya de l'em-

*brasser en présence de tout le clan, par jeu elle se
déroba. Tous savaient qu'elle faisait semblant. Tous
savaient à quel point elle l'aimait, et combien il
aimait sa dame, lui aussi.*

*Il se redressa au-dessus d'elle, et une fois encore
elle admira la beauté de son aimé contre le bleu du
ciel : des cheveux noirs comme la nuit, des yeux
clairs comme l'aube, et le physique d'un dieu.*

*Il avait retrouvé son sérieux, et ce fut en la fixant
intensément qu'il demanda d'une voix grave :*

— M'épouseras-tu, lass ?

*Treuluf leva une main et enroula autour de son
doigt une mèche de ses cheveux.*

*— Oui ! répondit-elle sans cesser de lui sourire.
Rien ne pourra m'en empêcher...*

— ... devenir ma femme, et faire de moi le plus
heureux des hommes ?

La vision s'était estompée brusquement. En
sursaut, Avalon revint à la réalité et trouva Marcus, penché au-dessus d'elle, qui la dévisageait
anxieusement. Il avait les cheveux noirs comme
la nuit, les yeux clairs comme l'aube, mais sa silhouette se détachait sur les tentures d'un ciel de
lit et non sur un grand ciel d'azur. De plus, ils se
trouvaient dans l'intimité de sa chambre, et non
en plein air, dans une pâture, aux yeux de tout
un clan.

L'espace d'un instant, Avalon ne put faire un
geste. La vision avait été trop intense, trop pure,
trop réelle. Son cœur battait trop vite. Il lui semblait entendre l'écho du rire de la jeune femme
résonner sous son crâne, et avoir dans ses narines
l'odeur des fleurs sauvages.

Toujours penché au-dessus d'elle, Marcus attendait la réponse à sa question.

— *Rien ne pourra m'en empêcher...*

— Je... commença-t-elle.

La situation était troublante. Il lui semblait dériver dans une bulle de temps arrachée à la réalité. Deux couples. Deux paires d'amants. Une même demande. Mais devait-il y avoir, pour autant, une seule réponse ?

— Non ! dit-elle enfin, brisant le sort.

La bulle éclata. L'instant présent reprit ses droits, et il n'y eut plus qu'eux deux, de nouveau.

Marcus ne bougea pas d'un pouce et ne manifesta pas la moindre émotion.

— Pourquoi « non » ? demanda-t-il calmement.

— Je ne peux pas.

— Je ne vous crois pas.

Avalon cligna des paupières, ne sachant que répliquer. La main de Marcus s'éleva, se perdit de nouveau dans les cheveux d'Avalon. Mais cette fois, il enroula une de ses mèches autour d'un doigt, comme la Promise l'avait fait avec les cheveux de son amoureux.

— Je pense que vous pouvez faire mieux que ça, insista-t-il. « Je ne peux pas » est une piètre excuse.

Avalon détourna le regard, déconcertée, puis commença à se redresser. Marcus la laissa faire, mais sans lâcher la mèche enroulée autour de son doigt.

— Je ne peux pas vous épouser... maugréa-t-elle.

— Vous ne voulez donc pas être heureuse ?

— Bien sûr que si ! Mais...

— Alors, la coupa-t-il, vous ne pensez pas que je puisse vous rendre heureuse.

Avalon songea à la joie sans mélange que la Promise avait ressentie dans la prairie. Elle avait pu partager un instant sa pure exultation de voir l'homme qu'elle aimait lui crier son amour, à genoux devant elle. Cette femme avait connu le vrai bonheur, Avalon en était certaine. Comment pouvait-elle espérer connaître un jour une telle félicité?

Sa vie à elle n'avait rien à voir avec celle de la jeune femme de la prairie. Le laird qui lui avait demandé de l'épouser ne l'avait pas fait pour les mêmes raisons qui guidaient Marcus. Celui-ci s'y résignait parce qu'il ne pouvait faire autrement. Parce que c'était cela que, depuis l'enfance, son clan attendait de lui. Il le faisait par sens du devoir, de l'honneur. Par respect pour une légende.

— La seule personne qui puisse me rendre heureuse, déclara-t-elle enfin, c'est moi-même.

Elle avait affirmé cela sans amertume, avec juste une trace de tristesse dans la voix.

Marcus retira sa main, libérant la mèche d'Avalon, et pencha la tête sur le côté pour la dévisager.

— Je voudrais juste essayer de vous rendre heureuse, assura-t-il. Est-ce trop demander?

Le cœur d'Avalon était sur le point de se briser. La douleur était de retour, dix fois plus forte. Il aurait beau essayer, il ne pourrait l'aimer. Pas comme elle le voulait. Pas de cet amour dont elle avait pu avoir un aperçu dans cette vision.

— Je ferai n'importe quoi! lança-t-il d'un ton de défi. N'importe quoi pour avoir cette chance…

Les mains d'Avalon se portèrent à sa bouche. Mais, contrairement à la Promise de sa vision, c'était pour retenir un sanglot, non un éclat de rire. Elle était incapable désormais de soutenir le regard de Marcus. Incapable de rester assise à côté de lui plus longtemps. Aussi sortit-elle du lit et courut-elle récupérer sa tunique, qui gisait sur le sol. Elle la passa rapidement et la recouvrit de son tartan, qu'elle enfila comme une cape afin de se prémunir du froid matinal.

Elle faisait face à l'une des fenêtres, vers laquelle elle se tourna machinalement à l'instant où le soleil émergeait d'entre deux nuages. Ce qu'elle découvrit dehors la laissa bouche bée.

Sous ses yeux s'étendait un paysage qu'elle ne reconnut pas tout de suite. Un véritable paysage d'hiver, couvert d'un manteau d'un blanc aveuglant. La neige avait remplacé le brouillard. Elle était arrivée en catimini durant la nuit. Une couche uniforme d'un blanc étincelant recouvrait tout, du sommet des montagnes jusqu'aux bords des lochs.

Avalon pivota et constata que Marcus l'avait rejointe. Il avait dédaigné la tunique et s'était contenté de draper sommairement son tartan autour de lui. Il regardait le paysage transformé en féerie, avec une stupeur mêlée de fascination.

À la faveur de la vive lumière déversée par la haute fenêtre, Avalon remarqua alors ce que les ténèbres nocturnes lui avaient caché. De fines zébrures livides marquaient le flanc de Marcus, révélé par une ouverture du plaid qui bâillait. Des cicatrices… Et pas que quelques-unes. Plus ou moins longues, pâles sur le hâle de sa peau, elles se recoupaient en un réseau serré qui disparaissait dans son dos.

Sans même penser à ce qu'elle faisait, Avalon y porta la main, éprouva sous son doigt le relief à peine marqué des cicatrices anciennes, en suivit le tracé jusque dans son dos. Marcus se raidit et retint son souffle, mais ne se déroba pas. Son regard, lui, se détourna du sien. Avalon poursuivit son exploration au creux de ses reins. Les lignes évoquaient une volée de coups de fouet.

Se remémorant son étrange rêve du désert, Avalon retira sa main et saisit le poignet de Marcus, qu'elle leva en pleine lumière. Les marques s'y trouvaient, à peine visibles mais bien présentes. Elle se rappelait comme si elle l'avait vécu dans sa propre chair le tourment de l'homme attaché à la table, la morsure intolérable des cordes sur la peau. Baissant la tête, elle amena ses lèvres au contact de ces anciennes plaies qu'elle embrassa doucement. Elle aurait été incapable de dire pourquoi, mais il lui semblait impératif de le faire.

— Je ne veux pas de votre pitié, dit-il sèchement.

Les yeux fixés sur le paysage enneigé, il retira sa main.

— Ce n'est pas de la pitié que je ressens.

Un sourire douloureux flotta sur ses lèvres avant qu'il ne poursuive :

— Et m'épouserez-vous à présent, Avalon Farouche ? Accepterez-vous d'épouser l'homme blessé, parce que votre cœur est pur et bon, à défaut d'autre chose ?

Il ne lui laissa pas l'opportunité de répondre.

— Voyez à quoi j'en suis réduit ! s'exclama-t-il avec amertume. Même l'idée que vous acceptiez de m'épouser pour de mauvaises raisons m'indiffère.

— Je n'éprouve aucune pitié pour vous, répéta-t-elle. Je ne vous épouserai pas pour cette raison.

Marcus tourna enfin les yeux vers elle, la mine sombre.

— Alors pour quelle raison ? s'enquit-il. Pour quelle autre raison pourriez-vous m'épouser ? Dites-le-moi, et je ferai en sorte de vous satisfaire.

En proie à une intense frustration, Avalon était incapable de trouver ses mots. Il ne la comprenait pas, c'était évident. Il ne le pouvait pas. Et pour elle, l'ironie de la situation était grinçante. Car en d'autres circonstances, Marcus aurait parfaitement pu être celui qu'elle attendait. Libéré de la pesante légende qui les liait tous deux au sort du clan, il aurait pu lui apporter le bonheur qu'avait connu la jeune femme de sa vision. Mais cela n'était possible que s'il renonçait à la superstition pour l'accepter telle qu'elle était. Et en ce qui la concernait, elle devait mettre de côté ses peurs en l'acceptant lui aussi pour ce qu'il était : le fils de Hanoch. L'un comme l'autre, ils semblaient incapables d'y parvenir. Aussi se résigna-t-elle à murmurer :

— Je ne peux pas vous épouser.

Se détournant de lui, elle gagna la porte et batailla pour ouvrir le verrou.

— Vous ne *pouvez* pas ? répéta Marcus dans son dos, comme s'il percevait enfin la véritable portée de ces mots.

Avalon ne lui répondit pas. Le verrou paraissait coincé, peut-être à cause de l'arrivée du froid.

— Vous ne pouvez pas, dit-il encore.

Cette fois, Avalon perçut une pointe d'espoir dans sa voix, un frémissement d'excitation qui lui donna la chair de poule. Fébrile, elle redoubla d'efforts pour déverrouiller la porte.

— Pourquoi ? insista-t-il en se rapprochant derrière elle. Pour quelle raison ne pouvez-vous pas ?

— Parce que ! s'écria-t-elle, exaspérée.

Le verrou céda alors. Pieds nus, elle s'engouffra dans le couloir. Mais Marcus ne semblait pas décidé à s'avouer vaincu.

— Avalon! cria-t-il en se précipitant derrière elle. Attendez! Nous devons parler!

Dans sa hâte à lui échapper, Avalon perdit le sens de l'orientation. Dans le labyrinthe de corridors du château, elle ne parvenait plus à retrouver le chemin de sa chambre. Les gens qu'ils croisaient en chemin ne lui étaient d'aucune aide. Tous les regardaient passer avec étonnement et une curiosité non dissimulée. Tant et si bien que peu à peu, une petite troupe s'accrocha à distance aux pas du laird.

Avalon n'avait plus aucune idée de l'endroit où elle se trouvait. À ses yeux, tous ces interminables corridors aux murs de pierre se ressemblaient. Elle réalisa l'énormité de son erreur en débouchant tout à coup dans la grande salle, interrompant le petit déjeuner de ceux qui s'y trouvaient.

Elle s'arrêta en pleine course, les cheveux défaits, le souffle précipité, son tartan l'habillant à peine et la tunique à demi ouverte dans son dos. Elle n'eut pas besoin de la chimère pour comprendre de quoi elle avait l'air aux yeux de tous ces gens, qui la considéraient avec effarement. Il ne lui fut pas difficile non plus d'imaginer à quoi tous pensèrent lorsqu'ils virent débouler le laird derrière elle.

Avalon était mortifiée. Le sol se fût-il ouvert sous ses pas pour l'engloutir et mettre un terme à cette humiliation qu'elle l'aurait accepté avec reconnaissance. Un grand silence s'était fait dans la salle. Plus personne n'osait esquisser un geste ou prononcer un mot.

Marcus se campa devant Avalon, aussi à bout de souffle et dépenaillé qu'elle-même.

— Pour quelle raison ne voulez-vous pas m'épouser? demanda-t-il à voix haute et claire.

Tous ceux qui assistaient à la scène tournèrent la tête vers Avalon, dans l'attente de sa réponse.

— Parce que! redit-elle d'une voix faible, mais qui lui sembla résonner jusque sous les voûtes de la grande salle.

— Parce que quoi? gronda-t-il.

Ses cheveux tombaient en désordre sur ses épaules, aussi emmêlés que les siens. Il ne se souciait nullement de cacher sa nudité derrière son tartan. Aux yeux de tous, leur mise n'aurait pu donner plus claire indication sur la nature de leurs activités nocturnes... Mais ce qui la frappa, ce fut de constater à quel point ses yeux paraissaient clairs, brillants et magnifiques.

— Parce que j'ai fait le vœu de ne jamais vous épouser!

Poussée à bout par son insistance, Avalon n'avait pas eu la force de retenir cet aveu. La vérité ne demandait qu'à sortir. Les mots se pressaient sur sa langue. Elle leur laissa libre cours avec soulagement.

— Parce que votre père m'a poussée à vous haïr avant même de vous connaître! Parce que vous êtes son fils!

Avalon tordait nerveusement ses mains dans son giron. Elle ne pouvait s'en empêcher, tout comme elle ne put s'empêcher de baisser la tête pour lancer le dernier aveu qu'il lui restait à faire.

— Parce que, conclut-elle d'une voix plus sourde, j'ai peur que vous ne finissiez par lui ressembler.

Les yeux rivés sur Avalon qui se tenait devant lui telle une enfant fautive, la tête basse et les mains nouées, Marcus resta figé sous le choc.

Elle craignait donc qu'il ne finisse par ressembler à Hanoch ? Un homme qu'il avait détesté, avant de passer le plus clair de sa vie à tenter de l'oublier, puis de l'ignorer ? Elle avait peur qu'il ne devienne comme lui ?

— Non !

Sa réponse avait jailli, instinctive. Secouant la tête, il ajouta :

— Non, Avalon. Jamais je ne lui ressemblerai.

Lentement, elle releva la tête, et il vit briller des larmes dans ses yeux. Puis, ce si beau regard qui hantait ses nuits se détourna, comme s'il ne pouvait supporter sa vue.

— Bel Amour... reprit-il tendrement.

Marcus tendit la main vers elle mais n'osa pas la toucher, de peur de verser ces larmes qu'elle ne se résignait pas à laisser couler.

— Ma vie... Jamais je ne pourrai vous faire de mal délibérément. Jamais je ne ferai quoi que ce soit qui vous amènerait à me haïr.

— Vous l'avez pourtant déjà fait ! lança-t-elle d'une voix tremblante. Vous l'avez fait ! Vous m'avez enlevée et amenée ici contre mon gré. Vous l'avez fait pour vous, et pour eux !

D'un large geste circulaire, elle désigna l'assemblée de spectateurs médusés et enchaîna :

— Vous n'en avez rien à faire, de moi ! Vous ne savez même pas qui je suis.

— Vous vous trompez, protesta Marcus d'un ton peiné. Je sais qui vous êtes. Je sais que...

— Mensonge ! s'insurgea-t-elle. Vous ne connaissez que la Promise de votre satanée légende ! En digne fils de votre père, vous voudriez que je me coule dans ce moule, parce que ça vous arrange, et parce que c'est ce que votre clan attend de vous. Mais tout cela n'a rien à voir avec *moi* !

Avalon recula d'un pas, comme pour fuir, puis elle parut se raviser. Pointant fièrement le menton, elle soutint son regard. À cet instant, Marcus la trouva si magnifiquement belle, émotionnellement si fragile, que dans un élan de tendresse il eut envie de l'embrasser.

— Si vous souhaitez faire de moi votre femme, enchaîna-t-elle d'une voix sur le point de se briser, c'est pour que s'accomplisse la prophétie. Mais si je vous disais oui, je devrais renoncer à ce que je suis. Je ne peux sacrifier mon âme ni pour vous, ni pour eux, ni pour quoi que ce soit.

Marcus était désolé de constater à quel point elle se trompait sur son compte. Mais il commençait à comprendre qu'il lui serait impossible de le lui faire admettre. Tout ce qui les avait rapprochés, tout ce qui avait concouru à les réunir contribuait également à les séparer. Les liens qui les unissaient étaient aussi ceux qui la retenaient prisonnière.

— Si je vous disais oui… poursuivit-elle tandis que les larmes roulaient sur ses joues. Si je vous disais oui, Hanoch aurait gagné. Si je vous disais oui, je remettrais mon sort entre vos mains et vous pourriez me détruire à votre guise. Je ne peux laisser cela advenir.

Un silence de tombe régnait dans la grande salle. Les paroles d'Avalon se cognaient contre les murs de pierre. Il était impossible de ne pas être sensible à l'angoisse qu'elles trahissaient.

Abattu, Marcus secoua tristement la tête.

— Fort bien, dit-il.

Un murmure consterné courut dans l'assemblée. Il lui fallut dominer la peine qui lui vrillait le cœur pour continuer :

— Si c'est réellement ce que vous pensez, si vous croyez que je pourrais devenir comme mon père, que je ne veux vous épouser qu'à cause de cette légende, alors je dois vous rendre votre liberté. Vous êtes libre de quitter Sauveur quand vous le souhaiterez.

Une salve de protestations, de commentaires indignés, de supplications pour que le laird retire ces paroles, s'éleva. Marcus les fit taire en levant une main.

Avalon le dévisagea. À son attitude méfiante, il comprit qu'elle subodorait quelque piège de sa part et ne le croyait pas.

— Vous aviez raison, dit-il pour la rassurer. Je m'en rends compte à présent. Vous ne pouvez pas m'épouser. Pas dans ces conditions.

Hommes et femmes se laissèrent aller à murmurer d'inquiétude. Leur laird était-il devenu fou ? Marcus comprenait qu'ils soient terrifiés à l'idée de perdre la Promise. Mais ils ne pourraient l'être autant que lui de devoir renoncer à Avalon.

Elle gardait ses mains nouées dans son giron, à demi masquées par son tartan et par le voile blond de ses cheveux. Marcus ne savait que dire d'autre. Alors, il se contenta de l'essentiel.

— Tout ce que je voulais, c'était vous rendre heureuse, Avalon. Vous, pas une créature de légende, pas un mythe. Vous. C'est *vous* que j'aime.

Marcus vit les doigts d'Avalon se dénouer et retint son souffle. Elle s'apprêtait à réduire en morceaux sa vie entière, et il ne pouvait qu'attendre son bon vouloir.

La jeune femme essuya nerveusement les paumes de ses mains contre son plaid.

— Je vous préviens, commença-t-elle d'une voix voilée par l'émotion. Si jamais vous vous avisez de me faire du mal un jour...

Elle n'en dit pas davantage. Marcus fronça les sourcils. Lentement, délibérément, il secoua la tête, niant la possibilité même d'une telle éventualité. Il serrait les dents si fort qu'il eût été incapable de prononcer les supplications qui se bousculaient en lui.

Avalon le dévisagea longuement, plus que jamais clair de lune, fleur de bruyère et jais. Enfin, elle lâcha dans un soupir:

— Très bien. Je vous épouserai.

13

Avalon vit le visage de Marcus passer du désespoir à l'incrédulité. Puis un large sourire l'illumina – ce sourire ravageur qui lui allait toujours
droit au cœur. Sa réaction trouva immédiatement
un écho en elle. Elle se sentit soulagée et heureuse,
incroyablement heureuse, d'avoir pu prendre cette
décision.

Un brouhaha indescriptible s'élevait autour
d'eux, mais elle ne voyait que lui. Calme et grave,
Marcus vint vers elle et la contempla un instant
avant de demander :

— En êtes-vous tout à fait sûre ?

— Oui.

Avalon lui avait livré sa réponse sans hésiter, et
la joie qu'elle ressentait s'en trouva encore aug-
mentée. Dans le sourire de Marcus, dans son
regard, elle vit qu'il la croyait et que l'assurance
dont elle avait fait preuve l'emplissait lui aussi
d'une joie profonde.

Alors, au centre de la tempête qui se déchaî-
nait autour d'eux, il leva les bras et clama :

— Nous allons célébrer nos noces dès maintenant !

Cela ne fut pas pour surprendre Avalon. Marcus tenait à profiter de cet instant de grâce, et elle ne pouvait qu'être d'accord avec lui.

La marée humaine qui les cernait fut agitée de remous et se scinda en courants. Au milieu des cris et des sifflets d'enthousiasme soulevés par l'annonce de Marcus, on empila de la vaisselle, on repoussa tables et bancs. Un groupe d'hommes entoura Marcus pour le congratuler et l'entraîner à l'écart.

Des femmes firent de même avec Avalon, au premier rang desquelles figuraient ses dames de compagnie. Souriante et dépassée par la ferveur dont elle était l'objet, elle se laissa faire de bonne grâce. Des mains habiles et empressées remirent en place ses vêtements, tandis que des voix joyeuses s'adressaient à elle. Sans comprendre tout à fait ce qu'on lui disait, Avalon les laissa arranger ses cheveux. Quelqu'un produisit un peigne et bientôt, elle eut deux fines nattes enroulées en chignon sur le crâne.

Ellen, très émue, vint apporter un rameau de pin odorant et encore nappé de givre, ainsi qu'une tige aux feuilles vernissées garnie de quelques baies rouges. En les mêlant à ses nattes, on en fit une sorte de diadème hivernal. Regardant ces femmes s'activer et faire de leurs corps un rempart entre elle et le reste de la salle, Avalon se mit à rire sans raison précise. Peut-être tout simplement parce que, en dépit de tout – voire en dépit d'elle-même –, elle allait épouser le laird, avec autant d'insouciance et d'allégresse que la Promise de sa vision.

Les femmes, enfin, s'écartèrent devant elle, formant une haie d'honneur au bout de laquelle se trouvait Balthazar. Derrière lui flambait dans une des cheminées un grand feu de bois. Marcus se tenait à côté de lui, son tartan aussi nettement arrangé que le sien. La lumière des flammes, l'éclairant à contre-jour, empêchait Avalon de distinguer l'expression de son visage. Pourtant, elle devinait qu'il ressentait un bonheur aussi intense que le sien.

Lentement, elle marcha à sa rencontre. Il fit le dernier pas pour la rejoindre, et elle put lire alors dans ses yeux l'espoir qui y brillait. Sur son tartan, à l'épaule, grâce à l'épingle d'argent qui le retenait, on avait placé un rameau de pin identique à celui qui ornait les cheveux de la jeune femme.

— Lady Avalon, avez-vous fait votre choix ?

Balthazar s'était exprimé calmement, sans hausser le ton, mais il avait su par ces quelques paroles ramener le silence dans la salle.

— J'ai fait mon choix, acquiesça-t-elle.

Inclinant légèrement la tête, le mage poursuivit en la fixant au fond des yeux :

— J'ai été chargé de votre protection, milady, et je dois répondre de cette charge devant Dieu. Je ne peux donner votre main qu'à celui qui saura s'en montrer digne et qui ne trahira pas votre confiance. Est-ce l'homme qui se tient près de vous ?

— Oui, répliqua-t-elle à voix haute et claire.

Bal reporta son attention sur Marcus :

— Êtes-vous l'homme que je viens de décrire, Kincardine ? Devant Dieu, jurez-vous de protéger cette femme à ma place ?

— Oui ! s'écria Marcus, d'un timbre ferme et assuré qui fit frissonner Avalon.

Dans leur dos, des murmures d'enthousiasme s'élevaient à chacune de leurs paroles. La tension était à son comble, et on sentait que l'assistance, domptée le temps de cet instant solennel, ne demandait qu'à exploser aussitôt qu'il s'achèverait.

— Dieu nous observe ! tonna Balthazar. Et Il nous écoute. Ceux qui s'avancent vers Lui avec un cœur pur pourront Le rencontrer et s'agenouiller devant Son trône. Votre cœur est-il pur, milady ? Épouser cet homme est-il, en toute honnêteté, votre véritable désir ?

Le Maure dardait sur elle un regard perçant. Y aurait-il eu une once d'incertitude en elle, il l'aurait immédiatement deviné. Mais Avalon savait que son choix était le bon, et qu'il était irrémédiable.

— Oui ! répliqua-t-elle.

— Est-ce également le vôtre ? ajouta le mage en s'adressant à Marcus.

— Oui !

L'excitation dans la foule monta encore d'un cran. Avalon pouvait la percevoir dans son dos, presque comme quelque chose de vivant. Ces dizaines de regards emplis d'espérance, ces cœurs vibrant d'émotion la poussaient en avant, tous unis vers un même but.

Pointant dramatiquement un doigt vers le ciel, Balthazar s'exclama en reportant son attention sur elle :

— Devant Dieu ! Lady Avalon, voulez-vous prendre cet homme pour époux ?

— Je le veux ! s'exclama-t-elle avec conviction.

— Devant Dieu ! Marcus Kincardine, voulez-vous prendre cette femme pour épouse ?

— Je le veux !

Il avait à peine achevé de parler qu'une rafale de vent ouvrit la porte de la grande salle, faisant vaciller les flammes dans la cheminée avant de les ranimer avec deux fois plus de force. Frissonnante, Avalon leva les yeux vers Marcus, qui lui prit la main.

Balthazar ouvrit grands les bras et conclut la cérémonie en forçant la voix pour dominer le brouhaha de la foule et le sifflement du vent autour d'eux.

— L'union sacrée de ces deux âmes s'est accomplie devant vous aujourd'hui, sous le regard de Dieu et avec Sa bénédiction. Qu'aucun mortel ne sépare jamais ceux que Dieu a unis !

Une ovation retentissante salua ces paroles. En dépit des efforts de ceux qui s'échinaient à refermer la porte, le vent se ruait à l'intérieur avec force. Il charriait des flocons de neige qui flottaient quelques instants dans la pièce, gracieux et éthérés, avant de fondre. Le spectacle était magique. On eût dit une bénédiction des éléments répandue sur les jeunes mariés.

Avalon leva le visage en riant pour l'offrir à cette pluie inattendue. Marcus se mit à rire lui aussi et pencha la tête pour l'embrasser. Le vacarme d'acclamations, autour d'eux, se fit assourdissant. Quand leurs lèvres se séparèrent, Marcus serra Avalon dans ses bras, en une étreinte passionnée qui lui communiqua mieux que par des mots son bonheur.

D'un coup, ils se retrouvèrent cernés par le clan, au milieu des vivats, des rires et des félicitations. Tous se poussaient du coude pour apercevoir sur le visage des nouveaux époux la fin d'une malédiction et le commencement d'un âge d'or. Bien que sachant cela, Avalon ne s'en formalisa pas. Il semblait que rien n'aurait pu entamer sa propre allégresse. Elle se laissait griser, sans arrière-pensées ni réticence, par ce tour-billon qui lui faisait tourner la tête.

Les flocons de neige, en fondant, avaient déposé sur ses cils des gouttelettes qui lui faisaient voir le monde à travers un prisme de couleurs joyeuses. Marcus, le bras glissé sous le sien, sa main posée sur la sienne, devint une fois de plus pour Avalon un ancrage rassurant au sein de ce tournoiement de lumières, d'émotions et de formes.

Ses dames de compagnie purent enfin s'approcher d'elle et l'embrasser, les yeux rouges d'avoir pleuré. Ensuite, ce fut au tour des guerriers du clan – Hew, David, Nathan et même le géant Tarroth, tous témoins des débuts tumultueux de sa relation avec Marcus – de venir s'incliner devant elle et lui promettre loyauté et protection.

Ce fut alors, quand tous se furent retirés telle une marée sur le sable, qu'Avalon constata avec étonnement qu'elle venait de se marier pieds nus, tout comme celui qui était à présent son époux.

La leçon de l'après-midi dégénéra en bataille de boules de neige, la principale responsable de cette sédition n'étant autre qu'Avalon Kincardine, la nouvelle épouse du laird.

Derrière la fenêtre de son cabinet de travail, Marcus l'observait en souriant mener les opérations, façonner elle-même de ses mains gantées les boules qu'elle tendait aux enfants. Elle avait pris garde de prendre parti, apportant son soutien logistique à chacune des deux bandes d'enfants qui s'affrontaient. Déchaînés et hurlant de bonheur, les combattants tournaient autour d'elle, et il n'était pas rare que quelque boule l'atteigne par mégarde.

Le rire d'Avalon, qui lui parvenait à travers la vitre, était une musique à ses oreilles. Marcus ne parvenait pas à réaliser qu'ils n'étaient mariés que depuis quatre jours. Il lui semblait qu'ils vivaient ensemble depuis toujours. Il savourait intensément chaque nouvelle journée à ses côtés, chaque nuit pour lui faire l'amour. Et chaque matin, il se réveillait en s'émerveillant de sa glorieuse beauté.

Dans son dos, il entendit Hew assurer aux autres hommes qui se tenaient derrière lui :

— Cela n'a aucune importance. La cérémonie a eu lieu et elle est valide. La Promise a d'elle-même accepté d'épouser le laird. Nous en sommes tous témoins.

— Oui !

Une vingtaine de guerriers résolus venaient d'acquiescer gravement.

— Il y aura néanmoins contestation, intervint Marcus sans quitter Avalon des yeux. Warner Farouche ne renoncera pas aussi facilement, soyez-en sûrs.

Marcus pivota. Ses hommes approuvaient ses propos en hochant la tête d'un air préoccupé. Sean, le chef du groupe qu'il avait envoyé chez les MacFarland, répéta le rapport qu'il venait de lui faire, comme pour en souligner le caractère inéluctable.

— Mort depuis sept ans. Et personne pour vouloir se souvenir ou parler de lui. Keith MacFarland n'était pas un homme apprécié, même au sein de son clan.

— On comprend pourquoi, commenta Marcus. Cela ne paraissait pas le gêner beaucoup de sacrifier des innocents.

De l'extérieur lui parvint une fois encore le rire d'Avalon, bientôt couvert par les cris des enfants.

— Qu'allons-nous faire ? demanda Hew. Nous devons nous préparer à toutes les éventualités.

— Oui, admit Marcus. J'ai déjà envoyé un message à Malcolm pour l'informer du mariage, en précisant qu'il a eu lieu devant témoins, et avec le consentement d'Avalon. Faisons-lui confiance pour débrouiller ce problème. Malcolm est notre roi. Il trouvera la meilleure façon d'annoncer la nouvelle à Henry et au baron.

— Cela suffira-t-il ? s'enquit David d'un air dubitatif.

— Si cela ne suffit pas, répondit Marcus sombrement, nous aviserons en temps utile. Il y a toujours cette note, de la main de mon père, qui prouve qu'un des deux frères Farouche est impliqué dans la disparition du père de ma femme. Mais nous ne l'utiliserons qu'en dernier recours, si le mariage se trouve vraiment menacé.

Marcus ne désirait pas pour l'instant informer les deux rois de l'existence de cette note de la main de Hanoch. Pas sans avoir eu la preuve de la culpabilité de l'un ou l'autre des frères Farouche. Un tel document pouvait aisément être taxé de contrefaçon, ouvrant la porte à toutes sortes de répercussions incertaines qu'il préférait éviter.

De plus, Avalon ne lui avait pas indiqué clairement qu'elle accepterait de voir rendue publique cette affaire qui la concernait au premier chef. Les lois aussi bien que l'usage ne l'obligeaient nullement à obtenir son consentement, mais

Marcus ne voulait rien faire contre sa volonté. Cela ne lui semblait pas juste, et en outre, ce ne serait certainement pas ainsi qu'il gagnerait sa confiance.

Au terme d'un long silence, ce fut Sean qui finit par évoquer la perspective que tous redoutaient.

— Et si Farouche obtient l'annulation ?

Un bruit étouffé à la fenêtre incita Marcus à se retourner. Il vit une boule de neige écrasée glisser lentement contre la vitre. En bas, dans la cour intérieure au manteau neigeux abondamment piétiné, Avalon le regardait. Elle lui adressa un signe de la main, auquel il répondit.

— Il n'y aura aucun motif d'annulation, assura-t-il. Je vais faire en sorte qu'il ne puisse y en avoir.

Quelques minutes après avoir lancé sa boule de neige contre la vitre, Avalon vit Marcus venir à elle. Tous les enfants étaient partis et elle se trouvait seule au milieu de la cour intérieure. Dans la vive lumière de cette fin d'après-midi, elle le regarda s'avancer vers elle, de la neige jusqu'aux chevilles, les cheveux lâchés et un sourire aux lèvres, rien que pour elle.

À son soulagement, le sentiment d'avoir fait le bon choix qui s'était emparé d'elle quatre jours plus tôt, dans la grande salle du château, n'avait pas disparu. En fait, en admirant la vue que lui offrait Marcus à cet instant, dans cette blancheur hivernale et vivifiante, elle s'aperçut que ce sentiment s'était même fortifié en elle.

Pourquoi aurait-elle dû s'accrocher coûte que coûte à l'amertume de son enfance, au vœu qu'elle avait formulé de ne pas l'épouser, alors qu'il ne correspondait en rien au portrait de lui qu'elle s'était fait ? Non seulement il n'était pas Hanoch, mais il n'avait rien hérité de son père. Et lorsqu'il avait juré que jamais il ne lui ferait de mal, elle l'avait cru sans difficulté.

Les membres du clan n'avaient cessé d'entretenir autour d'elle une atmosphère de ferveur et d'affection ces derniers jours. Tous étaient transportés d'allégresse de l'avoir vue épouser le laird, levant ainsi la malédiction dont ils s'imaginaient victimes.

Avalon estimait qu'il était ridicule de leur part, et même dangereux, de se croire désormais à l'abri de tout danger. Pourtant, elle n'avait plus ni le courage ni l'envie de leur ôter leurs illusions et de leur refuser ce à quoi ils aspiraient avec tant d'ardeur. Il ne coûtait rien de garder pour elle ses opinions en les écoutant discourir sans fin sur la levée de la malédiction et sur les temps bénis qui s'ouvraient devant eux. Comment aurait-elle pu risquer de les faire souffrir alors qu'ils constituaient désormais son unique famille ?

Le pardon et la confiance constituaient deux vertus qu'elle avait fini par acquérir. Si Balthazar ne se trompait pas en affirmant que chaque humain devait tirer de son existence des leçons pour ne pas reproduire les erreurs commises dans des vies antérieures, alors telles devaient être les siennes : pardonner le passé, avoir confiance en l'avenir.

Pendant qu'elle était plongée dans ses pensées, Marcus avait fini par la rejoindre au centre de la cour. La prenant dans ses bras, il la souleva de terre et la fit virevolter. Solidement accrochée à lui, elle renversa la tête en riant et vit le monde se transformer en un kaléidoscope de vert, de blanc et de bleu.

Quand il la reposa délicatement sur le sol, Marcus lui caressa la joue et dit :

— Tu devrais rentrer, à présent. Te réchauffer.

Leurs souffles précipités faisaient naître des panaches de buée entre eux.

— Je n'ai pas froid, mentit-elle.

En le fixant au fond des yeux, Avalon comprit tout de suite qu'il avait quelque chose à lui dire mais qu'il hésitait à le faire. *Vengeance ?* s'interrogea la chimère. Bien que plus discrète, cette bête fantastique née de son imagination demeurait en elle, même si elle n'avait pas plus de réalité que la légende du clan Kincardine.

— Tu as des nouvelles ? demanda-t-elle.

— Rentrons d'abord, déclara Marcus en l'entraînant par la taille vers le château.

Il la conduisit dans ce lumineux boudoir qu'elle aimait tant, et qui ne serait plus désormais le salon de couture de la femme du laird mais son cabinet de travail. Devant la cheminée de marbre rose dans laquelle brûlait un bon feu, il l'aida à se défaire de son manteau, de son écharpe et de ses gants. Ensuite, il entreprit de réchauffer ses doigts rougis en les serrant dans ses mains et en les portant à ses lèvres pour souffler dessus.

— Par ce temps, lui reprocha-t-il, tu ne devrais pas rester dehors aussi longtemps.

Avalon secoua la tête d'un air amusé.

— Outre que je ne suis pas en sucre, tu oublies que j'ai grandi ici. Je sais parfaitement ce qu'est un hiver dans les Highlands.

Avalon se prêtait au jeu, mais elle savait que ce n'était pas vraiment le froid qui l'inquiétait. Elle commençait à le connaître suffisamment, cependant, pour deviner qu'il ne servait à rien de le brusquer. Aussi attendit-elle patiemment qu'il se décide à lui dire ce qu'il avait sur le cœur. Quand il le fit enfin, ce fut d'une voix neutre qu'il s'exprima, les yeux fixés sur les grandes fenêtres derrière elle.

— Keith MacFarland est mort.

— Oh! fit-elle, soulagée qu'il ne s'agisse que de cela. Je t'avais dit qu'il devait en être ainsi.

Marcus hocha la tête.

— Avec lui, ce sont nos espoirs de découvrir la vérité qui ont disparu. Nous ne saurons peut-être jamais qui de Bryce ou de Warner a commandité le raid picte. À moins que...

Avalon fronça les sourcils.

— À moins que quoi? demanda-t-elle, soupçonneuse.

Marcus hésita un instant encore avant de poser la question qui lui brûlait les lèvres.

— Est-ce qu'il t'arrive... de voir des choses, Avalon?

Retirant brusquement ses mains des siennes, elle répliqua en détournant le regard :

— Je ne vois pas de quoi tu veux parler.

— Vraiment? insista-t-il.

— Vraiment!

Avalon se mordit la lèvre inférieure. En gage d'apaisement, Marcus tendit les deux mains devant lui, paumes ouvertes.

— Très bien, dit-il. Je suis désolé. Ne te fâche pas.

— Je ne me fâche pas, assura-t-elle. Je n'ai aucune raison de me fâcher.

Marcus la rejoignit et la prit dans ses bras. À son contact, Avalon se détendit progressivement. Quand elle posa les mains sur ses hanches, il s'enhardit à la relancer sur le sujet.

— Désolé de t'avoir froissée. Je me disais juste que tu pourrais peut-être…

De nouveau tendue contre lui, elle ne lui laissa pas le loisir d'achever sa phrase.

— Non, je ne peux pas ! Tu te trompes si tu t'imagines le contraire. Et tu te trompes davantage encore si tu penses me faire croire à cette stupide légende !

Marcus soupira longuement.

— Ce n'est pas ce que j'étais en train de faire, répondit-il d'un ton conciliant. Je sais que tu n'aimes pas parler de tout ça. Mais ne penses-tu pas qu'il serait temps pour toi d'arriver à une sorte de…

Les mains posées à plat sur sa poitrine, Avalon le repoussa et le fusilla du regard. Sans desserrer l'emprise de ses bras, Marcus acheva sa phrase malgré tout.

—… une sorte d'acceptation de ce que tu es, et du don que tu as reçu ?

Marcus la sentit se fermer. Son regard évita le sien et se fit absent. Elle lui échappait aussi sûrement que si elle s'était enfuie loin de lui.

— Je n'ai aucun don particulier, murmura-t-elle d'une voix lointaine.

— Tu as réussi à calmer un étalon fou de peur qui aurait dû te tuer, s'entêta-t-il. Dans le vallon, tu as senti comme moi cette odeur de soufre. Et bien que tu aies prétendu le contraire, je suis persuadé que tu as *vu* quelque chose au contact de cette lettre anonyme que j'ai reçue, me prévenant des projets de tes cousins.

La lèvre inférieure d'Avalon se mit à trembler. Dans l'indignation qui la soulevait, elle trouva la force de s'extraire de ses bras et de se réfugier près d'une fenêtre. Marcus détestait cette situation. Il s'en voulait d'avoir à lui infliger cela, mais l'urgence l'y poussait.

— Avalon ! lança-t-il d'un ton persuasif. Tu dois comprendre que ce que je te demande n'a rien à voir avec Hanoch ni avec une quelconque légende. Je te le demande pour toi et moi – pour *nous* ! T'imagines-tu que Warner ne va pas tenter de te récupérer en mettant en cause notre mariage ? Ne sais-tu pas comme il est facile d'obtenir une annulation, si on y met le prix ? Nous ne pouvons nous payer le luxe d'attendre sans rien faire. Nous avons besoin d'aide, d'une preuve, d'un indice, quelque chose qui nous permette de faire échec à ses manœuvres.

Son épouse adorée, sa précieuse femme si chèrement conquise, restait figée devant la fenêtre, à travers laquelle elle observait le paysage. Elle gardait une expression butée, et sa lèvre inférieure tremblait encore.

— S'il te plaît, conclut-il humblement. J'ai besoin de ton aide. Je sais que tu peux le faire, si tu le veux.

— Ne crois-tu pas que je ferais tout pour t'aider ? rétorqua-t-elle en tournant vivement la tête vers lui. Tu t'imagines que je serais capable de refuser de le faire, si je le pouvais ? Ce que tu me demandes est tout simplement impossible ! C'est quelque chose qui n'existe pas !

Alors, Marcus réalisa l'ampleur de son erreur. Il était allé trop vite, trop loin, poussant Avalon dans ses retranchements. Elle n'était pas prête.

Elle était incapable de voir au-delà de sa peur. Quant à lui, il lui était insupportable de la voir ainsi lutter contre les attentes et les espoirs qu'il plaçait en elle. Pire encore : il ne pouvait supporter l'idée de la faire souffrir.

— Tu as raison, admit-il d'une voix caressante. Je suis désolé, Bel Amour. Désolé. Je sais bien que tu ferais tout pour m'aider.

Cédant au besoin de la sentir contre lui, Marcus la rejoignit et l'enlaça. Sans lui laisser le temps de réagir – de crainte qu'elle ne le rejette physiquement, après l'avoir fait verbalement –, il l'embrassa avec fougue.

— Je suis désolé... murmura-t-il contre ses lèvres. Oublie ce que je t'ai dit.

Marcus l'embrassa encore, plus longuement, plus tendrement cette fois. Il laissa à Avalon le temps d'évacuer la tension qui l'habitait, jusqu'à ce que le désir s'éveille en elle et qu'elle lui rende son baiser avec ardeur. Son propre désir s'enflamma aussitôt, et bientôt, leur étreinte changea de nature. Ils glissèrent sur le tapis, devant la cheminée.

Marcus s'était arrangé pour qu'Avalon se retrouve au-dessus de lui. Il se délectait du poids de son corps sur le sien. Il prit un grand plaisir à lui ôter une à une ses épingles à cheveux et à les voir retomber, blonds rideaux de soie, tout autour d'elle. Et quand il cueillit son visage en coupe pour l'approcher du sien, il fut ému de voir ses yeux déjà alanguis emplis d'un feu violet qui ne brûlait que pour lui.

Il laissa ses mains jouer le long de son dos, dans sa chevelure, sur ce tartan qui était sa marque sur elle, puis sous la tunique au plus près de sa peau. Voluptueusement, Avalon s'étira contre lui, répondant à ses avances avec spontanéité et habileté. En quelques jours, ils avaient appris à se connaître et savaient à présent quelles caresses et quels baisers l'autre préférait.

— Laird ? Êtes-vous là ?

L'appel avait été lancé de l'autre côté de la porte. Tandis qu'Avalon se redressait en sursaut, Marcus se félicita d'avoir tiré le verrou.

— Je n'y suis pour personne ! grogna-t-il d'un ton peu amène.

La voix d'homme, derrière la porte, reprit d'un air gêné :

— Désolé de vous déranger, laird, mais le Maure m'a demandé d'aller vous chercher. Nous avons un problème aux écuries.

— Quel problème ? s'enquit Marcus tout en caressant les cheveux d'Avalon.

— Une partie du toit est en train de s'écrouler, à cause de la neige, sans doute. Cinq stalles sont détruites, et le jeune Jack s'est presque cassé le bras en essayant de sauver l'un des chevaux.

Avalon s'assit sur le tapis. Marcus se résigna à l'imiter. Après s'être levé, il l'aida à se remettre sur pied.

— J'arrive ! lança-t-il en direction de la porte.

En soupirant de frustration, Marcus reprit Avalon dans ses bras. Au fond de ses yeux, il constata que la fièvre sensuelle avait cédé le pas à l'inquiétude.

— Je suis désolé.

Décidément, songea-t-il avec amertume, il paraissait n'avoir rien d'autre à lui dire aujourd'hui...

— Veux-tu que je t'accompagne ? suggéra-t-elle.

— Non, répliqua-t-il en lui caressant la joue. Reste au chaud, à l'intérieur. Dommage que nous n'ayons pas eu le temps...

— Va! lui ordonna-t-elle en souriant. Et sois prudent. Nous aurons tout le temps qu'il faut cette nuit. De toute façon, j'avais promis à Tegan d'aller la voir avant le repas.

— Tegan? répéta-t-il, incapable d'associer un visage à ce nom.

— La cuisinière, précisa-t-elle avec un sourire moqueur.

Ensemble, ils gagnèrent la porte. Sur le seuil, Marcus embrassa Avalon une dernière fois, afin qu'elle reste sur ce souvenir plutôt que sur celui de sa requête inopportune.

— Milady... se lamenta Tegan. Vous êtes vraiment sûre de vouloir faire ça? Je vous avais demandé de passer pour vous montrer l'état des stocks, pas pour que vous nous donniez un coup de main en cuisine...

La brave femme était dans tous ses états. La vue de la femme du laird, un couteau à émonder à la main, aux prises avec un énorme tas de navets, la plongeait dans l'embarras.

Sans cesser de travailler, Avalon fit de son mieux pour la tranquilliser.

— C'est moi qui vous ai offert mon aide. Vous ne m'y avez pas obligée. Cela me fait plaisir, et vous aurez bientôt sur les bras une troupe d'hommes affamés de retour des écuries. Je crois qu'un petit coup de main peut vous être utile.

Tegan embrassa du regard le chaos indescriptible qui régnait autour d'elle.

— Certes, admit-elle. Je ne peux pas dire le contraire.

Comme un coup de pied donné dans une fourmilière, l'effondrement du toit des écuries avait suffi à jeter les occupants du château dans une activité frénétique. La plupart des hommes travaillaient à réparer les dégâts avant la nuit et de nouvelles averses de neige. D'autres apportaient les matériaux nécessaires. Beaucoup se contentaient d'aller et venir entre le lieu du sinistre et le château, colportant au fur et à mesure de l'avancement du chantier de rassurantes nouvelles.

Avalon s'attaquait à l'amoncellement de navets, puisant force et courage dans la compagnie des femmes qui l'entouraient et qu'elle commençait à bien connaître. Toutes, de la plus jeune à la plus âgée, se serraient les coudes et agissaient en parfaite coordination. En temps de crise, le clan Kincardine formait une machine de guerre à l'efficacité redoutable.

À la droite d'Avalon se tenait Greer, qui tranchait ses légumes avec la détermination d'une amazone. Et à sa gauche, la petite Inez, quoique moins farouche, ne se montrait pas moins efficace pour rassembler les dés de navet dans un panier avant d'aller les mettre à bouillir.

En dépit du temps, il régnait dans la cuisine une chaleur d'étuve. Les trois grands feux entretenus pour la cuisson n'y étaient pas pour rien. Avalon ne prêtait qu'une oreille distraite aux rires et aux exclamations des femmes, qui plaisantaient en travaillant. Concentrée sur sa tâche, elle s'absorbait dans la répétition hypnotique des mêmes mouvements. Chaque fois que son couteau s'abattait sur la planche à découper, une lueur rougeoyante venue de l'âtre courait le long de sa lame.

Quel mal y aurait-il ?

Cette voix en elle qui l'interrogeait était celle de la chimère. Avalon n'avait aucune envie de l'entendre, mais il était difficile de lui échapper.

Quel mal y aurait-il à y regarder d'un peu plus près ?

Pour une fois, la voix semblait amicale. Avalon fit de son mieux pour l'ignorer. Saisissant un navet, elle le fendit en deux d'un puissant coup de couteau.

Il n'y aurait aucun danger à le faire… susurra celle qui était sa meilleure alliée et sa pire ennemie. *Juste un coup d'œil et voilà tout.*

Avalon refendit le navet en quatre.

— *Pour nous*, avait plaidé Marcus avec conviction. *S'il te plaît. J'ai besoin de ton aide.*

En huit. En seize.

Aucun danger à le faire…

Des morceaux de plus en plus petits, d'un blanc jaunâtre, tombaient avec régularité sous la morsure de la lame.

Avalon réalisa que le couteau venait de dévier de sa course pour lui entamer profondément la paume, à la naissance du pouce. Interdite, elle regarda le sang perler immédiatement, puis couler en abondance. Elle s'étonna de ne ressentir aucune douleur, juste une étrange fascination pour ce sang – son sang –, écarlate et chaud, qui coulait pour aller arroser la planche à découper et les tronçons de navet. La petite flaque qui s'y était déjà formée parut hésiter un instant au bord de la table, avant d'aller se répandre sur le sol.

Elle entendait à distance des exclamations, des cris, qui semblaient s'adresser à elle. Elle ne leur accordait aucune importance et ne parvenait même pas à les comprendre. Seul comptait ce flot de sang qui s'écoulait d'elle et qu'elle contemplait avec fascination. Ce sang qui formait sur le sol de pierre une tache en forme de larme, curieusement belle, parfaitement dessinée, d'un rouge profond. Ce sang...

... avait tout détrempé. Il maculait les fourrures, les draps et les vêtements. Dans la pénombre, il ne paraissait pas rouge, mais noir. Il accrochait la lueur d'une lointaine torche, encore suffisamment frais pour n'être pas séché mais charriant déjà la puanteur de la mort.

Avalon ne put distinguer grand-chose. Il faisait trop noir et la torche était trop éloignée. Seule s'imposait la présence de la mort. La prémonition d'un grand danger était si forte qu'elle l'étouffait. Le danger de voir son sang s'écouler, la laissant vide, seule, et morte.

La pièce, trop grande, lui semblait à la fois familière et étrange. Un endroit de cauchemar, plein de coins d'ombre, où la mort et le danger n'avaient aucun mal à se rencogner. La pénombre était leur alliée. Elle ne pouvait rien contre ces ténèbres. Elle ne pouvait les arrêter. Jamais elle n'aurait imaginé que les étouffantes noirceurs du minuscule cellier de son enfance puissent régner dans un aussi vaste espace.

Les gobelins. Le sang. Le danger. La pierre froide...

La pièce était vide, il n'y avait nulle part où se cacher. Elle allait mourir, tout comme son père, et Ona, et les autres. Et tout ce sang versé n'apaiserait jamais sa peine, ce sang épais et chaud qui signerait en s'écoulant son arrêt de mort, et susciterait la grimace de la Camarde à deux doigts de l'emporter.

Avalon Kincardine sortit de sa transe en s'évanouissant pour la première fois de son existence, tombant dans les bras des femmes qui l'entouraient tandis que le sang éclaboussait son tartan.

14

Bien que brûlante, Avalon frissonnait. Ses bras reposaient sur l'édredon qui pesait d'un poids léger sur son corps. Une douleur lancinante pulsait à sa main gauche.

— N'ayez pas peur, dit près d'elle une voix dotée d'un étrange accent. Cela aurait pu être pire. La veine est refermée à présent.

— Juste à temps !

Cette autre voix d'homme, profonde et comme laminée par l'inquiétude, Avalon la connaissait si bien qu'elle ouvrit immédiatement les yeux.

— Avalon ! s'exclama Marcus.

Un soulagement intense se lisait sur ses traits. Debout à son chevet, il prit entre les siennes sa main qui n'était pas blessée. Voyant qu'elle tentait difficilement de se dresser, il l'aida et cala derrière son dos quelques oreillers. D'un coup d'œil, elle constata qu'elle se trouvait dans la chambre du laird – qu'elle ne parvenait pas encore à considérer comme la sienne également. Les couleurs vives du ciel derrière la vitre lui firent comprendre que la journée s'achevait ou qu'une autre débutait.

— Sois prudente ! lui recommanda Marcus en la voyant s'agiter. Tu as perdu beaucoup de sang.

— Je me sens bien… le rassura-t-elle, même si ce n'était pas tout à fait vrai.

Balthazar apparut derrière Marcus, les mains enfouies dans ses amples manches.

— Au cours d'un combat, commenta-t-il, vous auriez remporté la victoire si vous aviez porté ce coup à votre adversaire.

Songeant qu'il devait s'agir de sa part d'un trait d'humour – même s'il était toujours difficile d'en être sûr avec le Maure –, elle lui adressa un sourire qu'il lui rendit.

— Quoi qu'il en soit, ajouta-t-il, vous voilà rétablie. Mais je ne sais pas si l'on peut en dire autant de votre mari.

— Comment te sens-tu ? s'enquit l'intéressé en ignorant son ami. Te rappelles-tu ce qui est arrivé ?

— Je donnais un coup de main à la cuisine. Je…

Le sang ! Les gobelins ! La mort !

Avalon ferma les yeux et se raidit pour se protéger de l'hystérie de la chimère.

— Je ne suis pas sûre de me le rappeler, mentit-elle.

Elle perçut le silence de Marcus. Un silence qui révélait son doute, sa prudence, et sa crainte de trop la fatiguer. Si cela pouvait lui éviter de répondre à des questions auxquelles elle n'avait nulle envie de répondre, elle n'allait pas se priver de feindre l'épuisement… Car elle ne se rappelait que trop bien les minutes qui avaient précédé son évanouissement.

Ce fut Balthazar qui mit un terme à ce silence :

— Peut-être devriez-vous faire un petit effort, milady ? Tout ce qui peut aider les Kincardine vaut la peine d'être partagé.

Avalon rouvrit brusquement les paupières. Au-delà de Marcus, qui l'observait en fronçant les sourcils, elle adressa au Maure un regard noir. Silhouette sombre se détachant sur le ciel multicolore, il haussa les épaules et poursuivit :

— Un homme et sa femme devraient partager jusqu'aux secrets de leurs cœurs. C'est du moins ce que l'on dit dans mon pays.

Avec un sentiment de culpabilité, Avalon détourna le regard et se focalisa sur les couleurs du ciel. Ce fut à peine si elle entendit le mage conclure, d'une voix indifférente :

— Mais, après tout, peut-être n'a-t-on pas chez vous la même conception du mariage.

Tournant les talons, il se dirigea vers la porte pour sortir. Toutefois, après l'avoir ouverte, il marqua une pause sur le seuil et ajouta :

— N'est-ce pas une bien triste chose, au sein d'un couple, que deux solitudes qui cohabitent ?

Sur ce, il sortit, refermant la porte derrière lui.

Après être resté un instant interdit, Marcus s'étonna :

— De quoi diable voulait-il donc parler ?

Sans lui répondre, Avalon repoussa l'édredon, avec l'intention de se lever.

— C'est ridicule, maugréa-t-elle. Je devrais être debout. Je ne suis pas blessée.

Posant la main sur son épaule, Marcus la retint fermement.

— Hors de question ! lança-t-il d'un ton sans réplique. Tu oublies un peu vite que tu t'es fait une grave coupure à la main. Tu as perdu énormément de sang avant que Bal n'arrive à stopper l'hémorragie.

— Peut-être, admit-elle d'un air buté. Mais je me sens bien à présent.

— Tu resteras dans ce lit! Une grosse perte de sang n'est pas à prendre à la légère. Je ne permettrai pas que tu te mettes en danger!

— Je n'ai pas l'intention de me mettre en danger! protesta-t-elle avec exaspération. Tout ce que je veux, c'est me lever et...

— Non!

Marcus avait crié si fort qu'il en demeura tout aussi stupéfait qu'Avalon elle-même. Dans le silence qui suivit, une saute de vent fit vibrer une vitre de la fenêtre, provoquant un bruit sinistre.

Marcus émit un soupir sonore et passa une main nerveuse dans ses cheveux.

— Je suis désolé, dit-il.

Un sourire caustique joua brièvement sur ses lèvres.

— Tu dois être fatiguée de m'entendre dire ça, grommela-t-il. Je n'arrête pas, ces temps-ci.

— Et toi? demanda-t-elle. Tu es fatigué de me le dire?

Poussant un nouveau soupir pour toute réponse, il se mit à faire les cent pas dans la pièce, manifestement incapable de rester en place. Finalement, il alla se camper devant la fenêtre et reprit d'une voix tendue:

— J'ai vu des hommes mourir d'une blessure aussi bénigne que la tienne. La vie s'écoulait d'eux en même temps que leur sang. C'est une chose affreuse à regarder.

Le carreau se remit à vibrer, mais cette fois Marcus le fit taire en posant la main dessus.

— Tu n'as pas à t'inquiéter, dit Avalon, conciliante. Je ne suis pas près de mourir.

— Bien sûr que non! renchérit-il. Je ne le permettrais pas.

Plaçant le front contre la vitre, il enchaîna :

— Je suis fatigué.

Ce qui dans sa bouche n'était pas un mince aveu.

Repoussant un peu plus l'édredon, Avalon tapota le matelas du plat de la main.

— Viens t'allonger près de moi, suggéra-t-elle.

— Il y a du travail à finir. Je devrais déjà être en bas.

Avalon attendit en silence, jusqu'à ce qu'il se décide à se retourner. Quand il lui fit face, elle soutint tranquillement son regard.

— On dirait qu'il y a également du travail à finir ici, plaisanta-t-il au bout d'un instant. Balthazar semble penser que nous devrions partager les secrets de nos cœurs.

— C'est ce qu'il a dit, en effet.

— Il ne se rend sans doute pas compte que cela peut être dangereux. Je ne suis pas sûr qu'il serait de tout repos pour toi de partager les miens.

— Je ne crains rien, assura-t-elle doucement. Je sais qu'il ne peut rien y avoir de dangereux au fond de ton cœur.

— Tu en es sûre ?

— Tout à fait sûre.

Marcus laissa fuser un petit rire sans joie.

— Quelle confiance vous avez en moi, milady ! Mais je ne suis pas certain qu'elle soit bien placée.

— Marcus… dit-elle le plus sereinement du monde. Je suis sûre de ne pas me tromper.

Hochant la tête, pensif, Marcus fixa son regard sur le bandage qui couvrait la main gauche d'Avalon.

— Avant même d'avoir dix-huit ans, raconta-t-il d'un air absent, j'ai pris part aux pires atrocités qui se puissent imaginer. J'ai vu des armées entières se tailler en pièces au nom de la religion.

J'ai vu des hommes civilisés, qui prétendaient avoir reçu la grâce de Dieu, se conduire comme des animaux sanguinaires dans des villages sans défense. J'ai même vu le chevalier que je servais se faire abattre sous mes yeux. Mais tout cela n'était rien, en regard des atrocités dont sont capables de prétendus hommes de Dieu – des moines, tels qu'ils se définissent eux-mêmes.

— Comme Balthazar ? hasarda Avalon.

— Non. Pas tout à fait comme lui, bien que ceux dont je parle étaient d'un ordre proche du sien. Ils m'ont d'abord semblé être des hommes bons, et même secourables. Ils m'ont soigné quand j'étais trop blessé pour le faire moi-même. Trygve, le chevalier dont j'étais l'écuyer, avait décidé de délivrer Damas tombée aux mains des musulmans. Et pour cela, il comptait uniquement sur nous deux... Il est mort dans les minutes qui ont suivi notre entrée dans la ville. Je dois dire que les sentinelles n'avaient pas d'autre choix que de le tuer, tant il était évident qu'il avait perdu la raison. Et puisque j'étais son écuyer, en plus d'être un chien d'infidèle, ils ont fait de leur mieux pour me tuer aussi.

Adossé au mur, Marcus commença à se laisser glisser lentement, jusqu'à se retrouver assis sur le sol dallé, les bras sur les genoux.

— C'est alors, poursuivit-il, que Bal a surgi.

— Il t'a sauvé ?

— D'une certaine manière. Il a détourné l'attention des gardes afin que je puisse m'enfuir. Il s'est même arrangé pour retrouver ma trace ensuite, et pour me conduire à la tombée de la nuit dans ce monastère, à l'extérieur de la ville, que la guerre avait épargné. Les moines ont fait de leur mieux pour me guérir.

Avalon se souvint du crucifix couvert de sable, de la pièce aux murs blancs fissurés, de l'homme ligoté à la table. De nouveau, elle eut la bouche sèche et la gorge en feu.

— Vraiment ? demanda-t-elle, dubitative.

— Au début, du moins.

Une tension extrême s'était emparée de lui. La présence du serpent était perceptible à fleur de peau.

Avalon craignit, en l'encourageant à s'engager sur la pente de ces douloureux souvenirs, de renforcer l'emprise du reptile sur lui. Pourtant, si elle se montrait prudente, aussi subtile que possible, peut-être finirait-elle par trouver l'aigle dont elle savait qu'il existait aussi en lui.

— Et ensuite ? questionna-t-elle d'un ton aussi neutre que possible.

— Je t'ai croisée dans l'un de mes rêves, Avalon. Tu le sais, n'est-ce pas ?

Alarmée par le brusque changement de sujet, la jeune femme le dévisagea anxieusement. Le serpent allait-il se dresser et prendre le contrôle ? La chimère, sa propre malédiction, s'éveilla en elle et commença à s'agiter nerveusement.

— Tu étais un ange en plein désert, poursuivit-il en la fixant de ses pâles yeux d'hiver. Un ange de la rédemption. Tu t'en souviens ?

La chimère dressa la tête. D'une grimace, elle la défia de nier.

— Ce n'était qu'un rêve, répondit-elle vaguement. Ton rêve.

— Mais tu en faisais partie. Heureusement, d'ailleurs, qu'il ne s'agissait que d'un rêve. C'est-à-dire d'un souvenir de ce qui s'est réellement passé.

— Je ne comprends pas.

Pourtant, Avalon avait peur de trop bien comprendre.

— Ces moines, dans mon cabinet de travail ! lança-t-il sauvagement. Ces prétendus hommes de Dieu. Leurs semblables ont failli me tuer à cause du pauvre don que je possède. Ils m'ont fait mourir à petit feu, à cause d'un don qui n'est que l'ombre du tien. Tu ne dois plus t'étonner que je n'aie pas voulu qu'ils t'emmènent. J'aurais tout fait pour les en empêcher.

Recoupant les informations qu'il lui avait données et celles qu'il lui laissait deviner, Avalon tira ses propres conclusions.

— Ils étaient du même ordre, n'est-ce pas ? Les émissaires qui sont venus ici et ces moines qui t'ont torturé après t'avoir soigné… Mais cela n'a aucun sens ! Pourquoi ont-ils fait ça ?

— Il semble que dans la fournaise de cet implacable désert, j'aie été pris d'une forte fièvre qui m'a fait délirer pendant des heures. Et, comble de malchance, c'était un des deux seuls moines parlant anglais qui me soignait ce jour-là. Il a compris tout ce que je disais dans mon délire. Et apparemment, j'ai dû en dire beaucoup…

La chimère, qui était tout ouïe, hocha gravement la tête. Le visage levé au plafond, Marcus lâcha un rire teinté d'amertume. La bête fantastique y fit écho sous le crâne d'Avalon, mais son rire à elle était empreint de désespoir.

— Je ne me rappelle plus précisément ce qui s'est passé ensuite, reprit-il. Tout ce dont je me souviens, quand la fièvre est tombée, c'est que je ne comprenais plus rien de ce qui m'arrivait. Je ne comprenais pas pourquoi j'étais ligoté à cette table. Pourquoi on m'infligeait la question. Pourquoi ces hommes s'étaient mis en tête de me mettre à mort le plus douloureusement et le plus lentement possible.

Renonce... La chimère, pour s'exprimer, avait imité la voix doucereuse du rêve qu'Avalon avait partagé.

Comme s'il l'avait entendue, Marcus s'emporta :

— Mais renoncer à quoi ? Je n'en avais pas la moindre idée. Tout ce qu'ils voulaient bien me dire, c'est que le diable s'était emparé de mon âme, de mon corps, et qu'ils faisaient le nécessaire pour l'en chasser.

Son récit était si poignant qu'Avalon avait l'impression de se retrouver en plein rêve. Du sable partout, sur le crucifix pendu au mur, sur le sol, sur la table de torture et même sur les cordes retenant le prisonnier.

— Alors j'ai renoncé, sans savoir précisément à quoi. J'aurais fait n'importe quoi, je leur aurais dit n'importe quoi pour qu'ils cessent de me torturer.

— Bien sûr, approuva-t-elle. Il n'y avait rien d'autre à faire.

Relevant brusquement la tête, Marcus s'écria :

— Mais c'était un piège ! Rien d'autre qu'un piège !

Dans ses yeux emplis de solitude, Avalon distingua, le cœur serré, le jeune homme fou de douleur qu'il avait été.

— J'ai dit que je renonçais, mais ils ont ri en affirmant que ce devait être une ruse du diable, qui ne renonce pas si facilement.

Avalon lutta contre sa faiblesse et réussit à s'asseoir au bord du lit, puis à se lever pour le rejoindre. Marcus ne fit rien pour l'en empêcher. Adossé au mur, les yeux hantés, il se contenta de la regarder venir à lui tandis que la pénombre s'installait autour d'eux.

— Pourtant, ce n'était pas un mensonge... reprit-il d'une voix brisée. Et ce n'était pas l'œuvre du diable non plus. Ce n'était que moi, essayant de comprendre, et de survivre.

S'agenouillant devant lui, Avalon posa les mains sur les siennes. Sur sa main gauche, le bandage formait une grosse boule blanche et duveteuse.

— C'est Bal, plus tard, qui a répondu à mes questions, expliqua Marcus. Il m'a raconté que, durant mon délire, j'ai rapporté à ce moine qui parlait anglais des détails le concernant dont lui seul pouvait être au courant. Des choses concernant son enfance, ses rêves, qu'il n'avait jamais racontées à personne.

— Je vois ce que tu veux dire.

— Cela m'arrive parfois.

La tristesse de Marcus était toujours aussi grande, mais le serpent vaincu était retourné se tapir dans sa retraite.

— Je ne maîtrise absolument rien quand ça arrive, précisa-t-il. Des images me viennent, des idées, des mots. Je ne sais d'où ça vient ; c'est juste un don. Rien de bien méchant. Je ne crois pas que ce soit l'œuvre du diable.

Indifférente à la froideur du dallage de pierre, Avalon s'assit contre le mur, à côté de lui, laissant sa tête reposer doucement sur son épaule.

— Alors que je suis allé en Terre sainte combattre au nom de Dieu, conclut-il avec amertume, ce sont ceux qui prétendent Le servir qui m'ont combattu.

Comme s'il ne parvenait pas à y croire, il secoua la tête un instant avant d'ajouter :

— Mais si je suis sûr d'une chose, c'est que ce don n'est pas diabolique.

— C'est toi qui as raison, assura-t-elle. Et eux qui se trompent.

Avalon sentit Marcus, toujours immergé dans ce lointain passé, frissonner contre elle. Elle découvrit alors qu'elle se trouvait dans l'inconfortable position, pour le réconforter, de soutenir l'innocuité d'un don que de tout son être elle refusait, dont elle allait jusqu'à nier l'existence.

Ne mens pas... susurra la chimère.

C'était Marcus, son mari, qui avait besoin d'elle et de son soutien. Elle s'était donnée à lui, et lui offrir moins que ce qu'elle avait à offrir aurait été pour eux deux un manquement et une trahison.

Redressant la tête, elle capta son regard.

— Balthazar avait raison, déclara-t-elle. On peut tout se dire entre époux. Et rien de ce que tu viens de me raconter ne m'a fait changer d'opinion. Jusqu'au fond de ton cœur, tu es un homme bon et droit, Marcus Kincardine.

L'expression d'un profond soulagement passa sur son visage. Au fond de ses yeux, elle devina une certaine forme d'apaisement. Lentement, il hocha la tête et précisa :

— C'est Bal qui m'a sauvé. Il n'était qu'un voyageur de passage, dans ce monastère. Un pèlerin qui marquait une étape dans son long périple. Quand il a appris ce qui s'était passé et ce que l'on me reprochait, il a tenté de plaider ma cause. Voyant qu'il n'arriverait pas à me faire libérer, il a pris tous les risques pour me faire évader en pleine nuit et s'enfuir avec moi. Il m'a emmené chez lui, loin de la Terre sainte, dans un pays du nom d'Espagne. J'y suis resté très longtemps. J'ai mis du temps à récupérer, moralement aussi bien que physiquement. J'étais fatigué, malade de la guerre. Je ne suis retourné à Damas qu'en mémoire de Trygve, pour remplir mes dernières obligations envers lui. Bal m'a convaincu de ne pas repartir en croisade.

— C'est un homme droit et bon, lui aussi.

— Oui.

Marcus s'abîma quelques instants dans ses pensées. Puis il posa la main sur celle d'Avalon qui était blessée, effleurant le bandage du bout des doigts.

— Toi aussi, Bel Amour… dit-il. Tu as toi aussi le cœur pur et bon. Je le sais.

Mal à l'aise, Avalon détourna le regard, mais la blancheur du pansement s'attarda un instant dans son champ de vision, comme le fantôme de ce qu'elle tenait tant à oublier.

Plus tard, cette nuit-là, Avalon se réveilla seule dans le grand lit – du moins le crut-elle, jusqu'à ce qu'elle se redresse pour scruter l'obscurité.

Marcus dormait à l'autre extrémité du matelas de plumes, tout habillé dans sa tunique et son tartan. C'était à peine s'il s'était couvert d'un bout de l'édredon. On aurait dit qu'il s'était ingénié en s'endormant à maintenir le plus de distance possible entre eux.

Avalon devina qu'il n'avait cherché ainsi qu'à préserver son sommeil. Sans doute l'avait-il crue trop faible ou trop lasse pour répondre à ses avances et faire l'amour avec lui. Pourtant, elle n'aspirait qu'à cette union parfaite de leurs corps, dans laquelle leurs âmes communiaient, et qui avait le pouvoir d'effacer tout le reste. Et à présent qu'il dormait, un air d'innocence sur le visage, enfin apaisé, elle n'avait pas le courage de le réveiller.

Après leur discussion, il s'était éclipsé pour aller voir où en étaient les travaux aux écuries. Avalon avait compris que ce n'était pas uniquement pour faire son devoir de laird. Suite à la conversation très intime qu'ils venaient d'avoir, elle-même avait apprécié de se retrouver seule pour faire le tri dans ses pensées. Et pour ne pas avoir à lui montrer à quel point elle se sentait coupable… Marcus lui avait confié sans rechigner les secrets de son cœur, mais elle ne lui avait pas rendu la pareille, contrairement à ce que Balthazar lui avait conseillé.

Elle combattait sa culpabilité en se persuadant qu'il n'aurait servi à rien de lui faire part de l'étrange vision qui l'avait assaillie après qu'elle se fut coupée, et qui n'était peut-être après tout qu'un bizarre produit de son imagination.

Ce qui lui était apparu n'avait aucun sens à ses yeux, et ne pouvait se rattacher à rien de ce qu'elle connaissait. Il n'avait nullement été question de Keith MacFarland, ni d'aucun autre homme d'ailleurs. Juste cette sensation d'un danger à venir, d'une mort imminente. Deux choses auxquelles elle préférait ne pas trop penser, surtout à cet instant, aux heures les plus noires de la nuit.

La lune avait fini par émerger de sa gangue de nuages et donnait suffisamment de lumière dans la pièce pour qu'elle puisse se lever sans faire de bruit. À pas de loup, elle gagna la fenêtre et admira le paysage couvert de neige, nimbé d'argent par l'astre lunaire.

C'était un spectacle d'une extraordinaire beauté. De nuit, c'était un autre monde qui s'offrait au regard – un monde fascinant, magique, au charme envoûtant.

Avalon eut la surprise de constater qu'elle ne ressentait plus aucune fatigue et était parfaitement éveillée. Bien trop éveillée, en fait, pour regagner son lit, dans lequel Marcus dormait du sommeil du juste. Peut-être, songea-t-elle, pourrait-elle grimper en haut d'une tour, afin de prendre un peu l'air, admirer la voûte céleste enténébrée et l'orbe d'or blanc de la lune. Peut-être finirait-elle par trouver les réponses qu'elle cherchait.

La gêne occasionnée par sa main bandée ne l'empêcha pas de s'habiller en un rien de temps. Après un dernier regard en direction du dormeur, elle quitta la chambre et referma la porte le plus doucement possible. Mais, une fois dans le corridor, ses pas ne la menèrent pas à l'escalier conduisant au sommet de sa tour préférée. Sans trop savoir pourquoi, elle descendit plutôt celui débouchant sur la grande salle.

Nombre d'hommes y dormaient sur les bancs et les tables, la plupart rassemblés près de l'âtre dans lequel rougeoyaient encore quelques braises. Aucun ne se réveilla lorsqu'elle passa sans bruit près d'eux.

Elle sortit par la porte de l'office, moins lourde et plus facile à manœuvrer que le double battant de la porte principale. Dehors, le froid l'assaillit. Avalon avait pris soin de passer son manteau, dont les ourlets avaient été soigneusement débarrassés de leurs pièces et recousus. Il lui tenait suffisamment chaud pour lui permettre de s'aventurer sans grelotter au cœur de la nuit.

Elle salua par son nom la sentinelle en faction à l'entrée du château, et il ne lui fallut pas parlementer longtemps pour décider le garde à la laisser sortir. Usant de tout son charme, elle lui promit de ne pas s'aventurer plus loin que l'entrée du vallon légendaire, qu'il pouvait apercevoir de l'endroit où il se trouvait.

Avalon laissa échapper un petit rire en le laissant derrière elle et en s'enfonçant jusqu'à la cheville dans la couche de neige fraîche qui recouvrait le chemin. La nuit était encore plus ensorcelante vue de l'extérieur. Très haut au-dessus de sa tête, des chapelets de nuages dérivaient, leurs contours soulignés par la lumière de la lune, demi-pièce d'argent accrochée au-dessus des pics montagneux. Le manteau neigeux recouvrait toute chose à l'infini.

Mais ce qu'elle appréciait le plus, c'était le silence et le calme parfait qui régnaient. Ni paroles ni pensées parasites, ici, pour troubler la paix que cette sortie lui procurait. Juste le froissement occasionnel des branches de pin dans une saute de vent. Et, de temps à autre, une chouette appelant l'âme sœur dans les bois.

Sous la neige, le vallon parut à la jeune femme aussi étrangement familier que paré des dernières fleurs de l'été. Une brise nocturne y soufflait par intermittence, soulevant de petits tourbillons de poudreuse. Du regard, elle embrassa les formes tourmentées des ronciers et le flanc de la montagne, plus désolé encore qu'à l'ordinaire sous son suaire blanc.

Consciente que la sentinelle ne la quittait pas des yeux, Avalon s'avança néanmoins de quelques pas. Elle ne tenait pas à lui causer d'ennuis, mais elle souhaitait profiter de la magie nocturne dans cet endroit particulier. Et il ne lui fallut progresser que d'une dizaine de mètres pour découvrir enfin ce qu'inconsciemment elle avait cherché.

La silhouette du *faë* de la légende tranchait nettement sur le fond blanc, comme si aucune neige n'avait pu tenir sur les roches noires qui en délimitaient la forme. L'effet était ainsi plus spectaculaire encore. Captivée et totalement oublieuse des consignes de la sentinelle, Avalon s'avança à la rencontre de cette créature qui avait ici payé ses crimes.

Masquée de temps à autre par les nuages, la lune l'éclairait de lueurs qui donnaient l'illusion du mouvement – un souffle, des ailes qui battent, des bras qui se tendent. Le *faë* maléfique semblait s'étirer à flanc de montagne, à jamais captif de sa prison de pierre. Une main implacable l'avait fracassé là, dans des temps reculés, pour prix de sa trahison et de sa cruauté.

Soudain consciente du tour pris par ses pensées, Avalon ferma les paupières et secoua violemment la tête. Il n'y avait là ni *faë* ni malédiction ; juste une configuration de terrain singulière ayant donné naissance à une légende. Tout cela n'avait rien à voir avec la réalité. Dans le parfait silence nocturne, elle entendit les halètements de son souffle précipité et s'efforça de se calmer. Et quand elle rouvrit les paupières, il n'y avait plus sous ses yeux qu'un amas de rochers noirâtres.

— Treuluf…

La voix avait résonné juste derrière elle. En sursaut, Avalon se retourna, sans découvrir personne. Le cœur battant, elle plissa les yeux et ne vit, en direction du château, qu'une silhouette sombre qui s'approchait à grands pas. L'homme, dont le tartan flottait au vent, était trop loin pour avoir dit quoi que ce soit qu'elle ait pu entendre.

La lune couchait à son côté une grande ombre sur le sol enneigé. En l'examinant attentivement, elle comprit que ce n'était pas la sentinelle, mais Marcus.

Il émanait de lui une force, une puissance directement dirigée sur elle. Ce n'était pas de la colère, mais quelque chose de plus imparable et de plus sauvage – un désir ardent, qui la cloua sur place. Lorsqu'il fut suffisamment proche, elle sonda son regard et n'y découvrit rien qu'elle eût à craindre. Elle n'y lut qu'un appétit féroce, un besoin primordial, qui éveilla en elle le même type d'appétit, le même besoin, dont elle ignorait jusqu'alors qu'ils puissent exister en elle.

Quand Marcus arriva à son niveau, sans même marquer une pause il la prit dans ses bras et s'empara de ses lèvres, scellant entre eux ce désir brûlant. D'elles-mêmes, les mains d'Avalon s'accrochèrent à ses épaules. Elle se laissa couler dans cette étreinte passionnée, dont la nature primitive s'accordait avec le cadre hivernal, de neige, de montagne et de nuit, qui les entourait.

Bien que presque brutal, le baiser que lui imposait Marcus ne lui infligeait aucune gêne, aucune souffrance. Elle y répondait avec une égale ferveur, le souffle court, le sang pulsant comme un tambour à ses tympans. Les mains de Marcus, qui couraient partout sur son corps, sous son manteau, entretenaient la flamme qui brûlait en eux. Il paraissait ne pouvoir se rassasier de cette étreinte. Le besoin d'aller plus loin vibrait en lui, le faisant trembler. Bientôt, Avalon partagea cette frustration.

Marcus mit fin brutalement au baiser et jeta un coup d'œil fiévreux autour de lui. Dans ses yeux pâles, elle surprit une détermination qui la

355

fit frissonner. Son regard venait de se poser sur la lisière plongée dans l'ombre d'un sous-bois.

Sans un mot, il l'empoigna à bras-le-corps et l'entraîna dans cette direction. Ses mains, fermes et chaudes sous le manteau d'Avalon, soutenaient ses fesses. Avant même d'avoir atteint son but, il se remit à l'embrasser, allant presque jusqu'à lui mordre les lèvres, et elle n'était pas en reste pour lui rendre la pareille.

Enfin, il l'adossa rudement à un tronc. Levant les yeux, Avalon avisa au-dessus d'eux la naissance de grosses branches dénudées, couvertes de glace. En dépit de l'épaisseur du manteau, elle sentait l'écorce rugueuse lui entamer la peau du dos et des jambes, mais peu lui importait.

Elle se livrait à ces mains d'homme qui lui avaient saisi les hanches. Elle se prêtait à l'exploration de cette bouche affamée déposant un chapelet de baisers sur son visage, de ses pommettes au menton. Elle gémissait de sentir contre son ventre ce sexe érigé, exigeant, qui se frottait à elle dans les prémices du rythme de leur plaisir, auquel tout son corps aspirait.

Les yeux clos, Avalon rejeta la tête en arrière, coinçant le sommet de son crâne contre le tronc. Elle n'avait aucune défense à opposer à cet assaut. Elle se sentait fondre sous ses caresses, sous la morsure légère de ses dents contre son cou. Elle laissa ses mains écarter les pans de son manteau, remonter son tartan et sa tunique. Le froid incisif attaqua la peau sensible de ses jambes, entre lesquelles il glissa prestement une des siennes, puis les deux.

Coincée entre l'arbre et Marcus, Avalon n'avait aucune marge de manœuvre, aucune retraite possible. Elle ne pouvait faire un geste ni pour l'aider, ni pour l'empêcher d'arriver à ses fins. Sous la caresse habile de ses doigts, elle sentit s'ouvrir son sexe humide et chaud, prêt à l'accueillir. Avec un petit cri étranglé, elle vit le visage de Marcus, sculpté par la lumière de l'astre nocturne, se fendre d'un sourire de triomphe. Contre sa main, elle s'agita et roula des hanches, sans retenue, pour mieux se prêter à ses caresses.

Souplement, Marcus s'arrangea pour écarter les pans de son tartan. Les jambes ployées à demi, il la fit asseoir sur ses cuisses. Il n'eut qu'à se pousser un peu plus en avant pour la titiller du bout de son sexe dressé. Un long moment, il s'amusa à la tourmenter ainsi, retardant l'instant de leur union jusqu'à ce que les gémissements d'Avalon se fassent suppliques.

— Bel Amour… dit-il alors d'une voix rauque, tendue par le désir.

Avalon ouvrit les yeux et eut juste le temps d'enregistrer ce sourire renversant qu'il ne réservait qu'à elle. Puis, d'un seul coup de reins, Marcus s'enfouit profondément en elle, soulevant ses pieds du sol sous la violence de l'assaut.

En accompagnant son râle de plaisir, Avalon se pendit à son cou et boucla les jambes autour de ses hanches. Déjà, Marcus était entré dans la danse qui allait les mener tous deux vers les sommets. De ses deux mains serrées comme des étaux autour de ses hanches, il maîtrisait leur étreinte, utilisant l'arbre pour la conserver exactement où il le voulait, lui permettant juste de s'accrocher à ses épaules.

Avalon sentit Marcus perdre pied à mesure que leur étreinte se faisait plus urgente, plus puissante, plus rapide. Ses lèvres, à son oreille, murmuraient des mots inarticulés, dont elle peinait à percer le sens, mais qui débordaient d'amour et de passion. Ses cheveux lui caressaient la joue, son torse se pressait contre ses seins durcis, leurs hanches roulaient à l'unisson. Et partout où leurs corps étaient en contact, la même flamme, la même fusion, le même désir.

Dans un ultime éclair de lucidité, elle songea qu'il y avait de la magie dans cette étreinte, mais une magie qui tirait sa puissance du réel. Des lèvres de Marcus commençaient à s'élever des râles de plus en plus forts, de moins en moins réprimés. Ce grondement sourd et éminemment masculin ne fit qu'enflammer la frénésie d'Avalon.

Avec la complicité de l'arbre qui lui fournissait un appui solide, elle s'appliqua à suivre Marcus là où il voulait la mener, là où leur amour scintillait d'une même flamme. Elle fut la première à atteindre le but, à glisser de l'autre côté de la frontière de la volupté, dans un frémissement de tout son corps. Marcus l'y suivit sitôt après, d'un dernier coup de reins libérateur.

Alors, pour Avalon, il n'y eut plus que lui. Plus rien que Marcus, au cœur de la nuit profonde.

Ce fut le lendemain matin qu'arriva la missive de Trayleigh.

En dépit de l'épisode nocturne dans le vallon, Marcus et Avalon ne traînèrent pas au lit. De bonne heure, ils allèrent main dans la main rejoindre dans la grande salle les autres occupants du château pour le petit déjeuner.

Avalon ne souffrait pas du manque de sommeil. Pour une femme qui n'avait pas beaucoup dormi la nuit précédente, elle se sentait même merveilleusement bien. S'asseyant à côté de Marcus à la table d'honneur, elle se mit à manger de bon appétit le porridge et les galettes d'avoine qu'on lui servit.

De temps à autre, en jetant à son époux un regard à la dérobée, elle avait l'impression que la lune l'éclairait encore de son éclat mystérieux. Penchée vers lui, il lui semblait percevoir les fragrances de cette nuit torride et sauvage qu'ils avaient partagée, et que le jour nouveau ne pouvait abolir.

Elle se demanda si de tels changements étaient perceptibles sur elle également, et s'il était possible d'en deviner la cause. À cette idée, elle se sentit rougir et dut plonger le nez dans son bol pour le dissimuler. Une réaction ridicule, sans doute, mais dont elle ne put s'empêcher et que remarqua Marcus.

Il déposa un baiser sur sa tempe et, à la pression de ses lèvres sur sa peau, Avalon devina qu'il souriait. Piquée au vif, elle tourna la tête pour le réprimander de s'amuser ainsi à ses dépens, mais bien sûr il ne la laissa pas faire. Ses lèvres s'emparèrent des siennes, tendrement. Avalon sentit fondre sa mauvaise humeur et son appétit sensuel s'éveiller aussitôt. Seul le grand silence qui s'était fait dans la pièce l'empêcha de prolonger le baiser.

Marcus se redressa, tout sourire, et le brouhaha des conversations reprit, dans une ambiance chaleureuse et gaie qui s'accordait parfaitement à l'humeur des jeunes mariés.

Le repas touchait presque à sa fin lorsqu'un homme hagard entra en trombe dans la salle et se dirigea vers le laird. Sur son passage, rires et conversations se turent et une tension perceptible s'empara de l'assemblée. La mine sombre, le messager s'inclina devant Marcus et lui tendit un pli froissé.

— De la part du clan Murray, annonça-t-il.

Marcus décacheta la missive et la parcourut des yeux. Tous les regards avaient convergé sur lui, dans un silence pesant. La chimère, pour une fois, demeurait parfaitement quiète, endormie. Avalon n'en sentit pas moins un frisson d'appréhension lui remonter l'échine.

Marcus, après avoir déchiffré la lettre, la laissa retomber sur la table. Il parcourut la salle du regard, comme s'il cherchait quelqu'un. Aussitôt, Balthazar et les principaux hommes de confiance du laird se levèrent et vinrent se placer derrière lui. Se levant de table, Marcus les entraîna à l'écart et entama avec eux un long conciliabule.

Avalon, dévorée par la curiosité, ramassa la missive et comprit aussitôt en la lisant qui l'avait rédigée. Claudia, cette fois, n'avait pas eu recours aux services d'un scribe. Son écriture était chaotique, tremblante, et des pâtés d'encre constellaient la feuille de papier.

Je vous supplie, chère cousine, de venir à Trayleigh me rejoindre. De grands périls m'entourent. Warner Farouche est malade, mourant. Je suis seule, sans défense. Cousine Avalon, venez ! Je prie Dieu pour que vous entendiez ma supplique.

— Un piège ! lança Hew à la cantonade.

— Naturellement, approuva Marcus d'un air sombre.

— Un piège grossier, mais dans quel but ? s'enquit un autre de ses lieutenants. Capturer la femme du laird ?

— Peut-être ne sont-ils pas encore au courant du mariage, hasarda Hew.

— J'ai pourtant fait prévenir Malcolm, réfléchit Marcus à haute voix. Mais il se peut que notre roi n'en ait pas encore informé Henry. Ou peut-être Henry n'a-t-il pas fait parvenir la nouvelle à Trayleigh. Difficile à dire.

— Quoi qu'il en soit, annonça Avalon en se levant de table à son tour, je dois y aller.

Marcus et le Maure la dévisagèrent, pendant que le reste de la salle explosait en protestations indignées. Avalon attendit que le calme revienne avant de se tourner vers son mari pour ajouter d'une voix ferme :

— Que tu le veuilles ou non, j'irai.

Le contenu de la lettre, dans sa maladresse, était à ses yeux criant de vérité. Bien sûr, ce pouvait être un piège, mais Claudia ne méritait pas d'être ignorée ou traitée par la méfiance. De plus, Avalon voyait dans cet appel au secours l'issue logique d'un enchaînement de faits et de circonstances qu'elle n'avait pas jusqu'alors pensé à relier entre eux. Elle n'avait d'autre choix, en conclusion, que de répondre à cet appel.

— Mais je préférerais ne pas y aller seule, précisa-t-elle en soutenant le regard de Marcus sans ciller. Même si je suis décidée à y aller toute seule s'il le faut. Si Warner est réellement mourant, alors je n'ai plus rien à craindre de lui. S'il ne l'est pas et que c'est un piège, il lui faudra bien renoncer à ses plans, à présent que me voilà mariée.

Marcus, figé sur place, le visage de marbre, gardait un silence de mauvais augure.

— L'honneur exige qu'on réponde à un appel au secours, intervint Balthazar. Tu n'as pas oublié cela, n'est-ce pas, Kincardine ?

Dans la salle, personne ne bronchait. Marcus tourna la tête vers l'une des cheminées et s'absorba dans la contemplation des flammes.

Enfin, au terme de ce qui parut une éternité à Avalon, il lâcha un profond soupir :

— Il va falloir bien nous couvrir. Ce sera une chevauchée des plus glaciales.

15

Enfin, Trayleigh apparut à leurs yeux, d'un gris terne sous un ciel de plomb. Le château comme ses alentours demeuraient étrangement calmes et silencieux. Seule une faible lumière brillait à une fenêtre du rez-de-chaussée. Il se dégageait des lieux une terrible impression de vide et de désolation.

Le groupe de cavaliers venu de Sauveur fit halte en haut d'une côte dominant la vallée où se nichait le petit village. Les huttes et les masures blotties au pied du château semblaient aussi désertes que celui-ci. Aucune fumée ne s'élevait des cheminées. Personne pour vaquer à ses occupations dans les cours et les ruelles.

Il ne faisait plus aucun doute pour Marcus que quelque chose au château de Trayleigh ne tournait pas rond. Il n'était pas normal, pour un domaine de cette taille, d'offrir un tel spectacle.

Avalon, en selle à son côté sur une jument gris pommelé, observait la scène avec autant d'attention que lui. Mais si elle repéra quelque chose de suspect qui lui avait échappé, elle n'en dit rien.

Marcus n'aimait pas du tout cela. Ni le village fantôme, ni le château déserté, ni le temps misérable.

Tirant sur ses rênes et éperonnant sa monture, Avalon se lança sur la route en pente qui menait au village. Marcus n'eut d'autre choix que de la suivre.

La voie était libre jusqu'à Trayleigh. Ils ne croisèrent pas âme qui vive dans le village, et aucune sentinelle ne montait la garde à l'entrée du château. Marcus sentit ses cheveux se hérisser sur sa nuque tandis qu'ils pénétraient dans l'enceinte. Autour de lui, tous étaient aux aguets, la main sur l'épée.

S'il s'agissait d'un piège, si des archers se tenaient embusqués, alors ils étaient bons pour périr. Contre un déluge de flèches, Marcus le savait, ils ne pourraient avoir aucune défense. Pourtant, il était prêt à parier que l'on n'oserait pas s'en prendre à Avalon aussi ouvertement. Il priait pour qu'il en aille ainsi.

La suite lui donna raison. Ils purent mettre pied à terre sans essuyer aucune attaque. Aucun palefrenier ne se rua hors des écuries pour prendre en charge leurs montures. La grande cour était totalement vide. Il n'y avait que le vent pour briser le silence qui y régnait en soulevant de brefs tourbillons de poussière.

Marcus se concentra afin de chasser de son esprit l'appréhension qui risquait d'amoindrir sa vigilance. Dans cette situation, il lui fallait rester prêt à défendre Avalon jusqu'à la mort.

Une centaine de ses hommes les plus fiables et les mieux entraînés les entouraient, tous Highlanders aguerris. C'était volontairement que Marcus s'était fait accompagner d'une troupe impressionnante, afin de signifier à Warner qu'il n'était pas dupe de son piège et qu'il le mettait au défi de le laisser se refermer sur eux.

Une autre centaine de guerriers du clan avaient pris position tout autour du village et du château. Lourdement armés, ils n'attendaient qu'un ordre pour entrer en action. Et si lui-même était empêché de donner le signal des représailles, Bal s'en chargerait. Et si Bal ne le pouvait pas non plus, Hew serait là pour le faire, puis Sean s'il le fallait. Et ainsi de suite jusqu'au dernier d'entre eux qui parviendrait à se tirer vivant de cette souricière.

Non, vraiment, Marcus n'aimait pas ce qui se tramait à Trayleigh. Mais à bien y réfléchir, songea-t-il en tirant de son fourreau son sabre espagnol, il ne lui déplaisait pas d'infliger à Warner Farouche une correction, pour lui faire payer la mort du père d'Avalon et le drame de son enfance. Cela, à n'en pas douter, constituait une noble et juste cause.

Une moitié de la double porte du château était ouverte. Marcus vit Avalon pivoter dans cette direction et se tint prêt à intervenir, le sabre au clair.

Une haute silhouette se détacha progressivement du puits d'ombre de la porte, habillée de lourdes étoffes noires, la tête couverte d'une voilette de deuil lui masquant le visage. De longues mains pâles s'élevèrent pour soulever le voile, révélant le visage d'une femme qui fixait Avalon avec incrédulité.

— Cousine ! s'exclama-t-elle.

La femme en noir s'élança vers eux, aussi vite que les plis encombrants de sa robe de deuil le lui permirent. Avalon, dès qu'elle l'avait aperçue, s'était portée elle aussi à sa rencontre.

— Claudia… dit-elle simplement, en laissant la veuve de Bryce se jeter dans ses bras.

Lady Claudia lui murmura quelque chose que Marcus ne parvint pas à saisir, même s'il avait pris la précaution de se poster derrière sa femme, pour parer à toute éventualité.

— Dieu soit loué ! répétait Claudia d'une voix rauque et en versant force larmes qui paraissaient sincères. Dieu soit loué, vous êtes là !

Enfin, elle parvint à s'extraire des bras d'Avalon. Les yeux rougis, elle redressa la tête et avisa la troupe d'hommes en armes. Certains étaient encore à cheval ; d'autres, à pied, se positionnaient en cercle autour des deux femmes.

— Dieu merci, vous êtes venus ! cria-t-elle à la cantonade. Dieu merci !

Sans lui laisser le temps de se lancer dans une nouvelle salve de pleurs et de jérémiades, Marcus lui demanda rudement :

— Pourquoi nous avoir fait venir ? Où sont vos hommes ?

Claudia essuya d'un revers de manche les larmes sur son visage.

— Un terrible fléau… gémit-elle en reniflant. Vierge Marie, j'ai tant de mal à en parler ! Mais je le dois, je le dois ! Je vous en prie, donnez-vous d'abord la peine d'entrer…

Marcus retint Avalon qui faisait mine d'avancer en lui posant la main sur l'épaule.

— Dites-moi d'abord où sont passés les hommes de ce château, reprit-il d'un ton glacial. Nous n'irons nulle part tant que vous ne l'aurez pas fait.

Claudia tourna lentement la tête vers lui, comme si elle le découvrait, et dans ses yeux Marcus lut une certaine surprise. Puis un voile passa sur son regard et cette émotion fut remplacée par une autre, indéfinissable, qui suscita un étrange sourire sur ses lèvres.

— Il n'y a plus d'hommes ici, dit-elle d'un ton amer. Vous ne le voyez donc pas ? Ils se sont pour la plupart enfuis. Et ceux qui n'ont pu le faire sont morts, ou encore mourants, comme l'est en ce moment même le baron.

— De quoi sont-ils morts ? s'enquit Avalon.

Au ton de sa voix, Marcus n'aurait su dire si elle croyait ou non à l'histoire qui venait de leur être servie.

— Mais je n'en sais rien ! s'impatienta Claudia en la coiffant d'un regard hanté. Tout est arrivé si vite… Un soir, il y a une quinzaine de jours, tout allait bien pour tout le monde. Mais le lendemain, des morts par douzaines ! Et chaque jour passé n'a fait qu'aggraver l'hécatombe, jusqu'à ce que la plupart aient péri ou fui cette terrible peste.

Reculant d'un pas, Claudia pointa un doigt en direction du village.

— N'avez-vous pas constaté la désertion de tous nos gens en passant là-bas ? demanda-t-elle, acerbe. Les serfs ont déserté quand la maladie a commencé à sévir dans leurs rangs. Dieu les maudisse ! Ils m'ont tous abandonnée ici, et ceux qui me sont restés fidèles l'ont payé de leur vie.

— En somme, constata Marcus, cette hécatombe n'a épargné que vous.

— Pour mon plus grand malheur ! s'écria Claudia en sanglotant de plus belle. D'abord, la perte cruelle de mon mari. Et à présent ceci ! Je dois avoir perdu la grâce de Dieu pour mériter un tel sort…

Les bras croisés, Marcus observait de haut sa mine défaite, son apparence d'oiseau blessé, ses cheveux fous qui commençaient à échapper au voile.

— Ainsi, résuma-t-il froidement, un fléau dévaste vos terres et vous laisse miraculeusement indemne. Un grand malheur, vraiment... Mais pourquoi nous avez-vous demandé de venir ? Nous ne pouvons pas vaincre cette épidémie pour vous.

De nouveau, Marcus lut dans les yeux de Claudia ce regard surpris et perplexe, comme s'il représentait pour elle quelque fascinant mystère qu'elle ne parvenait pas à appréhender.

— Mais... je ne vous ai pas demandé de venir, protesta-t-elle. Je n'ai fait appel qu'à ma cousine. Je lui ai demandé de me rejoindre ici parce que le baron est mourant et qu'il la réclame.

— Ma *femme*, répliqua Marcus en insistant sur ce mot, n'a aucune raison de répondre aux convocations du baron, même mourant.

Sous sa main, Marcus sentit Avalon tressaillir. Mais avant qu'elle ait pu protester, Claudia prit les devants.

— Je vois, dit-elle.

À cet instant, Marcus eut un aperçu de la femme séduisante et sûre d'elle-même qu'elle devait être d'ordinaire.

— Naturellement, reprit-elle, nous n'étions pas au courant. Félicitations à tous les deux.

Claudia porta ses mains légèrement tremblantes à son visage, comme pour cacher sa détresse. Puis elle parut changer d'avis et les baissa pour serrer avec urgence les doigts d'Avalon entre les siens.

— Warner ne sait rien de ce mariage, lui dit-elle. Auriez-vous la bonté d'aller tout de même le voir ? Vous revoir avant que la mort ne l'emporte constituerait sa dernière joie. Il ne passera pas la nuit, j'en suis sûre. J'ai vu trop de cas semblables au sien. Et cela représenterait…

Elle marqua une pause et déglutit péniblement avant de conclure :

—… tout pour lui.

Par-dessus son épaule, Avalon consulta Marcus du regard. Dans ses yeux, il vit que sa décision était déjà prise et qu'elle pénétrerait dans ce château, que cela lui plaise ou non. Pourtant, elle demeura immobile tant qu'il n'eut pas signé sa capitulation d'un soupir et d'un hochement de tête. Le sabre prêt à entrer en action, il lui emboîta le pas, leur petite armée derrière eux.

Claudia les conduisit jusque dans la grande salle. Un maigre feu dans l'âtre accrochait aux bancs et aux tables des ombres mouvantes. Certaines étaient renversées. D'autres encombrées des reliefs d'un très ancien repas jamais débarrassés. Il régnait dans cette pièce une atmosphère de désolation évocatrice d'un drame soudain et meurtrier.

— La peste ! gémit Hew entre ses dents. Nous allons tous y passer…

Il s'était adressé à Marcus, mais ce fut Balthazar qui lui répondit.

— Oh, je ne le pense pas, non. Mais par mesure de précaution, ne touchez à rien.

D'un regard, Hew demanda confirmation à Marcus de cette recommandation. Celui-ci acquiesça. En de telles circonstances, la prudence s'imposait.

Claudia les mena au pied d'un grand escalier circulaire. De sa visite précédente en ces lieux, bien des années auparavant, Marcus gardait le souvenir que celui-ci devait conduire aux appartements.

— Il reste de la nourriture au cellier, leur dit-elle en se tournant vers eux. Vous pouvez prendre ce qu'il vous plaira. Je suis désolée de n'avoir plus de domestiques pour vous servir.

— Nous n'avons pas faim, assura Avalon.

En prononçant ces mots, elle avait lancé à la petite troupe un regard d'avertissement éloquent. Tous se le tinrent pour dit.

— Comme il vous plaira. Si vous voulez bien me suivre, cousine.

Sans attendre de réponse, Claudia gravit les premières marches.

— Un petit moment! intervint Marcus. Où comptez-vous nous conduire ainsi?

Claudia se figea et tourna lentement la tête pour lui jeter par-dessus son épaule un regard absent.

— Je n'ai d'intérêt qu'à conduire ma cousine Avalon, sir. Mais libre à vous de la suivre, bien sûr. Je l'emmène dans la chambre du baron. C'est là qu'il se trouve. Il est hélas désormais incapable de quitter son lit.

Sans se soucier de savoir si elle était suivie, elle reprit son ascension. Marcus regarda ses hommes qui patientaient au bas de l'escalier, indécis, puis Avalon qui avait déjà commencé à s'y engager. En quelques ordres rapides, il scinda le groupe en deux. Vingt hommes devaient les suivre à l'étage, et les autres attendre dans la grande salle.

Le corridor dans lequel ils débouchèrent en haut de l'escalier n'était que chichement éclairé. Les tapis qu'ils foulaient paraissaient sales et élimés. Ils dégageaient une odeur de crasse et de sueur qui se mêlait à une autre, plus écœurante. Tout indiquait un laisser-aller et une négligence peu en rapport avec une résidence telle que Trayleigh. Plus ils avançaient dans cette demeure, plus la véracité de l'histoire racontée par Claudia se renforçait.

Enfin, ils firent halte devant une lourde porte de chêne cloutée de fer. Claudia pivota vers Avalon et lui prit la main.

— Je préfère vous prévenir, lui dit-elle gravement. Vous allez être choquée. Voilà des jours qu'il lutte contre la mort dans le seul espoir de vous revoir. Depuis une semaine, il ne fait que répéter votre nom. Je crois... je crois qu'il vous aime. S'il vous plaît, soyez bonne avec lui.

— Naturellement, répondit Avalon.

Hochant la tête avec satisfaction, Claudia reporta son attention sur Marcus.

— Le baron n'est plus en état d'être une menace pour votre épouse, déclara-t-elle. Il est bien trop faible pour s'en prendre à elle, à supposer même qu'il en ait jamais eu l'envie. Leur permettrez-vous rien qu'un instant d'intimité pour qu'elle puisse lui faire ses adieux ?

— Non, répliqua-t-il sans hésiter.

— Comme il vous plaira... murmura Claudia, abattue. Je comprends. Puis-je cependant vous demander une faveur, milord ? Vous m'obligeriez en ne pénétrant dans cette chambre qu'en compagnie de votre femme. La vue de tant d'hommes en armes le mettrait dans tous ses états. Et je suis sûre que vous suffisez amplement à la protection de ma chère cousine, n'est-ce pas ?

— Bien sûr, décréta Avalon. C'est bien suffisant.

Marcus la considéra avec surprise, mais elle lui rendit son regard avec assurance, comme si elle pouvait déjà deviner ce qui les attendait à l'intérieur.

Sachant que Bal et Hew ne seraient pas loin, Marcus acquiesça à contrecœur d'un signe de tête.

— Alors venez, conclut simplement Claudia.

Repoussant la porte, elle les fit entrer, laissant Marcus passer le premier.

Avalon, comme engluée dans une poix invisible, éprouvait la sensation de se débattre en plein rêve. Ses pieds traînaient au sol, trop lourds pour fonctionner correctement. Au bout de ses bras, ses mains engourdies lui semblaient inutiles. Elle avait la tête embrumée et ne parvenait pas à penser clairement. Le phénomène était curieux mais indéniable. Et plus elle s'approchait du grand cube noir que constituait le lit à baldaquin à l'autre extrémité de la pièce, plus celui-ci s'accentuait.

Voir devant elle le large dos de Marcus, qui l'avait précédée, la rassurait quelque peu. Lui ne se focalisait pas sur le lit, imposant et clos, les tentures fermées. Ses yeux passaient au crible la grande pièce quasiment dépourvue de meubles. Un candélabre se dressait près du lit, toutes ses bougies éteintes. Il n'en restait que de courts tronçons, trop creusés pour brûler encore, mais nul n'avait pris la peine de les remplacer. Elles avaient déposé par terre des galettes de cire d'un blanc jaunâtre, aux formes tourmentées. Une faible torche accrochée au mur le plus éloigné constituait la seule source de lumière.

De son enfance, Avalon ne gardait pas le souvenir que cette chambre ait été aussi vaste. Pourtant, elle devait l'avoir été, car il s'agissait bien de celle du baron, que celui-ci ait eu pour nom

Geoffrey, Bryce ou Warner. Peut-être son père l'avait-il meublée davantage autrefois, car elle ne se rappelait pas ce grand espace nu, dont toutes les perspectives convergeaient vers l'énorme lit noir.

Elle avait beau avoir les pieds lourds, Avalon s'étonnait de ne pas l'avoir encore atteint. Marcus, lui, y était déjà. Pivotant sur lui-même, il passa les alentours au crible de ses yeux d'aigle. Quant à elle, pour une raison qu'elle ne s'expliquait pas, il lui semblait vital de le rejoindre au plus vite, ce qu'elle fit.

L'instant d'après, elle vit une main écarter la lourde tenture noire du lit à baldaquin, avant de se rendre compte que cette main n'était autre que la sienne. Elle avait plus que jamais l'impression de faire un mauvais rêve. Elle ne sentait ni le poids du rideau entre ses doigts, ni celui de sa propre main. En revanche, son ouïe paraissait exacerbée, et elle entendit distinctement le bruissement du tissu poussiéreux.

Derrière le rideau se trouvaient davantage de ténèbres encore. Une forme indistincte, immobile, reposait sur le lit. À la tête, sur les oreillers, la tache claire d'une chevelure. Une terrible odeur douceâtre monta aux narines d'Avalon.

Un flot de sang avait maculé la literie. Il détrempait les fourrures et les vêtements. Il les nappait d'un vernis qui dans l'obscurité semblait noirâtre, auquel la lumière de la torche accrochait de sinistres reflets. Un sang encore suffisamment frais pour empuantir l'habitacle d'une odeur de mort.

À peine Avalon avait-elle enregistré tout cela qu'elle sentit quelque chose filer en miaulant près de son oreille. Marcus se jeta sur elle, la sauvant d'une seconde flèche qui se ficha en lui avec un bruit écœurant.

Ensemble, ils chutèrent sur le sol en s'emmêlant les jambes dans la tenture du lit, qui se décrocha de son support en produisant une série de bruits secs. Le corps de Marcus amortit la chute d'Avalon, mais ce contact, loin de la rassurer, l'emplit d'une peur panique. Il était inconscient et une odeur de sang frais montait de lui, qui supplantait l'ancienne, venue du lit.

En hâte, Avalon tenta de se redresser, mais la toile raide l'emprisonnait des pieds à la taille. Battant des jambes et tirant sur le rideau, elle tenta en vain de se libérer.

— Je vous conseille, chère cousine, de ne pas bouger.

La voix rauque de Claudia avait retenti près de la porte. Avalon tourna les yeux dans cette direction et constata qu'elle avait déjà rechargé l'arbalète avec laquelle elle la visait. La porte, derrière elle, était close et verrouillée. Précaution supplémentaire, une lourde barre de bois glissée dans deux solides supports la barricadait.

Tout contre Avalon, Marcus demeurait inerte. Si elle tournait légèrement la tête, elle apercevait l'empennage de plumes vertes de la flèche qui l'avait atteint, sans doute à l'épaule. Mieux valait une blessure à cet endroit qu'une flèche en plein cœur, songea-t-elle en reprenant espoir. Et le fait qu'il demeurât inconscient n'était pas forcément inquiétant. Peut-être s'était-il cogné la tête en tombant.

La sensation de nager en plein rêve s'était atténuée, sans disparaître tout à fait. Malgré la pénombre qui baignait la pièce, Claudia lui apparaissait clairement. Sa silhouette se détachait sur l'arrière-plan de bois sombre de la porte. L'auburn de ses cheveux contrastait sur le fond noir de ses vêtements, et ses joues étaient écarlates. Dans le noir, la pointe de la flèche dirigée sur la poitrine d'Avalon luisait sinistrement.

— Dieu merci, vous êtes venue ! s'exclama-t-elle, d'une voix qui ne paraissait pas moins sincère qu'auparavant. Je savais qu'Il ne m'abandonnerait pas tout à fait. Il vous a livrée à moi.

— Peut-être, admit Avalon aussi calmement que possible. Mais c'est en vain que vous avez dépensé ces pièces d'or, il y a vingt ans. Les Pictes ne m'ont pas tuée, contrairement à ce que vous espériez.

Claudia haussa faiblement les épaules.

— Qui aurait pu imaginer une chose pareille ? maugréa-t-elle. Les chances que vous puissiez échapper à un raid étaient nulles.

Tournant légèrement la tête, Avalon examina la pièce, à la recherche d'une arme pour se défendre ou d'un recoin où se réfugier. Claudia devina ses intentions.

— À votre place, je ne ferais pas ça, chère cousine. Je ne suis pas encore tout à fait prête à vous tuer. Et j'ai entendu dire, voyez-vous, que vous n'êtes pas la faible femme sans défense à laquelle vous ressemblez. J'imagine qu'il ne doit s'agir que de ragots ou de sorcellerie, mais je ne tiens pas à ce que vous m'en fassiez la démonstration.

La torche laissait dans la chambre de grandes zones d'ombre, où la silhouette noire de Claudia se fondait entièrement. On eût dit que son visage blafard et ses mains tenant l'arbalète, séparés de son corps, flottaient dans l'air.

— Gwynth était une sorcière, poursuivit-elle d'un ton pensif. J'en ai toujours été persuadée.

Et il est possible que vous ayez hérité d'elle ces dons qu'on vous attribue. De mère à fille, en quelque sorte. Vous ne pouvez savoir comme j'ai été heureuse d'apprendre sa mort. Je ne l'ai jamais aimée.

Dans cette transe onirique qu'elle semblait traverser, Avalon perçut derrière elle les faibles battements de cœur de son mari. Ils étaient à peine perceptibles, mais ils étaient bien là, gages de vie et d'espoir. Marcus n'était pas mort. Cela constituait pour elle une puissante motivation.

Je suis à toi.

Cela n'avait été qu'un murmure sous son crâne. La voix ne lui était pas inconnue. Ce n'était pas celle de la chimère, mais elle aurait été incapable de dire à qui elle appartenait.

— Votre sens du devoir vous honore… railla Claudia. Mais il vous perdra. Je savais que vous répondriez à mon appel au secours. Lui était persuadé du contraire. Il disait que la ruse était trop grosse. Moi, j'étais convaincue que vous viendriez. Vous avez en vous cette faiblesse des hommes, toujours prêts à se lancer dans les plus grands périls pour sauver la veuve et l'orphelin. Warner était si désespéré qu'il aurait accepté n'importe quoi pour vous revoir. Et à présent que vous voilà devant moi, je ne peux que me féliciter de votre surprenante fidélité à une famille qui a toujours souhaité votre mort.

Avalon avait beau chercher, il n'y avait absolument rien entre Claudia et elle. Rien à lui jeter à la figure, et rien derrière quoi se cacher. Rien que son mari inconscient et en train de perdre son sang. Rien que le corps de cet autre homme, mort sur le lit. Et autour de ses jambes, ce rideau funèbre qui la maintenait prisonnière. Pourtant, à bien y réfléchir, il y avait tout de même cette voix nouvelle, qu'elle percevait insuffisamment pour la comprendre, mais dont peut-être elle pouvait espérer quelque secours.

— Si vous n'êtes pas encore prête à me tuer, pourquoi m'avoir tiré une flèche dans le dos ?

Avalon s'était entendue poser cette question d'une voix étrange, ralentie, comme engluée dans le cauchemar.

— Je n'ai pas tiré sur vous, corrigea posément Claudia. Mais sur votre mari. Et je l'ai atteint. En fait, je suis assez douée pour le tir à l'arbalète.

— Comme Bryce a pu s'en rendre compte…

Ce n'était qu'une déduction, mais elle coulait de source. Avalon vit le sourire de Claudia s'épanouir sur ses lèvres, empreint de satisfaction et de fierté.

— Si je ne tiens pas à vous tuer tout de suite, expliqua-t-elle, c'est que je veux vous voir souffrir longuement. Ce n'est que justice, non ? Voilà suffisamment longtemps que vous me faites souffrir pour que je vous rende la pareille. Je vais vous tuer *très* lentement. Contrairement à Bryce – mon cher et stupide Bryce… Il était devenu pour moi une gêne plus qu'autre chose. Je me suis cependant assurée de la précision de mon tir. Il n'a pas eu le temps de voir sa mort venir.

— Comme c'est aimable de votre part…

— N'est-ce pas ?

Le bruit de coups assourdis contre la porte commença à envahir la pièce. Des voix d'hommes filtrèrent à travers l'épais panneau de bois, plus véhémentes et inquiètes à mesure qu'augmentait la force des coups. Sans se presser et sans cesser de viser Avalon, Claudia glissa sur le côté pour s'éloigner de l'entrée.

— Si vous saviez comme je me suis lamentée, cousine Avalon, lorsque j'ai su que ce raid si habilement comploté n'avait pas atteint son but ! Pour moi, vous le comprendrez aisément, ce fut une source de souffrance et de désappointement. En échappant à la mort, vous avez mis à bas mes plans les plus longuement mûris.

Aux battements de cœur de Marcus, plus perceptibles, Avalon devina qu'il avait repris conscience et qu'il écoutait ce qui se disait. Cela rendait la situation encore plus délicate, car il lui fallait se méfier de ses réactions autant que de celle qui les menaçait.

Utilise-moi ! ordonna la voix, davantage présente.

— Au moins, enchaîna Claudia, votre père a bien trouvé la mort au cours de ce raid. Bryce a hérité du titre, des terres, du château, comme je l'avais prévu. Du moins, jusqu'à ce que vous refassiez surface miraculeusement. Tout allait tellement bien pour nous tant qu'on vous croyait morte.

Sous la force des coups qui lui étaient assénés, la porte tremblait sur ses gonds. Sans la barre de bois, sans doute n'aurait-elle pas résisté plus longtemps.

Pour garder l'attention de Claudia focalisée sur elle, Avalon força la voix afin de couvrir le bruit.

— Vous utilisiez Bryce, mais c'était son frère que vous aimiez, n'est-ce pas ?

— Et ce cher Bryce m'était bien utile pour détourner les soupçons, reconnut-elle en acquiesçant d'un hochement de tête. Je n'avais aucune raison de me débarrasser de lui tant que vous étiez en vie. Du moins, c'est ce que j'ai pensé pendant des années. Voyez-vous, mon mari n'était pas des plus perspicaces, et Warner était suffisamment souvent ici pour que nous continuions à nous aimer sous son nez. Bryce était le bouc émissaire idéal pour endosser la responsabilité du raid. J'avais besoin de lui vivant, au cas où une enquête sérieuse aurait été déclenchée. Tout le monde pouvait aisément le croire coupable. Même les villageois étaient terrifiés par lui.

Avalon se représenta Elfrieda, à l'auberge, tremblant comme une feuille à l'évocation du baron. Dame Herndon avait cru à sa culpabilité. Lady Luedella aussi. Claudia, en sous-main, avait diaboliquement manœuvré pour les manipuler.

Toujours souriante et le souffle un peu court, ce fut avec une hâte nouvelle qu'elle reprit son récit, comme s'il lui tardait d'en finir. Les mots se bousculaient sur ses lèvres. Avalon dut tendre l'oreille pour tout saisir.

— Warner et moi nous aimions secrètement depuis très longtemps. Un an avant que l'on découvre que vous étiez toujours en vie, j'avais commencé à échafauder des plans pour supprimer Bryce. Vous avez ruiné tout cela en reprenant votre place dans la famille et en récupérant votre part d'héritage. Je ne peux vous le pardonner. J'aurais préféré vous éliminer dès votre retour en Angleterre, mais Warner m'a convaincue du contraire. Vous étiez trop en vue, disait-il. Votre mort soudaine aurait pu attirer l'attention. Il préférait attendre avant de vous supprimer. Je l'ai écouté. Il avait toujours été de bon conseil jusqu'alors. C'est moi qui ai convaincu Bryce de vous expédier à Gatting. Je ne pouvais tout de même pas me résoudre à vous accueillir ici…

Son sourire avait disparu. Une autre expression l'avait remplacé, plus mauvaise et plus accordée à la situation.

— Avec le temps, reprit-elle, j'aurais pu trouver un moyen de vous tuer avant que vous ne puissiez épouser cette bête sauvage d'Écossais auquel on vous avait promise. Mais c'est alors que Bryce s'est mis en tête de vous marier à son frère ! Pouvez-vous comprendre cela ? Après tout ce que j'avais fait pour lui, se retourner ainsi contre moi en prétendant vous faire épouser *mon* amour !

— Vous oubliez, intervint Avalon, qu'il ignorait tout de votre liaison.

— Peu importe ! Tout ce que j'avais patiemment accompli, depuis des années, tous les plans que j'avais ourdis, ne visaient qu'à ce que nous puissions vivre notre amour au grand jour, Warner et moi. Je voulais qu'après la mort de son frère il hérite du titre et que nous puissions nous marier, au terme d'une période de deuil convenable. Je ne pouvais imaginer à quel point il se montrerait ingrat envers moi, à son tour...

Derrière elle, Avalon sentit Marcus bouger lentement. Un frisson lui remonta l'échine à l'idée qu'il s'apprêtait à entrer en action. Il ne pourrait s'en empêcher. C'était dans sa nature de guerrier. Et alors, Claudia le transpercerait d'une autre flèche sans la moindre hésitation.

La voix se fit de nouveau entendre, impérieuse.

Utilise-moi, je suis à toi.

— Laird ! cria un homme dans le couloir. Laird, répondez-nous !

Tournant brièvement la tête dans cette direction, Claudia retrouva son sourire et pointa plus fermement l'arbalète.

— Quoi qu'il en soit, conclut-elle, l'heure est venue d'en finir.

— Pourquoi avoir tué Warner puisque vous l'aimiez ? questionna Avalon, couvrant les voix qui s'élevaient à l'extérieur.

— Je l'aimais, oui ! Mais qui aurait pu deviner, chère et belle cousine Avalon, qu'il tomberait amoureux de *vous* ? Au premier regard, le soir où il a fait votre connaissance !

Claudia laissa fuser vers le plafond un rire hystérique.

— Figurez-vous que ce traître a osé me l'avouer sans fard ! Il était prêt à m'abandonner, après tout ce que j'avais fait pour lui, après que je lui ai tendu sur un plateau le titre, le château, les terres… Il avait fait fabriquer de faux papiers pour attester que vous lui aviez été promise avant Kincardine. Il s'apprêtait à les produire et à soudoyer largement qui de droit pour obtenir gain de cause. Il ne jurait que par vous, ne parlait que de vous, ne rêvait que de vous. Vous étiez devenue une obsession pour lui. Il clamait haut et fort qu'il vous aimait, mais j'ai un autre mot pour cela. Vous l'aviez bel et bien ensorcelé !

— Non ! protesta Avalon. C'est faux !

Marcus s'agitait derrière elle. De là où elle était, Claudia ne pouvait le voir.

— Sorcière ! hurla celle-ci. Vous l'avez ensorcelé, il n'y a pas d'autre explication ! Il a été mien pendant des années avant que vous ne reveniez ici en faire votre chose. Mais il était faible, et il méritait de mourir pour m'avoir trahie, sortilège ou pas. Il a eu ma dague pour pénitence ! Chaque blessure que je lui ai infligée, chaque goutte de sang qu'il a versée a racheté sa dette envers moi. Et quand je l'ai achevé en lui administrant un poison, il l'a avalé sans sourciller, comme tous les autres l'avaient fait avant lui – tous les serfs, tous les domestiques. Ils devaient tous mourir ! Ma chute devait être aussi la leur ! Je suis la maîtresse de ce château !

Je suis...

Ignorant la voix inconnue qui la hantait, Avalon fit une ultime tentative pour raisonner Claudia.

— Vous n'avez aucune chance d'en réchapper, si vous nous tuez. Vous le savez. Il n'y a pas d'autre moyen de sortir de cette pièce que cette porte, gardée par les hommes de mon clan. Ils vous tailleront en pièces.

— Oh, que vienne ma mort ! s'écria-t-elle d'une voix pleine d'impatience. Je n'attends plus que cela : rejoindre mon seul amour – car je l'aime toujours. Mais vous me précéderez, cousine. Cela sera ma dernière joie sur terre.

... à toi.

Soudain, sans qu'Avalon ait pu l'en empêcher, Marcus bondit, obligeant Claudia à se déporter pour changer de cible. Avalon voulut s'élancer dans l'espoir de s'interposer, mais ses jambes toujours prises dans la tenture l'en empêchèrent et elle retomba pesamment sur les mains et les genoux. Un cri de détresse lui échappa lorsqu'elle sentit la flèche la frôler et aller se planter, une fois de plus, dans le corps de Marcus. Il retomba contre le lit dans un gémissement sourd, avant de glisser lentement au sol tel un pantin de chiffon.

Dans les secondes qui suivirent, Avalon s'abîma dans une lamentation muette et désespérée. Non ! Oh, non ! Seigneur, s'il vous plaît, non ! Faites que ce ne soit pas vrai !

Mais Marcus avait bel et bien été touché, blessé, peut-être mortellement cette fois.

Avalon rampa jusqu'à lui et lui fit un bouclier de son corps. Elle se sentait engourdie, tétanisée, glacée de l'intérieur. Elle eut la sensation de revivre en découvrant que Marcus respirait encore, d'un souffle court et rapide.

— Avalon...

Cela avait été moins qu'un soupir, si faible qu'elle ne fut pas sûre de l'avoir entendu. En revanche, elle fut certaine de la provenance de ce cri du cœur qui lui traversa l'esprit.

Avalon, je t'aime ! Sauve-toi...

Ensuite, le silence. Elle le sentit glisser dans un abîme de brumes et de ténèbres qui l'absorba tout entier.

Avalon n'y voyait rien, tant il faisait noir. La torche était trop éloignée d'elle, et la mort bien trop proche. Le danger qui rôdait autour d'elle était si puissant qu'il pouvait la terrasser quand il le voudrait. Comme Warner, elle se viderait de son sang. Et comme Marcus l'était déjà peut-être, elle serait bientôt morte. Pourtant, elle ne pouvait se résoudre à le laisser derrière elle pour tenter de se sauver, comme il lui en avait intimé l'ordre. Il ne faisait aucun doute pour elle qu'il était grièvement blessé. Son sang s'écoulait en abondance. Il imprégnait ses vêtements. Elle le sentait sur ses mains, chaud et poisseux. Comment faire pour...

Avalon se figea en entendant Claudia se déplacer dans la pièce. Elle arma son arbalète, avec assurance et efficacité en dépit du manque de lumière. La flèche acheva de se mettre en place avec un déclic effrayant, qui fit frissonner Avalon de plus belle. Ce bruit était celui de sa fin prochaine.

En tâtonnant, elle avait trouvé l'emplacement de la deuxième flèche sur le corps de Marcus. Un tir à la poitrine, trop haut pour avoir atteint le cœur, mais assez méchant pour faire jaillir des fontaines de sang. Avalon savait qu'il ne fallait pas tenter d'arracher la flèche. Bien au contraire, elle pressa les doigts sur la poitrine de Marcus, pour essayer de retenir le précieux fluide. Elle s'attendait à être atteinte à son tour d'un instant à l'autre, mais elle ne pouvait laisser mourir l'homme qu'elle aimait sans rien faire.

Je suis à toi.

Si Claudia constituait la véritable menace, songea-t-elle soudain, l'obscurité qui la favorisait était sa complice. Avalon ne pouvait dans ces conditions ni combattre ni vaincre son ennemie. Jamais elle ne parviendrait à l'atteindre à temps pour sauver son mari. Tout son entraînement, tous ses dons ne lui servaient à rien. Marcus allait mourir, et ce serait uniquement de sa faute si…

Utilise-moi! ordonna la voix, plus forte que jamais.

Un tintamarre faisait résonner les ténèbres autour d'elle. Aux bruits très reconnaissables – les cris des hommes du clan à l'extérieur, les coups furieux contre la porte – se mêlaient d'autres qui l'étaient moins – le rire sous cape de Claudia, ainsi que d'autres rires, à faire se dresser les cheveux sur la nuque. Les murmures d'autres voix que celle de Claudia s'élevaient, suintantes de malveillance.

Je suis à toi!

Les gobelins! Le sang, le danger, la mort!

La pièce était vide, il n'y avait nulle part où se cacher. Elle allait mourir, tout comme son père, et Ona, et les autres. Et tout ce sang versé n'apaiserait jamais sa peine, ce sang épais et chaud qui signerait en s'écoulant son arrêt de mort, et susciterait la grimace de la Camarde à deux doigts de...

L'oreille aux aguets, Avalon perçut des bruits de pas. Quelqu'un était en train de s'approcher, d'une curieuse démarche précipitée sous le froissement des jupons. Le rire se fit plus proche. Les voix malveillantes se fondirent en un crescendo qui culmina en un cri strident.

Une seule voix demeura distincte des autres.

Ce n'était pas la voix de la chimère. Du moins, ce ne l'était plus.

Utilise-moi, je suis à toi... dit-elle.

Et enfin, Avalon comprit à qui appartenait cette voix.

Je suis toi.

16

Sur le sol glacé, Avalon s'acharnait à retenir la chaleur de Marcus. Les doigts toujours pressés sur sa blessure, à genoux, la tête penchée en avant, elle attendait la flèche qui d'un instant à l'autre pouvait l'anéantir. Ses doigts étaient poisseux de sang, mais tout cela semblait arriver à une autre qu'elle-même ; une femme prisonnière d'un cauchemar ; une femme à genoux près de son mari mourant ; une femme dont les cheveux pâles étaient pour son ennemie une balise dans le noir.

À cette minute, c'était un autre cauchemar qui occupait l'esprit d'Avalon. Un cauchemar qu'elle connaissait bien. Un cauchemar empli de gobelins.

Je t'utilise ! pensa-t-elle très fort. *Sois mes mains pour moi ! Éteins cette lumière !*

À l'autre bout de la pièce, quelque chose s'écrasa à grand bruit sur le sol. La torche, quittant son support, venait de tomber du mur et de s'éteindre sur les dalles.

Bien ! approuva mentalement Avalon. *Comme ça...*

Alertée, Claudia s'était figée. Le bruit de ses jupons comme son ricanement maléfique s'étaient tus.

Le feu! songea Avalon, les yeux fermés. *Rappelle-toi – les flammes, la fumée, l'odeur…*

De courtes flammes jaillirent au bas des murs, éclairant la pièce d'une lueur irréelle. Un rideau de fumée dense commença de s'élever.

Parle! Appelle-la par son nom. Fais-lui sentir à quoi peuvent ressembler les derniers instants avant la mort…

— Claaa-dia…

Aux inflexions étranges, la voix qui s'était exprimée sur la gauche déformait son nom. Pourtant, celui-ci restait parfaitement reconnaissable.

— Claaa-dia…

Cette fois, c'était sur la droite que la voix avait retenti. Claudia, agrippée à son arbalète, scrutait les alentours, le souffle court.

— Qui est là? demanda-t-elle, parvenant presque à ne rien laisser transparaître de la peur qui l'habitait.

Montre-lui! Montre-toi! Fais-lui voir ta face…

Émergeant lentement des ténèbres, des visages de cauchemar se dessinèrent. Les gobelins avaient des yeux rouges. De grands yeux rouges, d'une sauvagerie inouïe, qui brillaient dans le noir. Avalon ne les connaissait que trop bien. Combien de fois ces yeux-là ne l'avaient-ils pas trouvée, où qu'elle ait pu se cacher? Mais cette fois, c'était Claudia qu'ils recherchaient. Et c'était elle qui commençait à les voir.

Là où la torche s'était écrasée sur le sol, un bruit se fit entendre. On traînait quelque chose. Et deux yeux rouges luisaient distinctement dans le noir.

— Qu'est-ce que c'est? cria Claudia, pantelante et moins maîtresse d'elle-même, cette fois.

Dis-lui.

— Tu nous connais ! lança une troisième voix, venue d'un autre endroit.

À l'odeur de fumée et de chair calcinée qui envahissait peu à peu la pièce se mêlait une autre, métallique et douceâtre – celle du sang coulant à flots. C'était ainsi que les gobelins signalaient leur présence, leur particulière horreur.

— Claaa-dia…

Relevant l'arbalète, Claudia tira dans la direction d'où était venue la voix. Dans un bruit sec, la flèche rebondit sur le mur de pierre. Un concert de ricanements s'éleva. Ils riaient d'elle et se rapprochaient, s'apprêtant à la cerner. L'odeur de sang qu'ils transportaient avec eux, réelle ou imaginaire, était entêtante. Elle incitait à la panique, et Claudia était sur le point d'y succomber.

— Sorcellerie ! gémit-elle en luttant pour réarmer l'arbalète.

— Pas du tout… dirent-ils tous en riant.

— Nous sommes là, ajouta l'un.

— Uniquement pour toi, Claaa-dia… précisa un autre.

— Et pour la vengeance !

Les mains de Claudia tremblaient. Les yeux fous, elle ne parvenait pas à assujettir la flèche sur l'arme. Un nouveau bruit se faisait entendre, qui gagnait en intensité. Le crépitement des flammes dévorant tout.

Brûle cette pièce ! Montre-lui le mal qu'elle a fait ici ! Fais-lui connaître la terreur que tant d'autres ont dû connaître !

La lueur d'incendie se fit aveuglante. Les flammes léchaient les murs. Une fumée noire, épaisse, s'amassait au plafond.

Fais-lui entendre ses victimes ! Laisse-la les entendre mourir comme je les ai entendues...

L'écho de cris horribles résonna longuement. Des cris de mort. Des cris de guerre.

Épouvantée, Claudia lâcha l'arbalète, qui atterrit à ses pieds et disparut bientôt dans les flammes qui léchaient le sol. Elle demeura seule, cernée par le feu, ivre de terreur, serrant entre ses doigts sa flèche désormais inutile.

Les gobelins apparurent entre les flammes, maculés de sang et de sueur, le visage peint de vives couleurs. Leurs yeux rouges luisaient comme des fanaux de l'enfer, et leurs bouches grimaçantes laissaient voir des dents carnassières. Ils brandissaient leurs haches et leurs épées dégoulinantes de sang. Toutes les nuances de rouge qui coloraient cette scène se fondirent en un tourbillon écarlate. De longs bras en jaillirent pour se saisir de la femme qui trépignait d'effroi au centre de la pièce.

— Non ! hurla Claudia. Non !

En un dérisoire geste défensif, elle brandissait sa flèche, pivotant sur elle-même pour se protéger du danger qui pouvait venir de partout à la fois.

— Nous avons mis le feu, Claaa-dia... ricanèrent les gobelins. Nous les avons tous tués pour toi...

Lâchant la flèche, qui rebondit en cliquetant sur le sol, Claudia se couvrit les oreilles de ses mains. En arrière-plan sonore, atténués mais toujours présents, les retentissants coups de bélier contre la porte et les cris des hommes de Marcus n'avaient pas cessé.

Maintenant, rappelle-lui pourquoi elle doit souffrir !

— Un shilling d'or par tête... chantonnèrent les gobelins de leurs voix grinçantes. Cinquante pour le baron...

Vaincue, Claudia se laissa glisser au sol à genoux et y resta prostrée. Puis elle bondit sur ses pieds, frappant frénétiquement du plat de la main les flammes bleu et vert qui consumaient ses jupons noirs.

— Vingt pour la fille... conclurent les gobelins.

— Non! hurla-t-elle de plus belle. Non! Laissez-moi!

— Par tête, Claaa-dia... Nous les avons tous tués, comme tu le voulais. Nous l'avons fait pour toi, Claaa-dia.

Les plaintes des suppliciés et des agonisants s'élevèrent, insupportables. Claudia se laissa de nouveau tomber sur le sol, qu'elle martela de ses poings.

En contrepoint au spectacle dantesque noyé de flammes et de fumée, des dizaines de voix se mirent à crier:

— Vengeance!

Enfin libérée du rideau qui l'emprisonnait, Avalon se dressa sur ses jambes et courut jusqu'à la femme en pleurs, au centre de la pièce. D'un coup de pied, elle envoya valser l'arbalète au loin et saisit Claudia par les bras pour la redresser vivement.

— Aidez-moi! gémit celle-ci en s'accrochant à elle.

Avalon prit un peu de recul et la gifla à toute volée, faisant taire ses pleurs.

Instantanément, tout disparut. Les gobelins, le feu, la fumée se volatilisèrent comme un rêve au petit matin. Le silence qui succéda au vacarme parut assourdissant.

— Si mon mari meurt, prévint Avalon en fixant Claudia au fond des yeux, vous mourrez aussi. Vous avez intérêt à prier pour qu'il reste en vie…

En la giflant, Avalon avait laissé sur la joue de Claudia une empreinte de doigts, rouge du sang de Marcus. Elle la remarqua avec un coup au cœur, réalisant qu'il se vidait toujours de son sang, que chaque seconde comptait. Saisissant rudement Claudia par le bras, elle la traîna jusqu'à la porte et cria aux hommes qui tentaient toujours de l'enfoncer qu'elle allait l'ouvrir.

Pendant que Claudia se blottissait contre le mur, jetant autour d'elle des regards apeurés, Avalon tira la lourde barre de bois de ses supports et la laissa tomber. Le battant de chêne à moitié défoncé s'ouvrit à la volée, libérant un flot de Highlanders qui se précipitèrent dans la pièce, prêts au combat.

— Là-bas ! dit-elle en désignant Marcus de l'index.

— Une torche ! gronda Balthazar.

Des hommes s'empressèrent de lui obéir. Depuis le couloir, des torches furent passées de main en main, à bout de bras. Claudia, voyant la lumière revenir et la chambre envahie, lâcha un cri de rage. Tous se retournèrent vers elle, indécis.

— Emparez-vous d'elle ! ordonna Avalon à l'homme le plus proche. C'est elle qui a tiré sur le laird.

Avalon n'attendit pas de savoir si ses ordres étaient exécutés. L'instant d'après, elle se précipita vers Marcus, le mage et les autres hommes réunis en cercle autour d'eux. Jouant des coudes, elle s'agenouilla près de lui. Il avait les yeux ouverts et la regardait.

— Marcus…

Elle dut sourire pour ne pas se mettre à pleurer de soulagement. Pendant que Balthazar procédait à un examen attentif de la blessure, elle prit la main de Marcus dans la sienne et parvint à maintenir un sourire sur ses lèvres, même si de ses yeux embués les larmes ne demandaient qu'à couler.

Enfin, Balthazar se redressa et secoua la tête, comme s'il ne parvenait pas à en croire ses yeux.

— Kincardine, dit-il, je sais que tu es un homme chanceux, mais il serait peut-être temps de ne plus tenter ta chance… À force, elle pourrait se lasser.

Marcus lui rendit son sourire, quoique plus faiblement. Dans ce langage qu'eux seuls parlaient, il prononça quelques mots que son ami accueillit en riant.

Puis, se tournant vers Avalon, Balthazar ajouta :

— Votre mari vivra, milady. Mais vous allez devoir lui prêter un foulard pour qu'il garde son bras en écharpe. Je pense que le rose lui irait très bien. Qu'en dites-vous ?

Le foulard qui maintint le bras de Marcus en écharpe ne fut pas rose mais gris, ce qui ne l'empêcha pas de pester tant et plus sur les inconvénients d'une convalescence de quelques jours après avoir frôlé la mort de peu. Pour lui laisser le temps de se remettre, il avait été convenu qu'ils ne rentreraient à Sauveur qu'une semaine plus tard.

En se promenant seule ce matin-là dans le jardin de sa mère, Avalon songea que c'était un minimum après avoir reçu coup sur coup deux flèches en pleine poitrine. Il lui fallait encore se pincer pour croire au miracle qui lui avait permis de survivre.

Éveillée avant l'aube, elle était restée allongée deux heures durant près de son mari. Dans cette chambre dont les fenêtres donnaient sur les branches du grand bouleau qu'elle aimait tant, et qui avait été sienne autrefois, elle l'avait simplement regardé dormir. Un chaume de barbe bleuissait ses joues, mais son hâle habituel lui donnait un air de santé que ne parvenaient pas à amoindrir ses yeux cernés. Son souffle était profond, régulier, et il ne souffrait d'aucune fièvre.

Au cours des trois jours qui s'étaient écoulés depuis qu'ils étaient arrivés dans cet endroit désolé, beaucoup avait déjà été fait pour tout remettre en ordre. Même s'il faudrait du temps avant de rendre à Trayleigh son lustre d'antan, c'était un soulagement pour elle.

Dans son délire, Claudia avait menti ou pris ses désirs pour des réalités. Les habitants du château et des alentours n'avaient pas péri mais s'étaient enfuis, abandonnant la baronne à sa folie. Jour après jour, les villageois regagnaient leurs logis. La plupart n'avaient pas trouvé refuge bien loin. Elfrieda avait été la première à rejoindre le château, cherchant Avalon pour lui révéler ce qui s'était passé.

Après la mort de son mari, lady Claudia avait perdu tout à fait la raison, de manière si visible et rapide que son entourage avait pris peur. Quand le nouveau baron était arrivé, la dégradation de son état mental s'était accentuée, et plus personne n'avait voulu rester au château. Il se disait que l'endroit était maudit, que la baronne était un danger pour elle-même et tous ceux qui l'approchaient. Deux semaines après la mort de Bryce, on n'avait plus revu son frère en public. Et pendant presque une semaine, Claudia et son amant étaient restés absolument seuls dans le château déserté.

À présent, Claudia était en route pour Londres sous bonne escorte. Elle n'avait pas prononcé une parole sensée depuis qu'Avalon avait ouvert la porte à moitié défoncée de la chambre. Il lui arrivait d'évoquer les flammes et les démons de l'enfer qui l'avaient assaillie, ce qui ne faisait que renforcer la réalité de sa folie aux yeux de tous. Comme le *faë* maléfique de la légende, Claudia se retrouvait piégée en punition de ses crimes. Mais au lieu de rester prisonnière sur le flanc d'une montagne, il lui faudrait expier ses fautes dans une tour de pierre à Londres.

Tôt ou tard – probablement plus tôt que tard – Avalon devrait elle aussi se rendre dans cette ville qu'elle détestait. Elle devrait rendre compte au roi de toute l'histoire – du moins d'une version expurgée, passant sous silence ce qui s'était *réellement* passé dans la chambre du baron. Il y aurait suffisamment de témoins pour corroborer ses dires et attester de la folie de Claudia. Mais elle aurait tout le temps de songer à cela le moment venu.

Le temps était trop beau, ce jour-là, pour penser à autre chose qu'au charme du jardin de sa mère, dans lequel elle déambulait lentement sur le chemin de petits cailloux blancs. Une fois de plus, elle était à la recherche du banc de marbre, abrité sous la tonnelle de chèvrefeuille, que Marcus ne lui avait pas laissé le temps de trouver lors de sa précédente visite en ce lieu. Et quand elle y parvint, elle fut à peine étonnée d'y découvrir, tranquillement assis, l'homme qui était supposé dormir dans sa chambre d'un sommeil de plomb.

— Douce Rosalind… susurra-t-il en la couvant du regard. Tu es encore plus belle que la dernière fois que je t'ai vue ici.

— Tu ne devraïs pas être déjà levé, lui reprocha-t-elle.

Mais elle le fit sans conviction, et Marcus s'en rendit compte.

— Viens un peu par ici que je te montre à quel point je suis faible… plaisanta-t-il.

Avalon s'approcha en souriant, mais demeura hors de portée de sa main valide.

— Comment te sens-tu ce matin ? s'enquit-elle.

— Il semble que je pourrais dormir encore mille ans.

— Vraiment ? J'ai l'impression d'avoir déjà entendu cela quelque part…

— À présent, enchaîna Marcus, tu es censée me dire que j'ai assez dormi et qu'il est temps de passer à des occupations plus intéressantes. J'en ai une en tête qui l'est particulièrement…

Le chèvrefeuille, en ce jour d'hiver, n'avait plus ni fleurs ni feuilles. Ses branches et ses tiges emmêlées, d'un brun doré, formaient autour de Marcus un cocon protecteur. Rattrapée par le souvenir qu'elle avait failli le perdre, Avalon se pencha, émue, pour lui caresser la joue du bout des doigts. Avant qu'elle ait pu retirer sa main, Marcus s'en empara et la porta à ses lèvres, sans la quitter des yeux.

— Avalon…

Dans sa bouche, son nom sonnait comme une caresse, et cela suscita en elle un frisson dont l'onde de choc se propagea jusqu'à son cœur.

— Un jour ou l'autre, reprit-il, il nous faudra trouver le moyen de n'être blessé ni l'un ni l'autre...

— Ce serait bien.

— Et même plus que bien.

Marcus émit un grognement qui ressemblait fort à un ronronnement et l'attira à lui. Ses intentions étaient aussi claires que le bleu de ses yeux.

À regret, Avalon se déroba en secouant la tête. En temps ordinaire, elle se serait fait un plaisir de ne pas résister, mais elle avait des choses à lui dire, et cette rencontre matinale constituait la première occasion qui lui était donnée de le faire.

— Nous devons parler, dit-elle d'un ton raisonnable.

— Plus tard !

La mine dépitée de Marcus et son air boudeur de petit garçon faillirent avoir raison de la résolution d'Avalon.

— De toute façon, protesta-t-elle en riant, tu n'es pas assez en forme pour... cette intéressante activité que tu as en tête. Je m'en voudrais de saper tes forces et retarder ta guérison par trop de précipitation. Je tiens trop à toi pour cela.

— Vraiment ? demanda-t-il, radieux et entièrement concentré sur elle. Tu tiens à moi tant que cela ?

Hochant la tête, Avalon baissa les yeux et contempla ses mains jointes contre son giron. Il lui était très difficile de dire ce qu'elle avait à dire, même à présent.

— J'avais peur, avoua-t-elle enfin à mi-voix. Je n'ai jamais su à quel point j'avais peur, jusqu'à ce que nous revenions ici tous les deux. J'ai passé tant de temps à combattre cette peur qui me paralysait que j'avais fini par l'oublier. J'étais son jouet, en quelque sorte, aveugle et docile.

— Bel Amour… intervint Marcus.

— Non! S'il te plaît, écoute-moi sans m'interrompre.

Elle trouva le courage de redresser la tête pour soutenir son regard :

— C'était la peur qui me faisait ignorer les élans de mon cœur, Marcus Kincardine. C'était la peur qui me cantonnait dans la solitude et faisait de ma vie un perpétuel combat. Je luttais, encore et toujours, contre ce que je ne pouvais comprendre. Si tu savais comme je le regrette, à présent… Mais c'est ainsi que j'ai toujours réagi, et cela me fait honte.

Marcus ne répondit pas. Il se contenta de la prendre par la main et recommença à l'attirer vers le banc. Cette fois, Avalon se laissa faire, acceptant de s'asseoir près de lui, sous le chèvrefeuille figé dans son sommeil d'hiver.

— C'est également à cause de cette peur que j'ai failli te perdre, reprit-elle d'une voix douloureuse. C'est parce que je ne pouvais me résoudre à accepter ce que j'avais vu que tu as failli mourir. Je ne t'en ai pas parlé, mais… lorsque nous étions encore à Sauveur, j'ai tenté de faire usage de mon don pour découvrir de nouvelles informations sur Keith MacFarland. La vision que j'ai eue n'avait aucun sens à mes yeux. J'ai fini par me convaincre qu'elle était le fruit de mon imagination morbide… alors qu'en fait il s'agissait d'une prémonition. Car aussitôt que nous sommes entrés dans cette chambre avec Claudia, je me suis retrouvée dans la même situation, agissant de la même manière que dans ma vision et ne pouvant faire autrement.

Un petit courant d'air vint jouer quelques instants avec des feuilles mortes à leurs pieds, les entraînant dans un tourbillon aussi vite apparu que retombé.

— Si seulement je t'en avais parlé… soupira-t-elle. Si je n'avais pas eu aussi peur de reconnaître ce que j'avais vu de mes propres yeux, si j'avais accepté cette chose qui est en moi pour ce qu'elle est, rien de tout ceci ne serait arrivé.

— Il n'est pas trop tard pour m'en parler, assura Marcus. Quelle est cette chose qui est en toi ?

Avalon chercha ses mots un long moment.

— Votre malédiction, dit-elle enfin. La légende des Kincardine. C'est cela qui est en moi. Tu avais raison depuis le début, et j'aurais dû t'écouter. Ce pouvoir est en moi depuis toujours. J'ai tenté de le nier, de me refuser à lui, et pourtant il vit en moi, comme il l'a toujours fait. Je le comprends et je l'accepte à présent.

Un sourire illumina le visage de Marcus.

— Tu acceptes le don qui t'a été fait.

— Oui, j'accepte mon don.

Et tandis qu'elle répétait ce mot, la joie de Marcus se diffusa en elle, lui donnant le courage d'affronter son regard.

— Dans cette chambre où je n'avais plus que lui pour te sauver, expliqua-t-elle, j'ai réalisé qu'il était bien ce que tu disais : un don, et non une malédiction. J'ai compris qu'il n'avait rien d'imaginaire. Mais il a fallu pour cela qu'il soit presque trop tard.

La tête penchée en arrière, Marcus contempla la voûte de chèvrefeuille qui les surplombait. À travers les branches dénudées, on apercevait le ciel bleu.

— Toute ma vie, dit-il, j'ai lutté pour bannir mon enfance de ma mémoire. Je me suis également efforcé de comprendre les forces de l'univers qui nous dépassent. La rage de tuer qui anime les hommes. La soif de pouvoir de ceux qui en possèdent déjà tellement. J'ai tenté de rendre sensé ce qui ne l'était pas, parce que j'en avais besoin. Je me suis imaginé qu'en ayant la logique de mon côté, je pourrais affronter les guerres, les batailles, les injustices. Mais cela n'a pas suffi. Je n'ai pas trouvé de réponses à mes questions, et j'ai fini par réaliser que je n'en trouverais jamais.

Marcus poussa un soupir et baissa lentement la tête. Quand leurs regards se rencontrèrent, il reprit :

— Il y a tant de choses qui nous dépassent, Avalon... Tant de choses extérieures à nous, qui nous ont façonnés, qui ont fait ce que nous sommes, et ce qu'est le monde. Je pense savoir ce que ton enfance a dû être sous la férule de Hanoch. Cela, au moins, je pense pouvoir le comprendre. Et je peux donc comprendre aussi ce qui t'a poussée à le rejeter de toutes les manières possibles. Je me suis moi-même conduit de cette façon. Je suis resté loin de chez moi des années durant, juste pour tourner le dos à mon père. C'était peut-être une erreur de ma part. Je ne sais plus...

Marcus sembla perdre sa concentration. L'espace d'un instant, il parut bien loin de ce petit jardin verdoyant – dans un désert de sable brûlant et de soleil aveuglant, peut-être. Puis, aussi soudainement qu'il l'avait laissé filer, il rattrapa le fil de ses idées.

— Tu ne dois pas te sentir coupable d'avoir réagi ainsi à ce qui t'était imposé, à ce que l'on t'a fait subir. Ne t'excuse pas de n'avoir pas voulu croire à une légende que l'on tentait de t'imposer. Dieu sait que c'était ton droit de le faire ! À ta place, je n'aurais pas agi autrement, même si je n'aurais sans doute jamais acquis cette sagesse que tu possèdes. Dans les conditions les plus épouvantables qui soient, tu t'es élevée et tu as cultivé ce qu'il y avait de mieux en toi. Avec ou sans ce don, tu es devenue la personne la plus merveilleuse que j'aie jamais connue.

La tête penchée, Avalon scrutait son visage, sans y découvrir autre chose qu'une absolue sincérité.

— Et personne ne peut dire ce qui serait advenu si tu m'avais raconté ta vision, ajouta-t-il. Nous savions tous que c'était un piège quand nous avons reçu cette missive. Et c'est en connaissance de cause que nous avons décidé de venir quand même à Trayleigh.

— J'aurais pu éviter ça ! insista Avalon.

— Comment ? demanda Marcus. Nul ne peut arrêter le destin en marche, Bel Amour. Ni toi ni personne d'autre. Il est advenu ce qui devait advenir. En fait, je n'y vois que des raisons de me réjouir. Ma femme est en vie, je suis en vie, et une injustice ancienne a été réparée. Il me semble qu'il n'aurait pas été possible de rêver meilleure fin à toute cette aventure…

La force de sa conviction avait fini par l'emporter. Ses paroles avaient sur Avalon un effet apaisant. Marcus avait su utiliser sa propre souffrance pour comprendre la sienne, pour la réconforter et lui redonner confiance en elle. Il était un cadeau inestimable qu'au terme d'un parcours chaotique la vie avait décidé de lui faire. Rien d'autre n'avait d'importance, et elle était décidée à ne pas gâcher ce trésor.

— Je t'aime! s'exclama-t-elle en se pressant contre lui. Cela fait longtemps déjà, mais à présent je n'ai plus peur de le dire: je t'aime!

De son bras valide, Marcus l'attira à lui. Posant la tête sur son épaule, elle se pelotonna amoureusement contre lui.

— Ma belle Avalon… murmura-t-il en lui caressant les cheveux. Moi aussi, j'ai quelque chose à te dire. J'étais tout à fait conscient dans la chambre du baron, même après avoir été blessé. Je ne te l'ai pas dit tout de suite, parce que je ne savais pas comment tu allais le prendre, mais j'ai tout vu. C'était d'abord un peu confus, c'est vrai, mais même un homme blessé n'aurait pu manquer ce feu, ni ces créatures…

Avalon s'était figée, le souffle coupé. Pour la tranquilliser, Marcus déposa un baiser sur son front et ajouta:

— C'était terrifiant. J'avoue que si j'en avais eu la force, j'aurais tremblé comme une feuille. Je savais parfaitement qui était la source de cette fantasmagorie. Je savais ce que tu étais en train de faire, et pourquoi. J'étais si fier de toi… J'étais… en admiration devant toi.

— Non, protesta-t-elle. Tu…

Posant l'index sur ses lèvres, Marcus enchaîna:

— Mais tu dois savoir que pas un seul instant je n'ai eu peur *de toi*. Je te l'ai déjà dit, Bel Amour, je sais que ton cœur est juste et bon, et loyal. C'est tout à fait clair pour moi, tout comme il est clair que je n'aurai jamais rien à craindre de toi. Tu es une femme pleine d'esprit et de compassion. Et si tu ne le sais pas encore, je vais passer le reste de ma vie à te le prouver.

Avalon garda le silence. Sa gorge était trop nouée par l'émotion pour lui permettre de parler, et de grosses larmes de bonheur roulaient lentement sur ses joues. Elle était heureuse – bouleversée et heureuse – de le sentir tout contre elle, si fort et si ferme, si inébranlable dans la foi qu'il avait en elle. Pourtant, elle ne put s'empêcher de se redresser et de le dévisager avec inquiétude. Un rayon de soleil filtrant à travers les branches du chèvrefeuille éclairait ses yeux pâles et venait mourir dans l'ébène de ses cheveux.

— Je t'ai dit que je... commença-t-elle, gênée. Crois-tu que toi aussi...

Avalon se tut, trop embarrassée pour lui poser la question qui lui brûlait les lèvres. Cependant, elle ne pouvait en rester là. Elle avait besoin d'entendre de sa bouche, après tout ce qui s'était passé entre eux, les mots qui seuls pourraient lever l'incertitude dans laquelle elle se débattait.

Marcus soutint tranquillement son regard. Le bleu de ses yeux s'accordait parfaitement à celui du paisible ciel hivernal. Puis son visage s'éclaira, comme s'il venait de comprendre ce qui la tracassait.

— Ma mythique Promise... s'amusa-t-il. T'imagines-tu vraiment que j'ai encore besoin de cette légende pour tenir à toi ? Ne peux-tu donc lire au fond de mon cœur ? Mais je veux bien te le dire, si c'est ce dont tu as besoin, même si j'ai l'impression de n'avoir fait que le crier en silence depuis que nous nous sommes rencontrés. Je t'aime, Avalon ! Je t'aime plus que la vie même, plus que tout ce que j'aurais pu rêver. Tu es la réponse à tous les vœux que je n'ai jamais osé formuler. Que je doive en remercier Dieu, ou le destin, ou une stupide légende, peu m'importe. Tout ce qui compte pour moi, c'est que tu sois là, près de moi. Toi, et non un avatar de conte de fées.

Lentement, Marcus pencha la tête vers elle. Avalon l'imita, et leurs lèvres s'unirent. Et par ce baiser, ce fut leurs âmes qui s'unirent aussi, dans une totale harmonie.

— Je t'aime... murmura-t-il de nouveau contre ses lèvres. Je t'ai toujours aimée. Et je te le dirai chaque jour, pour toujours.

Je t'aime, Avalon, je t'aime...

Je t'aime, Bel Amour.

Sur une branche dénudée de cerisier qui les surplombait, une alouette se mit à chanter, embellissant la matinée de ses longs trilles.

Épilogue

Loin du monde et très près à la fois, en dessus comme en dessous, un laird d'un temps depuis longtemps révolu et son épouse assistaient au dénouement attendu de l'histoire dont ils avaient écrit le commencement. Une grande paix et une infinie tendresse descendirent sur eux en voyant leurs bien-aimés descendants échanger un baiser et affirmer leurs liens d'amour.

— La malédiction n'est plus, se réjouit le laird.

— Oui, approuva sa femme. Le temps est venu. Les nôtres sont en charge de leur destin, pour le clan un nouvel âge commence, et nous sommes enfin libres !

Désormais unis en un seul, les deux esprits s'élevèrent. Et si une telle chose avait été possible, les amants qui s'embrassaient sous la tonnelle auraient perçu un rire céleste. Fidèles à la promesse du Bel Amour, le laird et son épouse se joignirent pour l'éternité dans un tourbillon d'allégresse et de félicité. Et le chant d'une alouette, sur la branche dénudée d'un cerisier, fut leur ultime adieu.

Glossaire

Angus : comté d'Écosse d'après lequel a été nommée une race de bœufs noirs et sans cornes typique de ces régions.

Aye : oui.

Clan : tribu écossaise ou irlandaise, formée d'un certain nombre de familles ayant un ancêtre commun.

Deus vult ! : Dieu le veut ! cri de ralliement des croisés, lancé avant le combat contre les troupes infidèles.

Faë : de l'anglais *faery* (féerie), être imaginaire, mi-homme mi-démon, capable de frayer avec les mortels.

Haggis : plat traditionnel anglais et écossais, à base d'abats de mouton (ou de veau) et d'avoine, bouillis dans la panse de l'animal.

Laird : propriétaire d'une terre ou d'un manoir, chef de clan en Écosse.

Lass : jeune fille.

Loch : en Écosse, lac allongé occupant le fond de certaines vallées.

Nay : non.

Tartan : étoffe de laine à bandes de couleurs se coupant à angle droit, vêtement traditionnel des montagnards d'Écosse. Chaque clan possède ses propres couleurs.

Note de l'auteur

Pour autant que je sache, les Maures du Moyen Âge ne se tatouaient pas le visage, ni à des fins esthétiques, ni à des fins religieuses ou autres. Pourtant, Balthazar m'est apparu dès le début de cette histoire paré de ces élégants signes distinctifs et je n'ai pu lui résister.

De même, la connaissance des arts martiaux dans l'Écosse médiévale paraît tout aussi sujette à caution, même en tenant compte des échanges culturels dus aux croisades. Il fallait véritablement une légende pour justifier les dons d'Avalon dans ce domaine, et fort heureusement j'en avais une sous la main.

Même si ce livre est un ouvrage de pure fiction, je prie le lecteur d'excuser les libertés que j'ai prises avec la véracité historique. Les impératifs du récit le justifiaient.

J'espère que vous aurez apprécié autant que moi le cheminement chaotique d'Avalon et de Marcus vers le Bel Amour.

S. A.

Découvrez les prochaines nouveautés
de nos différentes collections J'ai lu pour elle

AVENTURES
&PASSIONS

Le 7 juillet :
Julianna et le fou du roi ∽ **Anne Stuart**

Par une belle journée d'automne, Julianna Moncrieff apprend qu'elle est enfin veuve. Après dix ans de mariage, la voilà délivrée d'un époux qu'elle n'a jamais aimé. Cependant, elle est désormais sans toit car le fief des Moncrieff revient aux héritiers du défunt. Julianna doit se soumettre aux ordres du roi et s'en retourner auprès de sa mère sur le point de se remarier. Lors de la cérémonie, un bouffon se charge de distraire la compagnie.

Libre à tout prix ∽ **Lisa Kleypas**

Qui soupçonnerait qu'à vingt-quatre ans, Nick Gentry est toujours puceau? En tant qu'inspecteur de la brigade des affaires criminelles de Bow Street, il a fréquenté les bas-fonds de Londres et connu les pires criminels. Mais une jeunesse douloureuse le tient à l'écart des femmes.
C'est dans une maison close qu'une femme l'initie à l'art d'aimer. Quand sa maîtresse lui rend sa liberté, Nick se lance dans une nouvelle enquête qui le met sur la piste d'une jeune fugueuse, Charlotte Howard.

Le club des débutantes -3. L'imposture ∽
Julia London

INÉDIT

Ce roman clôt la série *Le club des débutantes*.
Couturière aux doigts de fée, Lady Phoebe Fairchild travaille dans le plus grand secret afin de ne pas nuire à la réputation de sa famille. Son employeur profite de sa détresse financière pour la contraindre à aller travailler pour les sœurs du vicomte Summerfield dont la garde-robe doit être renouvelée. Aussi se présente-t-elle dans le Bedfordshire sous l'identité d'une veuve, Madame Dupree.
Malgré elle, elle tombe peu à peu sous le charme du vicomte, qui ignore qu'elle est une lady

L'étrange seigneur du château ∽ **Eve Silver**

INÉDIT

Emma Parrish, fille illégitime d'un aristocrate, vit avec ses tantes jusqu'au jour où elles tentent de vendre ses services à un homme. Après s'être échappée, elle en vient à accepter d'être la gouvernante de l'enfant d'une cousine défunte.
Au terme d'un voyage pénible, elle découvre sa nouvelle demeure, Manorbrier, ainsi que le propriétaire des lieux, le beau et ténébreux lord Craven, qui est soupçonné d'avoir tué sa femme.

La famille Huxtable -1. Le temps du mariage ⊗
Mary Balogh

INÉDIT

La famille Huxtable mène une vie humble dans la campagne anglaise jusqu'au jour où un certain vicomte Lynsgate vient leur annoncer que leur fils, Stephen, hérite d'un comté suite au décès d'un cousin.
Une tout autre vie commence alors pour les Huxtable qui s'installent dans la propriété du défunt. Tandis que Lynsgate songe à épouser la benjamine, Margaret, Vanessa, la cadette, se sacrifie pour épargner à sa sœur un mariage de convenance. Elle ne porte pourtant pas le vicomte dans son cœur...

Ne me tente pas ⊗ **Loretta Chase**

INÉDIT

De retour en Angleterre après douze années en Orient, Zoé Lexham n'a rien d'une jeune fille de bonne famille.
Partout où elle va, elle cause un scandale. Son avenir au sein de la haute société semble fort compromis... à moins que quelqu'un ne puisse la dompter, quelqu'un de la trempe du cynique duc de Marchmont, le célibataire le plus en vue du moment...

**2 rendez-vous mensuels
aux alentours du 1ᵉʳ et du 15 de chaque mois.**

Passion intense

Quand l'amour vous plonge dans un monde de sensualité

Le 16 juin :
Les SBC Fighters — 3. Le dernier combat ⊗ **Lori Foster**

INÉDIT

Après avoir été blessé sur le ring, Hardley Handleman, lutteur de la SBC de renommée nationale, se remet peu à peu au combat. Afin de l'aider, son oncle loue en secret les services d'Anastasia Kelley, une entraîneuse sexy, qui connaît bien Hardley.

Voyage au jardin des sens ⊗ **Robin Schone**

INÉDIT

Mariée à un homme froid par la volonté de son père, Elizabeth a pourtant toutes les qualités de l'épouse idéale. Après quinze ans de mariage, déterminée à respecter ses vœux maritaux, Elizabeth aimerait éveiller l'intérêt de son époux indifférent. Afin de le séduire, elle a recours aux services d'un homme expert en la matière, Ramiel, qui va lui enseigner les secrets de la séduction.

**2 romans tous les 2 mois
aux alentours du 15 de chaque mois.**

9282

Composition
CHESTEROC LTD
Achevé d'imprimer en France (Malesherbes)
par MAURY-IMPRIMEUR
le 16 mai 2010.
Dépôt légal mai 2010.
EAN 9782290015742

Éditions J'ai lu
87, quai Panhard-et-Levassor, 75013 Paris
Diffusion France et étranger : Flammarion